La conception bioclimatique

des maisons
économes
et confortables
en neuf et en réhabilitation

Depuis 1979, **Terre vivante** vous fait partager ses expériences en matière d'écologie pratique :
jardinage biologique, alimentation et santé, habitat écologique, énergie.
À travers :
- l'édition de livres pratiques,
- le magazine *Les Quatre Saisons du jardin bio*,
- un Centre de découverte de l'écologie pratique à visiter de mai à octobre, dans les Alpes, au pied du Vercors.

Le catalogue des ouvrages publiés par **Terre vivante** est disponible sur simple demande.

Terre vivante, domaine de Raud, 38710 Mens.
Tél. : 04 76 34 80 80. Fax : 04 76 34 84 02. Email : info@terrevivante.org
www.terrevivante.org

Samuel Courgey et Jean-Pierre Oliva

La conception bioclimatique

des maisons
économes
et confortables
en neuf et en réhabilitation

terre vivante
L'ÉCOLOGIE PRATIQUE

Samuel Courgey est chargé de mission à l'AJENA. À ce titre, il anime et supervise des programmes sur la qualité environnementale et la performance thermique des bâtiments.

Jean-Pierre Oliva est consultant et formateur en architecture écologique. Spécialisé dans ce domaine depuis plus de 20 ans, il est un des pionniers de la construction écologique en France.

Samuel Courgey et Jean-Pierre Oliva travaillent également régulièrement ensemble depuis 1989 sur des projets alternatifs, entre autres sur la valorisation des fibres végétales en tant que matériaux de construction.

Remerciements

À toutes celles et ceux, militants et acteurs du monde associatif, qui depuis des décennies travaillent pour faire prendre conscience de l'urgence d'un autre comportement énergétique,

À toutes celles et ceux, utopistes de la construction bioclimatique et écologique, architectes, bâtisseurs, autoconstructeurs, qui depuis des décennies expérimentent, réalisent, montrent et démontrent,

À toutes celles et ceux qui n'ont pas attendu le développement durable du discours environnemental pour agir concrètement,

À toutes celles et ceux qui ne sont toujours pas découragés d'avoir raison trop tôt face à une majorité de décideurs sceptiques qui ont toujours raison si tard,

À toutes celles et ceux qui, de plus en plus nombreux, les rejoignent, avec leurs expériences et leurs énergies renouvelées…

Une reconnaissance particulière à l'AJENA, Énergie et environnement en Franche-Comté, au CEDER (Centre d'études et de développement des énergies renouvelables), à l'ADERA et à l'association Négawatt.

Et un merci tout particulier à Béatrice Gauge qui ne se doutait pas – pas plus que nous – de l'énorme travail qui l'attendait et qui a néanmoins œuvré jusqu'au bout avec bonne humeur.

Coordination éditoriale, conception, réalisation : Béatrice Gauge

Dessins : Guillaume Berteaud (sauf pages 27, 60, 101, 199d, 202b : Steen)

© **terre vivante**, Mens, France, 2006, 2007
ISBN : 978-2-9147-21-2

Sommaire

Chapitre 4
Techniques bioclimatiques spécifiques

Les termes suivis d'un astérisque*
sont expliqués dans le glossaire
p. 238.

Introduction

Praticiens de la construction écologique, les auteurs de cet ouvrage sont confrontés depuis de nombreuses années, entre autres problématiques, à celle du confort thermique et aux moyens de l'obtenir dans une logique d'économie, de santé, et de cohérence environnementale.

Aujourd'hui, même les tenants les plus rigides de la construction conventionnelle le reconnaissent : l'accroissement rapide du coût de l'énergie, la raréfaction des ressources et l'urgence de réduire les causes du réchauffement climatique imposent une nouvelle évolution des modes d'habiter et de construire.

Il nous a donc paru opportun de faire aujourd'hui le point sur les alternatives écologiques pour l'obtention du confort thermique.

Un ouvrage vraiment « écologique » sur le confort thermique ne pouvait se contenter de comparer les solutions et appareillages disponibles sur le marché pour répondre, fût-ce le plus écologiquement possible, aux besoins énoncés. Il se devait de prendre le problème à la racine, c'est-à-dire à la définition des besoins réels. Le postulat de départ étant que l'énergie sans conteste la plus écologique de toutes est celle que l'on ne consomme pas, ce volume est donc consacré aux méthodes permettant la décroissance des besoins thermiques par la conception bioclimatique des habitats. Il expose les grands principes du contrôle énergétique à partir des éléments du bâti. Nous décrirons ultérieurement dans un second volume les dispositifs spécifiques pour produire la chaleur complémentaire souvent nécessaire sous nos climats, et les solutions actives de rafraîchissement.

> Excepté quelques pistes nous ayant semblé intéressantes à évoquer à l'occasion, l'objet de ce livre se limite à l'habitat individuel et au petit collectif, pour lequel la problématique et les solutions sont sensiblement différentes des programmes de plus grande ampleur.

PETITE HISTOIRE DU CHAUFFAGE ET DU RAFRAÎCHISSEMENT

Notre héritage animal

Parmi tous les êtres vivants, les humains disposent d'un grand registre de stratégies thermiques pour s'adapter aux variations du climat extérieur. Elles sont de cinq types, identiques à celles des animaux.

• Physiologiquement, notre nature de mammifères nous offre des capacités de régulation métaboliques par variation des quantités de sang qui affluent à proximité de la peau, pour rafraîchir le corps, ou au contraire limiter ses déperditions de calories. Cette faculté nous permet de ressentir des conditions de confort sur une plage assez large de températures.

• En plus de ces régulations physiologiques automatiques, nous pouvons comme beaucoup d'animaux modifier notre activité musculaire pour augmenter ou réduire la production de chaleur (par exemple en fendant du bois

Constructions « bioclimatiques » des termites à boussole (*Amitermes meridionalis*) de la steppe australienne. Les monticules orientés strictement nord-sud absorbent le rayonnement solaire du matin et du soir par leurs faces larges pour maintenir la température du couvain à 31,5 °C et l'humidité relative* à 90 %, y compris pendant la nuit par l'inertie. Elles évitent les surchauffes du milieu du jour grâce à leur face effilée.

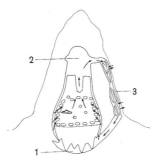

D'autres espèces de termites (les *Macrotermes bellicosus* de Côte-d'Ivoire) construisent des nids regroupant plusieurs millions d'individus avec des systèmes de ventilation et d'air conditionné très élaborés : le couvain, au centre, est en permanence ventilé de bas en haut par un courant d'air ascendant qui le rafraîchit, extrait le CO_2 et l'alimente en oxygène.

1 Cave
2 Chambre à air supérieure
3 Conduits

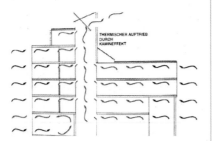

Principe de ventilation naturelle assistée par cheminée thermique de la chambre de commerce et d'industrie de Karlsruhe. Architectes : S. Wessling et C. Steffan, 1996.

en hiver, activité qui, c'est bien connu, « réchauffe deux fois », ou en faisant la sieste aux plus chaudes heures de l'été).

• Une autre stratégie héritée des comportements animaux est le nomadisme qui consiste à se déplacer physiquement d'un lieu à l'autre, au cours d'une journée et/ou au cours de l'année pour rester dans des zones de températures proches du confort.

• Enfin, la construction d'un nid, le creusement d'un terrier, ou l'aménagement d'une cavité naturelle pour créer un microclimat est l'une des stratégies les plus avancées du monde animal dans l'adaptation aux conditions thermiques extérieures.

• De plus, cette cellule plus ou moins close permet le rassemblement de plusieurs individus et la mise en commun de leurs chaleurs corporelles. La domestication des animaux au néolithique a initié un mode de chauffage qui a perduré pratiquement jusqu'au XXe siècle en milieu rural, où l'on trouvait encore des étables jouxtant les logements des humains.

Notre deuxième peau

Au cours de leur évolution, les humains ont abandonné une des stratégies animales d'adaptation climatique : la possibilité saisonnière de faire croître ou décroître des couches de graisse ou de fourrure pour se protéger du froid. Notre peau nue n'est adaptée à peu près qu'aux zones tropicales humides. Sous tous les autres climats, elle exige une assistance thermique variable en fonction des saisons.

Les vêtements conçus dans les civilisations traditionnelles remplissent ces fonctions de correction thermique : le vêtement de fourrure des Inuits, étroitement collé au corps, emprisonne sa chaleur et la vapeur d'eau issue de la sudation, créant autour de lui comme un microclimat semi-tropical.

À l'autre extrême climatique, les gandouras blanches, amples et flottantes que portent les Arabes assurent à la fois une protection contre le rayonnement solaire et une circulation d'air autour du corps qui maintient la fraîcheur par évaporation.

Habitants du M'zab en gandoura.

Notre troisième peau

Poursuivant la pratique des animaux bâtisseurs, les cultures humaines traditionnelles ont porté très loin l'adaptation de leur habitat et de leur mode de vie à leur environnement climatique. Les bâtisseurs primitifs, à l'instar des animaux, ont d'abord assigné à leur habitat un rôle de médiation passive entre les forces extérieures du milieu naturel et leur confort. Ils ont su tirer parti, souvent avec une grande ingéniosité, des potentiels d'échangeurs thermiques entre le milieu extérieur et le milieu intérieur que constitue leur habitat. Cela en jouant sur la seule conformation physique et morphologique des volumes, des espaces et des masses.

Ces compétences empiriques dans la gestion passive de l'enceinte thermique, alliées à la rusticité des besoins, expliquent que sous beaucoup de climats, c'est relativement tard dans l'histoire que l'on constate l'adjonction de systèmes de production de chaleur spécifiques. C'est ainsi par exemple que dans la zone tempérée de l'Europe, le recours aux « intrants* » énergétiques est resté marginal, dans l'habitat populaire jusqu'à l'ère industrielle, la chaleur du feu n'étant qu'un complément occasionnel aux apports internes*.

La recherche du confort thermique

Dans les régions froides, la nécessité de maintenir la chaleur au cœur de la maison a amené à créer des habitats compacts, pour limiter le plus possible les surfaces de contact de l'enceinte thermique avec l'extérieur.

Avec la yourte mongol, l'exemple le plus abouti est l'igloo.
La forme hémisphérique de cet habitat constitue le rapport optimal entre le volume contenu et la surface du contenant. De plus, elle offre une résistance mécanique maximale avec un matériau entièrement disponible sur place et une portée minimale aux assauts du vent et à ses effets refroidissants. L'emploi de la neige compactée comme matériau de structure ne répond pas seulement à une nécessité technique et économique : c'est aussi une réponse presque parfaite à la fonction thermique. En plus des propriétés spécifiques de la neige, le pouvoir isolant de cette coque est assuré par une fine pellicule de glace que la chaleur dégagée par les corps à l'intérieur et l'appoint d'une simple lampe à huile font apparaître sur le parement intérieur.

De la crèche au chauffage par vaches.
La chaleur corporelle des vaches est récupérée par un circuit d'eau serpentant dans les stalles et transmise à l'habitation par un plancher chauffant. Ce système, associé à la récupération de la chaleur produite par la fermentation des excréments, permet à une étable de 50 vaches de fournir l'eau chaude sanitaire et de chauffer à 21 °C 150 m² de surface habitable en Allemagne du Nord.

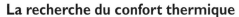

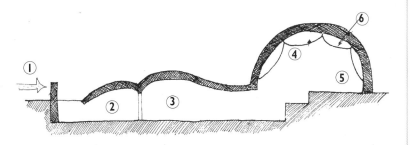

Coupe d'un igloo.
1 Vent
2 Entrée
3 Tunnel tempéré coudé pour arêter le vent
4 Cabillots d'amarrage et peaux
5 Plateforme de séjour élevée pour réduire les courants d'air et bénéficier de l'air chaud
6 Poches d'air

Hutte des Indiens Mandan à l'ouest des Grands Lacs en Amérique du Nord.
La structure de perches recouvertes de branchages et de mottes de terre abritait plusieurs familles autour du feu central. L'orifice pour la fumée était protégé en cas de pluie abondante par un canoë retourné.

Maison traditionnelle de l'île Ullung en Corée.
Dans un climat rude aux hivers longs, avec de fortes chutes de neige, de la pluie et du vent, les constructeurs traditionnels ont mis au point la double enceinte qui dissocie les fonctions de protection et de gestion des apports internes* : la toiture extérieure en troncs d'arbres et couverte de roseaux abrite des intempéries la cellule thermique où l'on se replie en saison froide. Cette dernière, faite de rondins de bois et de terre, optimise alors la récupération et la restitution par rayonnement des calories dégagées par les habitants et leurs activités quotidiennes.

Celle-ci obture les petites porosités de la neige et agit comme un réflecteur de chaleur (à la manière des films en aluminium). Ensuite, en tapissant cette paroi de peaux et de fourrures, qui prennent rapidement la température de l'air intérieur, les habitants améliorent encore ces performances thermiques en évitant leur refroidissement par rayonnement.

L'igloo est donc un exemple particulièrement performant d'un habitat conçu comme instrument de contrôle de l'environnement thermique, presque autonome en énergie. Dans les climats moins extrêmes, la plupart des habitats primitifs sont de simples abris circulaires recouvrant un foyer central, avec un trou dans la toiture pour l'évacuation des fumées. Les parois de branchages auxquelles on ajoutait parfois de la terre étaient surtout une protection contre le vent et la pluie. Ce système est très peu efficace du point de vue thermique car l'air chaud s'échappe par le haut, et la combustion, très gourmande en oxygène, crée des courants d'air froid pénétrants par les discontinuités des parois latérales. Le seul moyen de profiter de la chaleur du foyer était donc de se tenir à proximité de celui-ci pour bénéficier de son rayonnement. En Europe, dans l'habitat populaire, ce dispositif du foyer central persiste jusqu'au Moyen Âge. Le port de vêtements épais, même à l'intérieur, reste donc la solution de base pour assurer le confort thermique individuel.

Parallèlement, des systèmes beaucoup plus évolués ont été utilisés dès l'Antiquité, comme le chauffage central à hypocauste connu chez les Grecs depuis le IVe siècle avant notre ère, et surtout développé dans les riches demeures et les thermes romains. Un foyer puissant situé à l'extérieur des espaces à chauffer produit de l'air chaud qui circule sous le sol des salles à chauffer ou à l'arrière des parois verticales.

Par ailleurs, les premiers usages de la géothermie sont attestés au Moyen Âge, comme par exemple à Chaudes-Aigues dans le Massif central, où dès 1332, un acte de dénombrement des droits seigneuriaux fait mention de parcelles chauffées par circulation de l'eau thermale dans le plancher des maisons du village. C'est le premier réseau de chauffage urbain : l'eau qui jaillit naturellement à 82 °C était canalisée et transportée au moyen de tuyaux en bois de pin évidés qui s'emboîtaient les uns dans les autres. Limité à quelques maisons au Moyen Âge, le système de canalisations a été constamment développé et desservait au XVIIIe siècle la plupart des quartiers de la petite ville.

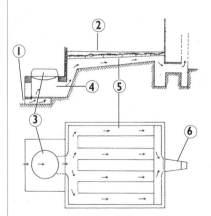

Variante de l'hypocauste gréco-romain.
Le « k'ang » de Corée et de Chine du Nord est un chauffage par le sol également très ancien qui permet de réchauffer les pièces à vivre à partir de la chaleur dégagée par le foyer de la cuisine.
1 Sol de la cuisine
2 Sol de la salle (ciment sur plaques de pierre)
3 Marmite
4 Feu de bois ou de charbon
5 Flux d'air chaud
6 Cheminée

Du foyer ouvert au poêle de masse

Dans l'habitat populaire, la cheminée, avec conduit indépendant pour la fumée, ne se répandra qu'à la fin du Moyen Âge, mais dès le VIIe millénaire avant J.-C., sur le site néolithique de Çatal Hüyük, en Turquie, sont attestés des exemples d'une meilleure intégration du foyer à l'enceinte : le feu est édifié sur une banquette en maçonnerie surélevée et adossé à l'un des murs. Cette disposition introduit une innovation radicale dans le mode de chauffage, en ajoutant le rayonnement de la maçonnerie au rayonnement direct du feu, avec les conséquences régulatrices que cela implique grâce à la restitution déphasée des calories dans le temps.

Le feu, adossé à un mur du local, peu ou prou aménagé en vue de l'évacuation de la fumée, va donner lieu à des siècles d'améliorations jusqu'à ce que l'on puisse réellement parler de cheminée. Le risque d'incendie, défaut majeur de ce premier feu rustique, conduit à le border latéralement et en surplomb d'éléments peu combustibles, d'abord constitués d'argile armée de bois, puis en brique ou en pierre. Ces maçonneries réduisent les risques de projections d'escarbilles, et augmentent également les organes de stockage et de rayonnement. Le tirage aléatoire en même temps que l'évacuation de la fumée se corrigeront très lentement par la transformation des trémies en véritables conduits de fumée de mieux en mieux profilés et dimensionnés. Une fois pourvue d'un conduit vertical sortant du toit, la cheminée pourra abandonner le mur pignon par lequel s'échappait encore souvent la fumée : adossée à un mur de refend*, elle permet de récupérer les déperditions qui jusqu'alors se produisaient par la face arrière du mur.

Dans certaines régions d'Europe du Nord, une continuelle amélioration de cette logique de récupération des calories aboutira à des foyers de plus en plus enclos rayonnant en tous sens au centre de l'habitat.

Dans les isbas russes, qui sont de véritables bulles hermétiques en bois massif, la cheminée à feu ouvert a laissé place à un énorme poêle maçonné occupant jusqu'à 10 m² au centre de l'enceinte chauffée, construit en même temps que le gros œuvre. Dans ce dispositif, le feu ne chauffe plus par rayonnement direct, puisque le foyer n'est plus ouvert que pour la réactivation chaque matin. L'intégralité de la chaleur est absorbée par la masse de la maçonnerie et lentement restituée à l'espace qui l'environne.

Le poêle indépendant, une invention majeure

Mais les différentes variantes de feu ouvert ou enclos dans la maçonnerie étaient peu adaptées à l'habitat collectif et urbain par la taille des infrastructures qu'elles supposaient. Par ailleurs, la révolution industrielle accélère la raréfaction du bois, de plus en plus utilisé en construction navale, dans l'industrie et la métallurgie. Cela amène conjointement à des recherches sur l'optimisation du rendement calorique obtenu par le bois, et à l'expérimentation de nouveaux combustibles fossiles, au premier rang desquels figure la houille, dès la Renaissance en Angleterre. Avec ce nouveau combustible, le tirage indispensable pour évacuer les gaz de combustion comme l'oxyde de carbone ne peut plus être assuré par le seul moyen d'une rustique cheminée à feu ouvert.

Maison en paille en Autriche.
Les solutions traditionnelles sont parfois réinterprétées en architecture contemporaine.

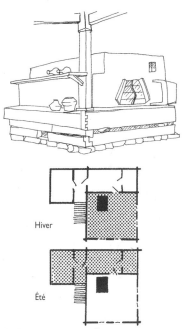

Hiver

Été

Poêle russe et zones d'occupation saisonnières.
En haut, hiver, en bas, été.

Modèle original du poêle Franklin, qui fut l'inspirateur de nombreux appareils dans toute l'Europe du XIXᵉ siècle, entre autres le fameux « poêle colonial » de la société Godin.

Le grand tournant réside dans l'invention du poêle à foyer fermé attribuée à Benjamin Franklin, qui imagine une boîte métallique contenant le feu que l'on peut disposer au centre de la pièce. Les gaz de combustion sont canalisés dans un tuyau indépendant des murs, et l'entrée d'air est réglable de façon à réguler la combustion.

Beaucoup plus économique et plus sûr, ce premier poêle offre un rayonnement dans toute la pièce, mais surtout, il introduit une notion qui va révolutionner la conception « moderne » du chauffage : cette « boîte à feu » démontre qu'elle peut aussi chauffer l'air environnant, que celui-ci peut se répandre dans l'espace de l'habitation et le tempérer, afin de réchauffer ses habitants. La fonction de convection apparaît, et met en lumière l'importance de l'étanchéité à l'air des parois extérieures du bâtiment pour éviter la fuite de cet air chauffé.

Dans un premier temps, la convection naturelle par déplacement de l'air chaud dans les différents espaces de l'habitat est le seul mode de distribution, mais il apparaît vite que c'est une solution encore imparfaite pour une bonne répartition de la chaleur, du fait de la stratification de l'air chaud dans les parties hautes.

Du chauffage central au convecteur électrique

L'adjonction d'un bouilleur au fourneau inaugure une nouvelle voie de distribution de la chaleur par l'intermédiaire d'un fluide caloporteur : l'eau. Dans les premiers systèmes, celle-ci était transformée en vapeur et circulait sous pression dans les tuyauteries. Perdant sa chaleur elle se condensait, puis retournait par gravité au foyer. Mais ces tuyauteries étaient très volumineuses, bruyantes et dangereuses. Des perfectionnements dans le dimensionnement des installations permirent la circulation de l'eau par thermosiphon sans qu'elle atteigne la température de vaporisation, mais le problème de la distribution de la chaleur dans l'habitat ne fut vraiment résolu qu'au début du XXᵉ siècle avec l'introduction de circulateurs électriques qui pompaient l'eau avant qu'elle n'atteigne le point d'ébullition et la poussaient de façon homogène dans des conduites de petite section alimentant des radiateurs. Rapidement, le fonctionnement de ces moteurs put être contrôlé par des sondes thermiques et des thermostats permettant une régulation automatique des températures.

La première moitié du XXᵉ siècle ne vit que des perfectionnements secondaires de ce chauffage central.

L'évolution principale fut le remplacement progressif des combustibles solides, le bois et le charbon, par des combustibles liquides, le fioul, puis le gaz naturel, plus faciles à stocker et à distribuer.

Pendant toute cette période, moyennant un coût du combustible bas, avec un système de distribution efficace et régulable, et une chaleur confortable émise en partie par rayonnement, le chauffage central par eau a constitué la solution la plus équilibrée à la majorité des besoins de chauffage.

Mais dans la seconde moitié du siècle, et tout particulièrement en France, une nouvelle révolution s'amorce sous l'impulsion des producteurs d'électricité : le chauffage électrique.

La fée Électricité a de quoi séduire, puisqu'elle supprime d'un coup de baguette magique toutes les contraintes prosaïques de stockage de combustible volumineux et malodorant, de chaudière à entretenir, de conduits de fumée à ramoner, et de circuits d'eau encombrants ou disgracieux. Désormais, la chaleur arrive par les mêmes fils que la lumière. La possibilité de se chauffer devient aussi facile et instantanée que celle d'éclairer une pièce, de mettre en marche le lave-linge, ou d'allumer la télévision. Car effectivement, l'électricité peut tout faire, y compris produire de la chaleur. Utilisée en tant que vecteur de chauffage, l'électricité, majoritairement produite à partir de la chaleur des centrales, est acheminée directement dans le lieu à chauffer, où elle est retransformée en chaleur par échauffement d'une résistance (effet Joule). Malgré un coût élevé de la fourniture énergétique et un rendement très faible du processus, le chauffage électrique bénéficia longtemps de l'effet d'annonce que constituait le très faible coût de l'équipement initial, le plus souvent à base de convecteurs, appareils équipés de résistances sommaires chauffant l'air.

Cette proposition de production de chaleur simple et pratique par l'électricité s'est doublée depuis peu d'une autre proposition de solution miracle à une autre problématique du confort thermique, jusqu'alors résolue par des dispositions constructives simples issues de la tradition : le rafraîchissement et le confort d'été.

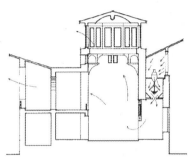

Coupe d'un *malqaf* égyptien avec système d'évaporation.

Le rafraîchissement : les pratiques traditionnelles

Dans les zones à dominante chaude, mais dans lesquelles les hivers peuvent être rigoureux, une des stratégies très anciennes pour tirer le meilleur parti des différents microclimats engendrés par les constructions consiste à pratiquer un nomadisme intérieur sur des rythmes journaliers et saisonniers.

Dans les habitats de la casbah d'Alger par exemple, les corps de bâtiment à un ou deux niveaux cernent un patio central délimité par une colonnade qui court sur l'ensemble du périmètre. En été, lorsque le soleil est au zénith, les colonnes projettent une ombre profonde. La vie quotidienne se déroule dans les pièces intérieures du rez-de-jardin, protégées de la chaleur solaire par la masse thermique du bâtiment. La nuit, les habitants montent sur les terrasses qui cèdent rapidement leur chaleur au ciel nocturne. En hiver, le schéma d'occupation du bâtiment s'inverse : la terrasse et la loggia de l'étage que peuvent encore atteindre les rayons du soleil d'hiver deviennent les espaces de vie diurne. La nuit, les membres de la famille se retirent dans les pièces de l'étage dont la masse des murs a emmagasiné un peu de la chaleur de la journée. Ces pièces profitent de la chaleur restituée par le rez-de-jardin. Ce type de stratégie climatique reçoit des interprétations variables sur une très vaste zone géographique autour de la Méditerranée et s'étend même jusqu'à des zones désertiques à très fortes amplitudes.

Dans les autres climats chauds et secs à grandes amplitudes, les outils utilisés sont similaires, essentiellement fondés sur la disposition architecturale et la grande inertie thermique des parois. À cela s'ajoutent des dispositifs

Des plus modestes aux plus luxueux, les patios sont des espaces de vie permettant un nomadisme quotidien en fonction de la courbe du soleil.

et la grande inertie thermique des parois. À cela s'ajoutent des dispositifs d'occultation solaire et la facilitation de la ventilation nocturne. Certains de ces dispositifs comme les « tours à vent » d'Égypte ou d'Iran extraient une partie des calories de l'air entrant en lui faisant évaporer de l'eau qui suinte de poteries placées sur son trajet.

En Provence, les treilles végétalisées en façades sud ombrageaient celles-ci et, en même temps, humidifiaient et rafraîchissaient l'air par l'évapotranspiration qu'elles entretenaient. Dans certains cas la ventilation naturelle amenait, pour remplacer l'air chaud sortant, de l'air nouveau rafraîchi par un passage dans une galerie souterraine creusée pour capter l'eau, et qui jouait ainsi également le rôle de climatiseur naturel. On parlait alors de puits provençal.

Du bon sens à l'air conditionné et à la « clim » généralisée

La climatisation a été inventée pour répondre à une demande spécifique, celle des climats chauds et humides. Dans ces régions, le refroidissement par évaporation est considérablement ralenti à cause de la teneur en vapeur d'eau de l'atmosphère et le rafraîchissement nocturne fortement limité par la présence d'une importante couche nuageuse. La stratégie traditionnelle sous ces climats consiste à surventiler les habitations qui sont légères, très ouvertes, et disposées de façon à profiter au maximum des brises extérieures. Mais ces contraintes architecturales sont de moins en moins acceptées, et l'humidité reste un problème.

Au début du XXᵉ siècle, Willis Carrier, inventeur de l'air conditionné, crée une véritable révolution. De 1902 à 1911, il met au point un système qui permet tout à la fois de rafraîchir et d'assécher l'air. Le procédé repose sur le principe d'humidité absolue de l'air à une température donnée : en faisant passer l'air chaud et humide sur des tuyaux contenant de l'eau froide, la vapeur d'eau se condense, comme sur un verre de boisson glacée en été. En contrôlant le degré de froid de cette eau, le procédé Carrier permet également de maîtriser la quantité d'humidité restituée à l'air.

Mais la généralisation de la climatisation moderne se fera à partir de l'industrialisation d'une autre découverte : celle de la thermodynamique, repérée dès le début du XIXᵉ siècle par Nicolas Léonard Sadi Carnot. Fondée sur la capacité de certains fluides à dégager ou à absorber des calories à température ambiante lorsqu'ils sont comprimés ou décomprimés, la thermodynamique sera dans un premier temps utilisée pour créer le froid nécessaire à la conservation des aliments. Avec l'avènement de l'électricité toute-puissante, ces machines s'imposeront et prendront, selon l'utilisation qui en est faite pour l'habitat, le nom de climatiseur, de pompe à chaleur, de chauffage géothermique, de géothermie, de climatisation réversible ou de pompe à chaleur réversible.

En 2000, 80 % des foyers américains de la *middle class* sont équipés de climatiseurs, et le phénomène s'étend à l'Europe occidentale, pour pallier les défauts d'habitats de plus en plus fréquemment conçus sans souci de la réalité climatique d'été.

Façades de bureaux avec leurs excroissances climatisantes en Île-de-France.

Réalisation contemporaine au Niger.
Même sous ce climat des limites du désert saharien, la climatisation n'est pas nécessaire, grâce à une optimisation des outils traditionnels. Architectes : C. et L. Mester de Paradj.

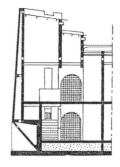

En coupe, vue de la double paroi de la façade qui évacue l'air réchauffé par le soleil.

L'oubli de la contrainte thermique

La situation énergétique de l'habitat à la veille du choc pétrolier des années 1970 découle de l'évolution concomitante depuis le XIXe siècle de plusieurs composantes technico-économiques :
– le faible coût de l'énergie (charbon puis pétrole ou gaz) ;
– l'essor et le développement des machines thermiques ;
– le développement des procédés de construction industriels et la recherche prioritaire de la seule performance quantitative ou esthétique (production rapide d'habitats à bas prix, mode des bâtiments en verre et acier…).

La standardisation des procédés de construction et la possibilité d'en acheminer partout les produits, offerte par le chemin de fer, ont initié le déclin des modes de production locaux adaptés aux conditions climatiques régionales par de longues traditions. Après la Première Guerre mondiale, la reconversion massive des industries chimiques et mécaniques chauffées à blanc par l'effort de guerre dans la production de matériaux nouveaux a suppléé à la perte des savoir-faire artisanaux, puis l'a définitivement précipitée, pour ouvrir une nouvelle ère au monde du bâtiment. Enfin, les Trente Glorieuses qui suivent la Seconde Guerre mondiale consacrent définitivement le triomphe de la séparation entre la conception architecturale et technique du bâtiment et sa problématique thermique. Désormais l'ingénieur thermicien a acquis un statut autonome : il élabore des appareils pour chauffer ou climatiser des bâtiments déjà conçus.

Parallèlement, l'évolution des modes de vie a entraîné une dépense énergétique croissante due à l'augmentation :
– du nombre des pièces chauffées ;
– de la durée de la période de chauffe ;
– du niveau de température. (Les manuels d'éducation ménagère indiquaient en 1936 que 16 °C était une température maximale à ne pas dépasser sous peine de complications physiologiques !)

Cette croissance des besoins a coïncidé avec l'occultation progressive des moyens par lesquels s'obtient le confort thermique. Ce processus d'abstraction et d'éloignement concerne tout à la fois :
– la participation physique (quasiment plus de transport de combustible) ;
– la perception physiologique (température homogène dans l'espace) ;
– la conscience des coûts réels (facturation fractionnée et décalée dans le temps, moyens de paiement rendus abstraits…).

Les conséquences du choc pétrolier de 1973

La crise pétrolière de 1973 sonne le glas de cette joyeuse inconscience. La facture énergétique étant devenue soudain exorbitante, il faut trouver dans l'urgence des solutions réparatrices. Les principales mesures de la « chasse au gaspi » promue alors priorité nationale visent l'amélioration du rendement des chaudières d'une part, et la réduction de la fuite des calories à travers des parois souvent non isolées d'autre part.

La première réglementation thermique de 1974 (voir annexe p. 227) imposant des normes aux constructions neuves ne s'attachera pratiquement qu'à cet aspect des déperditions thermiques avec le coefficient « G ». Pour évaluer la performance des parois, elle exhume une mesure thermique du XIXᵉ siècle, mise au point lors de la construction des entrepôts frigorifiques pour conserver la viande froide : le coefficient de transmission surfacique qui mesure la résistance des parois au passage des calories (coefficient « K », devenu « U » dans la normalisation européenne).

L'industrie de l'époque va fournir en grandes quantités des matériaux répondant à cette unique exigence (laine minérale, polystyrène, mousses de polyuréthane, etc.) dont on va tapisser par l'intérieur tout ce qui s'habite. Presque aucune attention n'est portée aux autres caractéristiques thermiques des matériaux utilisés : capacité thermique, effusivité, diffusivité, qui permettent de gérer plus finement les flux thermiques entre espaces intérieurs et espace extérieur. Pareillement, aucune attention n'est réellement portée à la durabilité effective des performances de ces solutions correctives, ni aux diverses toxicités qu'elles peuvent induire.

Qui plus est, on isole par l'intérieur des constructions traditionnelles non conçues pour ce traitement, les mettant en danger en modifiant leur équilibre hygrométrique et les rendant désormais sensibles aux surchauffes d'été.

Mais il est vrai que cette conception purement corrective est bien en phase avec la proposition de chauffage électrique qui se développe parallèlement (2).

Les réglementations thermiques suivantes amélioreront un peu cette approche en introduisant les coefficients « B » – qui tient compte des gains internes et surtout solaires –, et « C » – qui mesure le rendement d'une installation et de ses équipements.

Les réglementations 2000 et 2005 montent encore le curseur de ces exigences, mais restent bien en deçà des objectifs d'autres pays européens, et surtout des enjeux environnementaux actuels.

2. Il est à remarquer que dans des pays comme l'Allemagne où le chauffage électrique est exceptionnel, l'isolation conventionnelle par l'intérieur, généralisée en France, est quasiment inconnue.

Des pionniers du bioclimatisme au développement durable du discours environnemental

Mais les années 1970 voient également l'émergence d'un courant architectural en rupture radicale avec la construction conventionnelle « hors sol* ». Ce mouvement né aux États-Unis au cours des années 1960 s'inspire des œuvres « organiques » de l'architecte Frank Lloyd Wright qui, au début du XXᵉ siècle, recherchait une symbiose de l'architecture avec la nature à l'occasion de projets pour des clients fortunés. La nouvelle génération systématise la mise en œuvre des ressources locales traditionnelles pour les matériaux, et le recours aux énergies naturelles, au premier rang desquelles celle du soleil. Cette « contre-culture » de l'habitat préside à la naissance de nombreuses maisons alternatives, la plupart autoconstruites, le plus souvent avec des moyens restreints, et pour qui l'autonomie énergétique est, peu ou prou, un manifeste d'autonomie politique. La crise pétrolière ne fera qu'amplifier le phénomène et poussera à multiplier les expériences, qui commenceront alors à se répandre en Europe occidentale pendant les années 1970 et au début des années 1980.

Beaucoup d'innovations voient le jour durant cette période autour du concept d'« architecture solaire », de « solaire passif », ou de « conception bioclimatique ». Mais les cours du pétrole repartent bientôt à la baisse. Les pouvoirs publics ne soutiennent plus que du bout des lèvres ces propositions trop radicales, ou trop en avance sur l'économie à court terme de leur temps. Quelques projets de maisons individuelles parviennent encore, avec la complicité d'architectes et de bureaux d'études thermiques militants, à des réalisations bioclimatiques cohérentes. Mais dans les commandes publiques, toute ambition énergétique de quelque ampleur a été réduite à néant (3).

Maison solaire passive de Karen Terry au Nouveau-Mexique (1974).
Les murs en adobe (briques de terre crue séchée au soleil) et la forme en gradins adossée à la colline sont directement inspirés de l'architecture des Indiens de Pueblo Bonito au XIᵉ siècle. L'espace habitable est conçu comme un unique capteur accumulateur solaire, avec des brise-soleil saisonniers amovibles. Dans ce climat aux hivers très rudes, le chauffage d'appoint est constitué d'une simple cheminée à feu ouvert. Architecte David Wright.

Weaver Earthship (Earthship signifie « vaisseau terrestre »).
Poursuivant dans la logique de D. Wright, l'architecte américain Mike Reynolds a participé depuis une vingtaine d'années à la conception et à la construction de centaines de maisons entièrement autonomes énergétiquement. Les façades nord, est et ouest à très forte inertie sont constituées de pneus usagés remplis de terre, le toit est recouvert de terre. La façade sud est un immense capteur vitré. Conformément à l'éthique de mutualisation plutôt que de capitalisation des savoirs, l'entreprise de Reynolds, Solar Survival Architecture, propose un logiciel contenant des plans d'exécution pour construire son propre « vaisseau terrestre » à moindre coût.

3. La mise en place de mesures très volontaristes pour un habitat social bioclimatique par l'Office public des HLM de la Drôme en 1983 fait presque figure d'exception dans le ronronnement général (voir p. 141).

Maison Leth (Drôme).
En France, beaucoup de maisons alternatives bioclimatiques sont l'œuvre de néo-ruraux installés au cours des années 1970 dans des zones rurales plus ou moins désertifiées. Réalisées pour la plupart en autoconstruction, et sans études thermiques, elles témoignent pourtant de résultats thermiques étonnants à partir de moyens simples, voire pauvres, dignes de la démarche de l'architecture vernaculaire.

En juin 1992, le sommet de Rio, réuni pour réfléchir aux moyens de lutter contre le réchauffement de la planète, consacre le concept de « développement durable » (traduction de l'anglais *sustainable development*), qui exprime l'urgence de concilier développement économique et préservation de la planète.

Dans ce contexte difficile, l'ADEME (Agence de l'environnement et de la maîtrise de l'énergie), qui succède en 1992 à l'AFME (Agence française pour la maîtrise de l'énergie), tente, avec des moyens qui fluctuent en fonction des modes et des gouvernements, de mener à bien sa mission de promotion d'un comportement énergétique plus responsable.

Si l'agence communique sur les énergies renouvelables et soutient de nombreuses initiatives au niveau des systèmes de chauffage ou de rafraîchissement, elle est contrainte de concentrer ses actions sur un nombre très limité de solutions techniques. Force est de constater qu'elle n'a pas les moyens d'initier des programmes capables de remettre en cause les principes de conception et de construction hérités d'une histoire où les soucis environnementaux étaient inconnus.

De fait, aujourd'hui, trente années après le premier choc pétrolier, il faut souvent aller voir ce qui se fait à l'étranger (Suisse, Autriche, Allemagne, Royaume-Uni…) pour découvrir que les nombreuses pistes ouvertes par les pionniers de l'architecture bioclimatique, développées avec constance et cohérence, ont engendré des constructions hautement performantes (4).

Dessin de Reiser pour la couverture du magazine *Le Sauvage* en octobre 1976.

La prise de conscience par tous de la « finitude du monde » et les enjeux actuels

Le gouffre séparant les vertueuses paroles des décisions politiques susceptibles de leur donner un effet ne peut pas dédouaner chaque citoyen de ses responsabilités personnelles. À l'heure où « la maison brûle » effectivement, il est vain de ricaner de ceux qui le crient et font si peu pour éteindre le feu : les habitants doivent se prendre en charge, car c'est de leur survie individuelle et collective qu'il s'agit.

4. Que nous n'envisageons d'égaler, en France, qu'à l'horizon 2050 !

L'impact de nos modes de vie, et particulièrement des consommations énergétiques de nos habitats, sur les grands équilibres planétaires est considérable.

En 2001, la consommation finale d'énergie dans l'Union européenne atteint 930 millions de tonnes équivalent pétrole. Le chauffage des bâtiments et la production d'eau chaude sanitaire représentent environ un tiers de cette consommation répartie entre l'habitat (81 %) et le tertiaire (19 %).

Les mesures réglementaires prises depuis la crise pétrolière de 1973 ont porté leurs fruits, puisque les habitations construites aujourd'hui en Europe consomment en moyenne 60 % moins d'énergie pour leurs besoins thermiques qu'il y a trente ans. Les pays européens les plus exigeants améliorent encore de 30 à 40 % ces résultats moyens par unité d'habitation. Pourtant, la consommation globale d'énergie pour le chauffage et l'eau chaude sanitaire continue de croître dans l'Union européenne. La consommation totale d'énergie dans le bâtiment (résidentiel et tertiaire) a doublé en valeur absolue depuis 1970. L'explication est simple car augmentent simultanément :

– le nombre d'habitats ;

– la surface moyenne par habitant (+ 25 % entre 1984 et 1992) ;

– la proportion des espaces chauffés dans chaque habitat ;

– le niveau des températures moyennes (5).

Et depuis peu, l'habitude s'installe de consommer aussi de l'énergie pour se rafraîchir en été…

La croissance globale des besoins énergétiques pour l'habitat en Europe occidentale est donc une réalité, dont les diverses mesures gouvernementales depuis 1973 n'ont réussi qu'à modérer l'ampleur.

Une autre réalité, accélérée par la croissance encore plus rapide des besoins des grands pays émergents comme la Chine ou l'Inde, est que nous vivons les dernières années de la « bulle énergétique occidentale » : la réduction globale, et non plus seulement unitaire de nos besoins, est inéluctable à court terme.

• Le pétrole, source principale d'énergie fossile, atteindra bientôt son pic de production, et peu importe si c'est en 2010, 2015, ou 2025 : face à cette raréfaction inéluctable, son coût ne va pas cesser de monter. Dans ce contexte de raréfaction, les autres ressources énergétiques fossiles, comme le gaz ou l'uranium qui ont quelques décennies de réserves en plus, suivront tendanciellement les mêmes cours.

• Le changement climatique majeur qui s'amorce est maintenant reconnu par l'ensemble de la communauté scientifique. La responsabilité des gaz à effet de serre (GES)* rejetés par les activités humaines dans ce changement est désormais, elle aussi, reconnue. Le protocole de Kyoto, pourtant issu d'un timide compromis, imposait aux pays développés de réduire leurs émissions de gaz à effet de serre de 5,2 % d'ici 2012 par rapport à leur niveau de 1990, alors qu'il faudrait diviser les émissions par un facteur de 4 à 10 selon les pays pour maintenir le réchauffement dans des proportions moins préjudiciables pour l'homme et les écosystèmes.

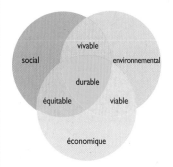

Le concept de développement durable replace l'homme au centre du dispositif, le considérant comme l'acteur majeur de l'équilibre entre les trois sphères – sociale, environnementale et économique – dans lesquelles il se meut, et qui ne peuvent plus s'opposer, mais doivent se concilier.
Mais en quelques années, le concept de « développement durable » est devenu fort ambigu car il est souvent un alibi à des pratiques qui n'ont rien de durable.

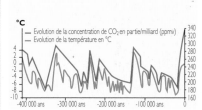

Corrélation de la concentration de CO_2 dans l'atmosphère avec la température moyenne à l'échelle géologique.
La concentration actuelle (380 ppmv – parties par million en volume – en 2004) est déjà de 20 % supérieure aux quantités jamais atteintes depuis plus de 400 000 ans.

5. Chauffer un logement à 22 °C nécessite de 7 % à 14 % d'énergie de plus qu'à 21 °C ! (Sources : ADEME et Enertech.)

Si la courbe tendancielle de nos consommations énergétiques se maintient, nous sommes loin des objectifs fixés pour 2012 ; alors, que penser de ceux qui consistent à diviser par quatre nos émissions de gaz à effet de serre d'ici 2050 ? Cela signifie que non seulement nous devrons assumer le réchauffement climatique de + 1,5 à + 6 °C déjà inéluctable pour le siècle qui vient, mais qu'en outre nous allons continuer à alimenter celui-ci dans des proportions encore plus grandes avec des conséquences encore plus imprévisibles (6).

Pour une nouvelle civilisation, d'urgence !

Le modèle du mode de vie occidental, inoculé à toute la planète, et qui fait aujourd'hui la preuve scientifique de ses impasses, est fondé sur la prédominance d'une technique : la production d'énergie à partir de machines thermiques (moteur à explosion, centrales électriques, systèmes de chauffage…) utilisant pour carburant les ressources fossiles stockées depuis des millions d'années sur terre.

Cette technique a quatre conséquences principales :
– l'épuisement rapide de ces ressources stockées ;
– la production de gaz à effet de serre avec ses conséquences sur le climat ;
– la production de polluants compromettant la biodiversité et la santé ;
– la concentration (ou capitalisation) des richesses et des moyens de production dans les mains d'un nombre de plus en plus restreint d'acteurs économiques.

Deux masses critiques sont aujourd'hui en formation.
La première est celle des effets de l'activité humaine sur la planète, dont le changement climatique n'est malheureusement qu'un aspect. Ajouté à la pollution des sols, de l'eau, de l'air, à l'accaparement des richesses aux mains d'une minorité, et à la concurrence effrénée qui s'ensuit, il est porteur de catastrophes qui risquent de remettre en cause jusqu'à la pérennité de notre présence sur la planète.
Mais une autre masse critique émerge : celle de la prise de conscience de tous ceux pour qui il vaut encore la peine de parier sur la possibilité d'un futur vivable et désirable. Certes, nous n'échapperons pas à une fondamentale remise en cause de notre mode de vie et du gaspillage monstrueux des ressources communes qu'il engendre, mais il nous reste encore, individuellement, et par notre action locale, des choix possibles.
Dans le domaine de notre habitat, en reprenant conscience de la matérialité de notre vécu thermique et de ses implications, deux possibilités s'offrent à nous :
– soit nous choisissons d'ignorer la réalité, et nous subissons la nécessaire mutation qui s'annonce, auquel cas nous serons acculés à revoir à la baisse nos moyens de confort de façon draconienne (comme c'est déjà le cas en France pour maintes familles pauvres) ;
– soit nous anticipons sur la société de rareté énergétique qui vient, en créant dès aujourd'hui les conditions du confort auquel nous aspirons par des moyens radicalement plus performants vis-à-vis de leur impact sur l'environnement.

6. Un raisonnement simpliste pourrait laisser penser que, après tout, nous aurons dans les années à venir peut-être moins à chauffer… Mais ce n'est pas si simple. Si les climatologues ne retrouvent pas trace de températures terrestres supérieures à 5 °C à la température actuelle, 5 °C de moins, c'étaient il y a 18 000 ans : le niveau des océans étaient 120 mètres plus bas et l'Europe du Nord sous 3 km de glace. De plus, un réchauffement global peut entraîner des changements climatiques locaux inverses. Parmi ceux-ci, une publication récente de la revue scientifique anglaise *Nature* constate une réduction du débit du Gulf Stream de 30 % depuis 15 ans, confirmant les inquiétudes des scientifiques qui estiment probable un fort ralentissement, voire l'arrêt de la branche Atlantique nord de ce courant qui réchauffe l'Europe. Cette situation, déjà intervenue plusieurs fois dans les périodes géologiques de réchauffement, installerait en Europe occidentale un climat comparable à celui de Terre-Neuve, avec des moyennes inférieures de plus de 10 °C à celles que nous connaissons aujourd'hui. (Source : *Nature*, déc. 2005.)

UNE APPROCHE ÉCOLOGIQUE DE L'HABITAT

La problématique du confort thermique ne peut être envisagée de façon conventionnelle sous le seul aspect du chauffage ou du rafraîchissement. Certes, sous nos climats tempérés, des apports complémentaires pour le chauffage sont nécessaires en saison froide, mais une approche écologique s'attachera par tous les moyens à les minimiser en amont, pour ne plus avoir à les traiter, en aval, qu'en termes d'appoints. Concernant le rafraîchissement des espaces de vie, sauf cas particuliers, les besoins d'appareillages spécifiques seront sans objet sous nos climats.

L'approche écologique se fonde sur une conception globale de l'habitat considéré comme un organisme vivant situé dans son environnement, et réagissant avec lui. Concernant la problématique thermique, cette approche systémique de l'habitat, qui consiste à créer une enveloppe bâtie « vivant avec le climat », inspirée de l'approche des anciens, s'est développée depuis les années 1970 sous le nom de bioclimatisme. Mais la fonction d'un habitat ne se limite pas à la seule problématique thermique. Le traitement de celle-ci devra composer avec tous les autres déterminants (économiques, environnementaux, sanitaires, esthétiques, sociaux…) de la construction. La performance énergétique recherchée ne pourra l'être au prix d'une ignorance ou même d'une sous-évaluation de l'un des autres paramètres, au risque de retomber dans une démarche spécialisée, avec tous les déséquilibres qu'elle engendre. La démarche bioclimatique est une composante inhérente à l'approche écologique. Elle est un des fils conducteurs de l'ensemble du processus à l'œuvre dans chaque projet d'habitat : trouver l'adéquation, chaque fois unique, entre un projet d'habiter, l'environnement dans lequel il s'inscrit, et l'habitat qui va traduire cette insertion. Le schéma ci-contre illustre les relations d'équilibre à trouver entre ces trois « acteurs » de base : les habitants, leur habitat et leur environnement.

Dans cette représentation, les habitants sont figurés au centre de leur habitat, symbolisé par le cercle, dans le périmètre duquel se situent les points de contact et d'interaction de cet habitat avec l'environnement. L'interaction de chaque projet avec son environnement s'effectue par le biais de cinq pôles : le lieu qui accueille le projet, la forme architecturale, les matériaux qui permettent de la matérialiser, la mise en œuvre qui lui donne réalité, et enfin les fluides et les énergies, nécessaires d'abord au processus de construction, puis ensuite au fonctionnement de la construction lorsqu'elle sera habitée. Chacun de ces pôles est le lieu d'une recherche d'équilibre entre les souhaits et les possibilités des habitants d'une part, et les quatre autres pôles d'autre part, et puis par le biais de ceux-ci, avec l'environnement extérieur ou la collectivité. Le cinquième pôle (fluides et énergies), qui est celui dans lequel s'applique directement la problématique du confort thermique par les actions de chauf-

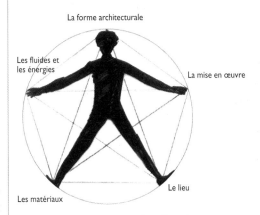

Les cinq pôles de contact et d'équilibre de l'habitat et de son environnement.

fage et de rafraîchissement, est étroitement dépendant de tous les autres. Il figure en dernier dans le processus de conception car son optimisation (c'est-à-dire la réduction au minimum des intrants* nécessaires) sera obtenue par une participation équilibrée des autres pôles à cet objectif.

Les habitants

Qu'il concerne le neuf ou la réhabilitation, la réussite d'un projet de construction dépend d'abord de sa bonne définition et de la connaissance des objectifs à atteindre.

Parmi ces objectifs, le bien-être thermique, qui est légitimement une des premières exigences des futurs habitants, doit être redéfini : contrairement à une approche simplificatrice, il n'est pas lié à la seule température de l'air. Il dépend d'un ensemble complexe de réalités physiques, mais aussi de facteurs d'ambiance, de données psychologiques et culturelles.

En outre, dans une construction bioclimatique, l'habitant n'est pas un simple consommateur passif, « presse-bouton ». Même si certaines fonctions peuvent être automatisées, il vit avec son habitat, et participe à l'adaptation de celui-ci aux variations des éléments extérieurs en fonction des heures ou des saisons.

Ces points sont présentés dans les paragraphes :
– Le bien-être thermique (p. 27) ;
– Un mode de vie avec le climat (p. 33).

Le lieu

Le triangle primordial sur lequel repose une conception bioclimatique réussie est constitué par l'adéquation entre le lieu, la forme architecturale et les matériaux composant l'enveloppe.

> **Petite géométrie du « penser global, agir local »**
>
> La représentation « organique » de l'habitat à l'image de ses habitants n'est qu'une image du « microcosme » que constitue chaque habitat dans notre habitat collectif : la Terre. Quelle que soit l'échelle à laquelle nous examinons les interactions à l'œuvre dans nos projets individuels, et celles entre ces projets et leur environnement, la recherche d'équilibre et de cohérence bénéficie à l'ensemble de l'organisme autant qu'à chacun de ses composants. Quelle que soit l'échelle, la concurrence est facteur de déséquilibres. Seules la synergie et la coopération peuvent faire croître de concert l'équilibre de chaque cellule et celui de l'ensemble.

Le pentagone est à l'origine d'une infinité de volumes réguliers pouvant être inscrits dans une sphère. Dans l'icosaèdre (4 pentagones) et le dodécaèdre (12 pentagones), il couvre seul la surface. Au-delà, il se développe de façon « fractale », à l'image des formes de la nature qui se ressemblent, qu'elles soient observées de très loin ou de très près au microscope.

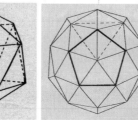
1. Icosaèdre   2. Dodécaèdre

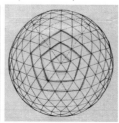
3. Sphère de fréquence 6

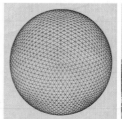
4. Sphère de fréquence 16

5. Construction du dôme géodésique de l'usine Karl Zeiss à Iéna (1922).

Qu'il s'agisse d'un terrain vierge ou d'une construction existante à réhabiliter, un examen attentif de toutes les caractéristiques du lieu d'accueil est la condition première pour « partir du bon pied ». C'est la base de toute construction bioclimatique : les conditions climatiques caractérisant un lieu sont à examiner à plusieurs échelles allant de celle du macroclimat définissant les caractéristiques d'ensemble d'une vaste zone géographique, jusqu'au microclimat, déterminé par les multiples particularités du site d'implantation : exposition au rayonnement solaire en fonction des saisons, régime des vents et incidences de l'environnement proche sur ceux-ci… Ces données constituent les ressources climatiques dont va tirer parti la conception bioclimatique.

Dans le cas d'une réhabilitation, à la connaissance climatique du lieu s'ajoute celle, fondamentale, du fonctionnement du bâti existant qui doit guider tout projet d'intervention.

Ces points sont présentés dans les paragraphes :
– Les ressources : lieux et climats (p. 51) ;
– Réhabilitation, spécificités des murs traditionnels (p. 99).

La forme architecturale

Un habitat bioclimatique est un espace conçu autour du « projet de vie » de ses habitants. Tout en respectant les multiples fonctionnalités du bâtiment (comme la qualité des circulations, des vues, de la lumière, etc.), la composante thermique de ce projet sera déterminante dans la conception des espaces qui se fera :

– en fonction de l'ambiance thermique souhaitée dans les différentes zones ;

– en tirant parti au mieux de toutes les caractéristiques du lieu sur lequel elle s'implante pour capter et gérer les éléments positifs du climat et se protéger de ses éléments négatifs ;

– en optimisant la forme architecturale en fonction des rôles thermiques différenciés de l'enveloppe ;

– en utilisant des organes bioclimatiques spécifiques comme par exemple les serres ou les murs capteurs.

Ces points sont présentés dans les paragraphes :
– Principe de conception des espaces et des enveloppes (p. 36) ;
– Les murs capteurs (p. 129) ;
– Les serres bioclimatiques (p. 143).

Les matériaux

Les matériaux composant les différentes parois du bâtiment ont un rôle thermique différencié selon qu'on leur assigne les fonctions de capter l'énergie solaire, de stocker la chaleur ou la fraîcheur, de déphaser plus ou moins leur restitution, d'empêcher la fuite des calories vers l'extérieur en saison froide, et/ou de faire barrage à la pénétration de celles-ci en saison chaude. Souvent ces matériaux devront cumuler plusieurs de ces propriétés, simultanément ou alternativement : par exemple, un bon isolant de toiture pour la saison froide peut s'avérer très médiocre pour éviter les surchauffes en été. Il convient donc de bien connaître leurs propriétés physiques pour les utiliser à bon escient. Par ailleurs, les matériaux seront affectés différemment par l'humidité issue de la condensation, phénomène particulièrement sensible lors d'interventions sur des bâtis anciens.

Ces points sont présentés dans les paragraphes :
– Les outils, notions de base (p. 63) ;
– Des parois performantes (p. 75).

Cette problématique est transversale
à tous les ouvrages décrits ici, mais
est plus particulièrement évoquée au
paragraphe :
– **Propriétés et performances
thermiques des parois opaques
(p. 75).**

La mise en œuvre

Le type de mise en œuvre conditionne largement les choix faits en amont au niveau de la conception, mais détermine aussi, en aval, la réussite effective du projet.

En amont, le choix des matériaux entrant dans la construction (filière sèche ou filière humide ? matériaux premiers comme la terre crue ou systèmes préfabriqués ? etc.) dépend largement de la nature du projet et des compétences locales que l'on pourra ou non mobiliser.

En aval, la qualité de la mise en œuvre aura une incidence importante sur les performances réelles de l'habitat réalisé. Le soin porté aux « détails » d'exécution comme les ponts thermiques ou les étanchéités à l'air sera déterminant dans la performance thermique de la construction.

Les fluides et les énergies

Dans la terminologie du bâtiment, les fluides et les énergies représentent tout ce qui entre et sort de la construction pour y produire un effet : c'est bien sûr l'énergie nécessaire pour chauffer ou pour rafraîchir, mais aussi l'eau, l'air, l'électricité, les télécommunications.

Si la conception a intégré de façon équilibrée les autres pôles, la part des fluides et des énergies (non captées dans l'environnement naturel extérieur) pour atteindre les objectifs thermiques est minimisée, et conçue en termes d'appoints, voire annulée (comme le recours aux systèmes de climatisation conventionnels).

Cette problématique qui est l'objet
de ce livre est plus particulièrement
évoquée aux paragraphes :
– **Les murs accumulateurs (p. 129) ;
– Les capteurs à air (p. 163) ;
– Les serres bioclimatiques (p. 143) ;
– Les puits canadiens (p. 171) ;
– La ventilation (p. 179).**

Une conception bioclimatique réussie est du point de vue des besoins thermiques une construction tendant vers l'autonomie. Dans cette conception intégrée, les divers équipements « actifs » permettant de gérer les calories gratuites du rayonnement solaire, de même que le système de ventilation nécessaire à l'optimisation thermique du bâtiment, ne sont plus que des « assistants », dont la consommation énergétique est minime.

CHAPITRE I
Qu'est-ce que le bien-être thermique ?

« Ne pas avoir trop froid, ni trop chaud, ne pas sentir de courants d'air désagréables. »

Il est plus facile de définir le confort thermique par la négative en précisant ce qui crée de l'inconfort, c'est-à-dire nous fait prendre conscience d'une ambiance thermique gênante. Le confort est donc plutôt un non-inconfort, largement inconscient.

La notion de bien-être thermique est plus large que celle de confort thermique car elle fait intervenir celle de plaisir, qui commence par le ressenti conscient de l'ambiance thermique, celui par exemple que l'on éprouve en hiver lorsque le soleil nous réchauffe le corps, ou quand une brise nous rafraîchit en été. Il est lié à la notion de variation des ambiances. Il s'accompagne d'autres ressentis : visuels, auditifs, tactiles, et psychologiques, dont joue aussi l'architecture bioclimatique pour créer, au-delà de la simple absence d'inconfort, un art de vivre avec les éléments naturels.

Faute de pouvoir définir ici et quantifier les très nombreux paramètres du bien-être thermique, nous nous bornerons dans cet ouvrage à approcher ceux du confort thermique (1).

1.1 L'ÉQUILIBRE THERMIQUE DU CORPS HUMAIN

Le corps humain se maintient à une température avoisinant les 37 °C grâce aux apports de calories des aliments et par un ensemble de mécanismes biologiques. Il échange en permanence de la chaleur avec son environnement immédiat.

L'habillement joue un rôle très important dans la manière dont sont ressentis les effets de ces échanges, qui se font suivant plusieurs mécanismes distincts :

– **par conduction :** au contact direct d'un corps plus chaud ou plus froid, par exemple quand on se lave les mains à l'eau chaude, ou que l'on marche pieds nus sur un carrelage frais ;

– **par convection :** il s'agit des échanges de chaleur entre le corps et l'air ambiant, d'autant plus importants que l'écart de température entre les deux est grand. La vitesse de l'air accentue ces échanges ;

– **par évaporation :** en passant de l'état liquide à l'état gazeux, l'eau

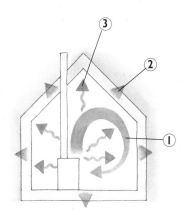

1 Convection
2 Conduction
3 Rayonnement

1. Les facteurs du bien-être thermique dans l'habitat sont très bien évoqués dans l'excellent petit ouvrage de l'architecte américaine Lisa Heschong *Architecture et volupté thermique.*

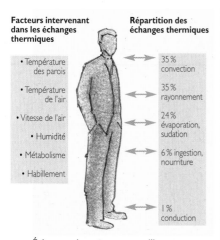

Facteurs intervenant dans les échanges thermiques

- Température des parois
- Température de l'air
- Vitesse de l'air
- Humidité
- Métabolisme
- Habillement

Répartition des échanges thermiques

- 35 % convection
- 35 % rayonnement
- 24 % évaporation, sudation
- 6 % ingestion, nourriture
- 1 % conduction

Échanges thermiques entre l'homme et son environnement.

absorbe des calories. La transpiration, en s'évaporant, rafraîchit la surface de la peau ;

– **par rayonnement** (ou radiation) : ce sont les échanges de rayonnements infrarouges entre le corps et les parois, qu'elles soient froides (une vitre simple en hiver absorbe la chaleur du corps) ou chaudes (un mur chauffé par le soleil réchauffe le corps, même sans le toucher).

On mesure facilement l'importance du rayonnement vis-à-vis de la température ressentie en passant d'une zone ombragée à une zone ensoleillée.

Dans l'environnement extérieur, les principaux moyens pour agir sur ces échanges sont les vêtements et l'intensité de l'activité physique. L'habitat, en maintenant un microclimat relativement stable face aux variations climatiques extérieures minimise les besoins d'échanges entre l'organisme et l'environnement. Il permet donc au corps d'atteindre plus facilement un équilibre thermique, et ce, sans faire intervenir les mécanismes physiologiques de lutte contre le froid ou la chaleur que sont le frissonnement ou la transpiration.

Températures de confort en fonction de l'activité

Type de travail	Température recommandée
Sédentaire en position assise	21 à 23 °C
Physique léger en position assise	19 °C
Physique léger en position debout	18 °C
Physique soutenu en position debout	17 °C
Physique intense	15 à 16 °C

Source : ANACT (Agence nationale pour l'amélioration des conditions de travail).

1.2 LES PARAMÈTRES MESURABLES DU CONFORT THERMIQUE

Le ressenti thermique est la résultante de plusieurs paramètres physiques, les principaux étant la température de l'air et celle des parois, la vitesse de l'air et son taux d'humidité.

La température de l'air ambiant

C'est la température de l'air mesurée à l'ombre. On considère habituellement que la zone de confort se situe entre 19 °C en hiver et 26 °C en été, cette plage pouvant varier selon les individus, leur activité, leur habillement, etc.

Le premier objectif thermique d'un habitat est de maintenir les températures dans cette fourchette malgré les écarts de la température extérieure entre le jour et la nuit, et entre l'été et l'hiver. Le second objectif est de créer une certaine homogénéité de la température dans l'espace. L'air chaud monte et l'air froid descend, et il est peu confortable d'avoir les pieds au froid et la tête au chaud, ou encore des pièces de jour froides et des chambres surchauffées.

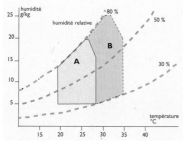

Zones de confort selon la température et l'humidité de l'air.

En intérieur, avec des parois à la même température que l'air, normalement vêtu et sans activité physique particulière, il est possible de définir deux zones de confort :
– A, confort agréable lorsque l'air est calme ;
– B, confort acceptable avec une vitesse de l'air de l'ordre de 1 m/s.

En réhabilitation, les interventions permettant d'avoir des températures d'air confortables sont principalement :
– l'augmentation de l'ouverture au soleil (création de baies vitrées, réalisation de serres, de murs capteurs…) ;
– l'intégration d'options bioclimatiques (espaces tampons, puits canadiens... ;
– l'isolation thermique de l'enveloppe ;
– l'étanchéité à l'air du bâtiment ;
– le système de ventilation optimisé ;
– l'inertie du bâtiment ;
– le type et la qualité du système de chauffage et de rafraîchissement.

En neuf, on peut ajouter à la précédente liste :
– le choix d'un terrain adapté ;
– la conception bioclimatique (orientation, compacité…).

La température des parois

Généralement sous-estimé voire ignoré, l'impact de cette température, dite aussi température rayonnante, est très important dans la sensation de confort ou d'inconfort thermique, aussi bien en été qu'en hiver. Une paroi froide comme un vitrage simple en hiver absorbe le rayonnement chaud du corps et produit une sensation de froid. Inversement, si elle est plus chaude que le corps, c'est elle qui rayonne vers lui, produisant une sensation de chaleur.

Pour le confort d'hiver, on cherchera à n'avoir aucune paroi froide, voire à intégrer les émetteurs de chauffage dans ces parois.
Pour le confort d'été, les murs ou sol frais ou tempérés seront bienvenus.

L'importance du rayonnement des parois sur le confort ainsi qu'une technique désormais maîtrisée explique l'attrait pour les émetteurs de chaleur type planchers ou murs chauffants. Elle explique également les économies générées alors sur les factures de chauffage.

En réhabilitation comme en neuf, les interventions permettant d'influer sur la température des parois sont :
– l'isolation thermique de l'enveloppe ;
– l'effusivité* des matériaux de parement intérieur ;
– l'inertie du bâtiment ;
– le système de ventilation ;
– le type et la qualité des émetteurs de chaleur.

La température résultante air/parois

En l'absence de courants d'air perceptibles et pour une humidité relative* moyenne de l'air, on estime que la température effectivement ressentie est une moyenne entre celle de l'air et celle des parois environnantes.

$$\text{Température ressentie} = \frac{\text{température de l'air} + \text{température de la paroi}}{2}$$

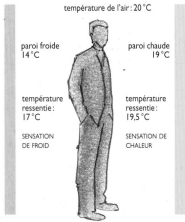

temperature de l'air : 20 °C

paroi froide
14 °C

paroi chaude
19 °C

température
ressentie :
17 °C

température
ressentie :
19,5 °C

SENSATION
DE FROID

SENSATION DE
CHALEUR

Pour une même sensation de confort, des parois à 14 °C au lieu de 19 °C entraîneront un besoin d'air surchauffé à plus de 25 °C au lieu de 19 °C. Ces 6 degrés supplémentaires généreront une dépense énergétique supplémentaire qui variera, selon la température extérieure, la performance du bâti et le type de chauffage, de 42 à 84 % (2).

De plus, une sensation perceptible apparaît à partir d'une différence de plus de 4 °C entre la température de la paroi et celle de l'air. Une paroi froide augmentera l'inconfort en hiver et nécessitera une augmentation de la température de l'air pour un confort à peu près équivalent. Au contraire, en été, la proximité de parois tempérées améliorera la sensation de fraîcheur.

Ainsi, en hiver, nous aurons la même sensation de confort si les murs et l'air sont à 19 °C qu'avec de l'air à 21 °C et des murs à 17 °C (T résultante = 19 °C). Et avec des murs à 14 °C, il faudra surchauffer l'air à plus de 25 °C pour ressentir une sensation de confort s'en rapprochant. Dans le deuxième mais surtout dans le troisième exemple, les degrés de température supplémentaires qu'il va falloir fournir à l'air vont nécessiter beaucoup plus d'énergie que dans le premier exemple. En effet, plus la différence de température de l'air entre l'intérieur et l'extérieur est grande, plus les déperditions sont importantes : les calories contenues dans l'air étant très volatiles. Elles vont se stratifier vers le haut par convection, ou être extraites par le système de ventilation, alors que les calories stockées dans les parois bénéficient, grâce à l'inertie, d'une beaucoup plus grande stabilité.

En été, le ressenti est aussi agréable avec une température de l'air à 30 °C et des murs à 20 °C, qu'avec un air à 24 °C et des murs à 26 °C (moyenne 25 °C). Avec des parois à forte inertie, le premier cas sera plus facilement obtenu sans dépense d'énergie.

L'humidité relative* de l'air

La teneur en vapeur d'eau de l'air nommée communément HR (humidité relative) est variable en fonction de sa température. Plus la température est élevée, plus l'air peut contenir de vapeur d'eau. Cette teneur en vapeur d'eau s'exprime en pourcentage de la quantité potentielle maximale pour une température donnée. Par exemple pour une humidité relative de 100 % (air saturé) à 20 °C, il y a condensation dès que la température baisse.

L'humidité relative de l'air peut varier de 35 à 70 % sans causer de désagréments particuliers. Au-dessous de 20 %, l'air nous paraît trop sec car on ressent un assèchement des muqueuses. Jusqu'à 80 %, l'ambiance reste supportable si la température n'est pas trop élevée.

En été, la sensation d'inconfort est plus grande dans l'air humide que dans l'air sec, puisque l'évaporation de la sueur qui régule notre température de peau est alors ralentie. La solution sera alors de créer des mouvements d'air contrôlés.

En réhabilitation comme en neuf, les interventions permettant de maîtriser l'humidité relative de l'air sont principalement :
– l'étanchéité à l'air du bâtiment, et surtout le système de ventilation adéquat ;
– les parois perspirantes* ou au minimum revêtues côté intérieur d'un parement à fort pouvoir hygroscopique ;
– l'absence de ponts thermiques* ;
– le type et la qualité des émetteurs de chaleur ;
– le type et la qualité des éventuels systèmes de rafraîchissement.

2. Pour élever l'air d'un logement de 1 degré, la dépense en énergie augmente de 7 % minimum s'il n'est pas isolé, de 10 % minimum s'il est correctement isolé. Ces valeurs de base peuvent atteindre 14 à 15 % selon d'autres critères (performances de la chaudière, températures extérieures, type d'émetteurs…).
Sources diverses dont ADEME et Enertech.

Les mouvements de l'air

L'air en mouvement accélère les échanges thermiques par convection au niveau de la peau. La température de celle-ci, de l'ordre de 30 à 33 °C, est très supérieure à celle de l'air en hiver, et la plupart du temps en été. Plus la vitesse de l'air est élevée, plus les échanges sont grands : déperditions inconfortables en hiver, souvent appréciables en été (3).

Les mouvements de l'air sont dus en partie aux inétanchéités du bâtiment, au système de ventilation, à la stratification de l'air par convection (l'air chaud plus léger monte), et à des différences de pression atmosphérique avec l'extérieur : vent, dépression causée par la combustion…

En réhabilitation comme en neuf, la réduction des courants d'air parasites passera par :
– l'étanchéité à l'air du bâtiment, et système de ventilation adéquat ;
– le type, la qualité et l'emplacement des émetteurs de chaleur ;
– le type, la qualité et l'emplacement des éventuels systèmes de rafraîchissement ;
– dans une moindre mesure, l'absence de ponts thermiques et de parois froides.

Les facteurs psychologiques et culturels

Même si des textes internationaux (normes ISO 7730 par exemple) définissent précisément le confort thermique, la sensation que chacun peut avoir de ce confort dépend de nombreux paramètres personnels (âge, sexe, état de santé ou de fatigue, acclimatation, état psychologique (4)…) auxquels s'ajoutent les facteurs socioculturels : pour les Anglais, la zone de confort pour un individu inactif et légèrement vêtu se situe entre 14,5 et 21 °C, pour les États-Unis, entre 20 et 26 °C et pour les habitants des régions tropicales entre 23 et 29,5 °C.

Certaines personnes ne dorment bien qu'avec les fenêtres ouvertes, même en plein hiver, certaines s'accommodent d'une transpiration qui serait insupportable à d'autres…

Par ailleurs, tous les sens participent au ressenti thermique : des couleurs chaudes, la lumière, la vue du feu, un environnement sonore évocateur accentuent l'impression de chaleur. À l'inverse, les couleurs froides, l'ombre, le son ou la vue de l'eau accentuent l'impression de fraîcheur.

Outre le fait qu'ils assèchent l'air, les convecteurs électriques créent des mouvements d'air peu propices à un réel confort thermique. La palme revient aux radiateurs soufflants auxquels on demande de fait de chauffer beaucoup plus pour compenser l'inconfort créé par les mouvements d'air qu'ils génèrent.

3. « La vitesse de l'air inférieure à 0,1 m/s donne une impression de confinement. Au-dessus de 0,15 m/s en hiver, et de 0,25 m/s en été, la sensation de courant d'air apparaît. »
Source : *Guide de l'architecture bioclimatique, cours fondamental*, t. 1.
4. Une expérience menée dans deux locaux, l'un meublé et décoré, l'autre non, montre que dans le local meublé la température ressentie comme confortable est de 1,4 °C plus basse que dans celui resté vide.
Source : F.M. Rohles et E.A. Mc Culloch, « Clothing as a Key in Energy Conservation », 1981. Cité par E. Monnier, sociologue et ingénieur génie civil au CSTB in *Énergétique des bâtiments*.

CHAPITRE 2
Les bases de l'architecture bioclimatique

2.1 LE MODE DE VIE BIOCLIMATIQUE

Construire et vivre avec le climat et non contre lui

Le premier objectif de l'architecture bioclimatique consiste à rechercher une adéquation entre :
– la conception et la construction de l'enveloppe habitée ;
– le climat et l'environnement dans lequel l'habitat s'implante ;
– les modes et rythmes de vie des habitants.

Sous nos climats tempérés, cette recherche d'équilibre entre l'habitat et son milieu s'exprime principalement sous forme de deux grands principes saisonniers :
– en période froide, favoriser les apports de chaleur gratuite et diminuer les pertes thermiques, tout en permettant un renouvellement d'air suffisant ;
– en période chaude, diminuer les apports caloriques et favoriser le rafraîchissement.
Entre ces deux saisons extrêmes, on recherchera souvent à ouvrir généreusement l'habitat à son environnement extérieur.

S'il est tout à fait possible, sous nos climats, de créer des habitats restant tempérés en période chaude avec des outils simples et logiques, il n'est en revanche pas possible d'être totalement autonome du point de vue thermique en hiver (1).

Le second objectif de l'architecture bioclimatique est de trouver une adéquation entre :
– le bâtiment ;
– les systèmes de captage et de protection, l'installation de chauffage et de régulation ;
– le mode d'occupation et le comportement des habitants.

Dans cette optique, chauffage et rafraîchissement écologiques devront permettre de réduire au maximum les besoins de chauffer ou de climatiser.

1. Quelques opérations expérimentales ont démontré la possibilité d'habitats « zéro énergie » (voir photo p. 123). Mais les technologies nécessaires et les coûts d'investissement que requièrent de tels bâtiments produisant autant qu'ils consomment relèguent ces réalisations hors du domaine de la construction actuellement généralisable en France.

Architecture bioclimatique en neuf et en réhabilitation

En construction neuve, les besoins en chauffage seront limités aux périodes sans soleil en saison froide. En réhabilitation, la conception bioclimatique apportera des améliorations permettant de diviser par trois, et jusqu'à huit, les besoins de chauffage.

Pour la saison chaude, une conception bioclimatique permettra aux bâtiments neufs d'offrir un confort réel sans recours à des systèmes de rafraîchissement spécifiques. Dans les réhabilitations, il faudra distinguer celles concernant les habitats traditionnels en général bien adaptés au confort d'été, des constructions conventionnelles du XXᵉ siècle pour lesquelles des systèmes actifs de rafraîchissement pourront s'avérer nécessaires.

Vivre avec les rythmes naturels

Les machines destinées à assurer notre confort thermique ont été conçues comme de parfaits serviteurs programmés pour pouvoir assurer une température constante en tous lieux et en tous moments. Reposant sur une approche strictement mécaniste du confort, cette uniformité est non seulement très onéreuse à maintenir, mais elle nous prive en outre d'une dimension importante de la vie : celle du plaisir des sens.

L'architecture bioclimatique, fondée sur une attention poussée à l'environnement climatique et au milieu naturel, permet de recréer une relation plus intime avec les manifestations et les rythmes de cette nature. Elle instaure un nouveau lien avec le temps (celui qui passe et celui qu'il fait), avec l'espace, avec les autres (2).

Depuis la prise de conscience des années 1970, pour les maîtres d'ouvrage* qui ont choisi ce mode d'habiter, l'efficacité énergétique et la recherche d'autonomie ont toujours été de puissants stimulants. Ce choix volontaire des habitants dans la conception du projet de leur habitat se prolonge par une implication active dans son fonctionnement thermique (dans la phase d'occupation).

La prise en compte des rythmes naturels incite à un certain nomadisme journalier et saisonnier dans les espaces intérieurs en fonction des conditions extérieures. En hiver, à la fin d'une journée froide, on se replie dans des espaces confinés, au cœur de la maison. On redécouvre l'attraction du foyer rayonnant, le plaisir du feu. Pendant les journées froides et ensoleillées, l'attraction s'inverse : elle se fait vers les espaces excentrés ouverts sur la nature extérieure, chauds et baignés de lumière.

En été, le mouvement quotidien est contraire, on se réfugie le jour dans l'ombre fraîche des murs massifs, mais dès le soir, la maison qui s'ouvre aux brises rafraîchissantes invite à goûter la fraîcheur des terrasses ou des jardins qui la prolongent.

2. Voir à ce sujet le livre de L. Heschong, *Architecture et volupté thermique.*

Maison solaire passive, habitants actifs

Cette « respiration spatiale » induite par les rythmes thermiques extérieurs s'accompagne d'interventions de la part des habitants sur l'enveloppe et les systèmes d'appoint. Outre une adaptation de l'habillement à la température intérieure (3), l'habitant est convié à :

– ouvrir ou fermer des protections nocturnes en hiver (volets, voilages…) pour capter l'énergie solaire du jour, et limiter les déperditions la nuit ;

– ouvrir ou fermer des portes ou cloisons amovibles séparant les espaces, notamment entre la serre et les zones de vie permanentes ;

– ouvrir ou fermer des fenêtres pour profiter généreusement de l'air extérieur lorsqu'il propose des températures adaptées au confort intérieur ;

– créer les nuits d'été des mouvements d'air propices au rafraîchissement et déployer en journée des occultations solaires contre les surchauffes.

Il en va de même de la mise en route ou de l'arrêt des systèmes thermiques actifs d'appoint comme le chauffage, ou les éventuels dispositifs de rafraîchissement.

Cette participation active des habitants représente néanmoins une astreinte plus ou moins grande qui peut être vécue comme une contrainte subie. Le passage du « laisser-aller thermique » installé dans le comportement général au rôle d'« animateur énergétique » demande une prise de conscience et ne peut pas être imposé.

Néanmoins, on constate que même si le comportement d'un habitant influe fortement sur les consommations énergétiques d'un logement, il n'annule pas les efforts consentis au niveau de la conception pour optimiser sa performance thermique. Globalement, un occupant « gaspilleur » dans un logement bioclimatique induit moins de dépenses qu'un occupant « économe » dans un logement aux normes actuelles. Évidemment, le comportement « économe » dans une maison bioclimatique fera encore beaucoup mieux ! Notons enfin que, sans tomber dans la « maison gadget » proposée dans les années 1970, certains dispositifs peuvent être plus ou moins assistés, rendant à la fois plus simples et plus ludiques certaines adaptations du bâtiment.

Énergie solaire fossile, active ou passive ?

Excepté la chaleur du noyau terrestre, toutes les énergies viennent du rayonnement solaire, directement ou indirectement.

Le système conventionnel utilise l'énergie fossile issue de la photosynthèse stockée depuis des millions d'années.

Le solaire actif utilise l'énergie du rayonnement solaire instantané grâce à des dispositifs techniques dont la durée de vie est souvent inférieure à celle du bâtiment.

Le solaire passif s'attache d'abord à optimiser l'enveloppe même du bâtiment comme moyen de gestion de l'énergie solaire et des apports internes*, avant d'envisager les appoints nécessaires.

L'architecture bioclimatique se réapproprie deux outils majeurs de la construction traditionnelle :

Chauffage conventionnel, chauffage solaire actif, et chauffage solaire passif (ou bioclimatique).

3. Sans envisager de vivre l'hiver continuellement avec de gros pulls de laine, il semble tout aussi inadapté de vouloir vivre en T-shirt chez soi quelle que soit la saison…

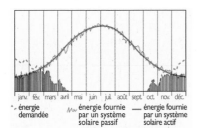

janv. fév. mars avril mai juin juil. août sept. oct. nov. déc.

- énergie demandée énergie fournie par un système solaire passif énergie fournie par un système solaire actif

Puisque les deux systèmes produisent leurs maximums et leurs minimums aux mêmes périodes, le cumul de dispositifs solaires passifs et actifs pour chauffer un bâtiment imposera une gestion précise du déphasage des calories gratuites que chacun récupère du rayonnement solaire. Des études fines seront donc nécessaires sur chaque projet pour juger de la pertinence d'additionner à un bâtiment bioclimatique un chauffage solaire actif.

Stratégie du chaud

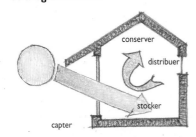

conserver

distribuer

stocker

capter

– une conception spatiale adaptée, fruit d'une tradition ancestrale ancrée localement ;
– la réalisation d'enveloppes polyfonctionnelles utilisant les matériaux de proximité et assurant des fonctions structurelles et protectrices tout en réduisant au maximum les besoins d'apports énergétiques.

2.2 PRINCIPES DE CONCEPTION DES ESPACES ET DES ENVELOPPES

2.2.1 Les différentes fonctions de l'enveloppe

Profiter des éléments favorables du climat, écarter ceux qui sont défavorables

La démarche bioclimatique s'attache à optimiser l'enveloppe bâtie, qui n'est pas seulement une frontière entre l'espace habitable et l'extérieur, mais aussi un organe de transformation des éléments du climat extérieur changeant (et quelquefois inconfortable) en climat intérieur agréable.

Pour profiter des éléments favorables, et écarter les défavorables, la palette des moyens est vaste :
– implantation ;
– orientation ;
– forme architecturale ;
– disposition des espaces ;
– utilisation des matériaux en fonction de leurs caractéristiques thermiques ;
– participation de la végétation environnante…

L'objectif attendu de la mise en œuvre de ces moyens est l'obtention du confort, jour et nuit et en toute saison, en limitant au maximum les besoins énergétiques autres que ceux, gratuits, fournis par l'environnement extérieur.

D'une façon générale, en climat tempéré, et sauf conditions particulières, la conception des espaces et des enveloppes doit pouvoir satisfaire au minimum les exigences suivantes :
– en hiver, réduction des besoins de chauffage à de simples appoints ;
– en été, absence de surchauffes sans recours à la climatisation ;
– en demi-saison, autonomie thermique.

Pour cela, la démarche bioclimatique affecte aux différentes parois de l'habitat plusieurs fonctions de base dépendantes des conditions extérieures et des besoins internes.

Pour la saison froide

• Capter les calories solaires.
• Les stocker (pour pouvoir en bénéficier au moment opportun).
• Conserver ces calories gratuites et éviter également la déperdition des apports intérieurs (chauffage et autres apports internes*).
• Aider à une distribution efficace de l'ensemble de ces calories dans l'espace habité.

Pour la saison chaude

- Protéger du rayonnement solaire.
- Éviter la pénétration des calories.
- Dissiper les calories excédentaires.

On peut y ajouter le rafraîchissement et la minimisation des apports internes*.

Pour les demi-saisons

L'enveloppe doit pouvoir s'adapter de manière simple aux besoins par une combinaison de ces deux stratégies.

La plupart de ces fonctions (captage, stockage, conservation, protection, et même distribution et dissipation) sont assurées en architecture bioclimatique par les parois elles-mêmes, sans recours à des moyens mécaniques actifs.

Une approche synthétique et multicritères

L'architecture bioclimatique met en œuvre des parois simples pour répondre à des fonctions souvent complexes, à la fois dans un temps donné, mais aussi dans la succession jour/nuit, voire d'une saison à l'autre.

Elle diffère en cela de l'approche conventionnelle qui a tendance à ne concevoir les parois qu'avec une addition d'approches monocritères : par exemple les murs extérieurs sont d'abord pensés en fonction de critères mécaniques de « solidité », et de stabilité. Les critères climatiques comme l'isolation sont envisagés ensuite en tant que techniques additionnelles et correctives de ce premier choix. Qui plus est, cette isolation pensée en fonction du seul confort d'hiver s'avère pénalisante pour le confort d'été, et doit donc à son tour être corrigée par un système de climatisation, lequel engendre à son tour de nouveaux besoins.

L'approche conventionnelle, qui est faite de l'addition d'interventions de spécialistes d'une problématique particulière du bâtiment, est une approche essentiellement corrective et additive. (On pourrait même dire « *addictive* », au sens anglais de créatrice de dépendances en chaîne.)

Dans une conception bioclimatique cohérente, la performance d'un élément constructif ne saurait être appréciée dans un seul domaine, ni évaluée selon un seul critère : la bonne réponse à un problème ne doit pas créer de nouveaux problèmes, au contraire, elle doit en résoudre plusieurs simultanément, et de façon économique.

Stratégie du froid

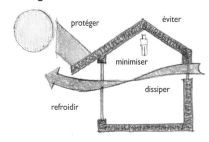

Efficacité thermique, bâtiments « basse énergie », « maisons passives » et conception bioclimatique

Une convention de plus en plus partagée au niveau international permet de qualifier la performance énergétique d'un bâtiment par la quantité d'énergie primaire* nécessaire à son fonctionnement thermique, exprimée en kWh/m^2.an (1). Cette approche permet de distinguer différentes classes de bâtiments.

• Les bâtiments existants qui selon la période de leur construction et les techniques utilisées présentent des disparités de performances énormes.

• Les bâtiments « standard », construits aujourd'hui en France, qui répondent aux exigences réglementaires en cours, ou tentent de faire un peu mieux ;

• Les bâtiments « basse énergie* ». Cette classe désigne des bâtiments thermiquement optimisés grâce à la mise en œuvre d'un ensemble de techniques et d'équipements aujourd'hui largement accessibles (2).

• Les bâtiments « très basse énergie* » ou « passifs* » correspondent à des constructions totalement optimisées du point de vue thermique. Pour ces performances qui s'approchent de l'autonomie énergétique, les investissements nécessaires restent encore trop élevés pour être généralisés (3).

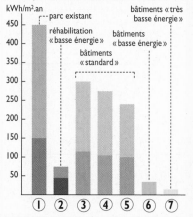

État du parc résidentiel français comparé à des bâtiments thermiquement performants.
(en kWh/m^2.an d'énergie primaire* pour les besoins de chauffage et climatisation) (a)

1 État du parc résidentiel français antérieur à 2000 (entre 150 et 450 kWh/m^2.an).

2 Réhabilitations « basse énergie » (entre 45 et 75 kWh/m^2.an).

3 Bâtiments neufs conformes à la réglementation thermique ou « RT 2000 » (115 à 300 kWh/m^2.an environ (b).

4 Performances thermiques seuils pour l'obtention d'un label HPE* ou d'une certification « démarche HQE®* » (RT 2000 - 8 % soit de 105 à 275 kWh/m^2.an environ (b).

5 Bâtiments neufs THPE* ou juste conformes à la réglementation thermique applicable à partir du 1er septembre 2006 ou « RT 2005 » (de 100 à240 kWh/m^2.an (c).

6 Bâtiments neufs « basse énergie » (environ 35 kWh/m^2.an).

7 Bâtiments neufs « très basse énergie » (environ. 15 kWh/m^2.an).

a. Les conventions de calcul n'étant pas encore harmonisées, les valeurs données dans ce tableau peuvent aisément varier de 10 à 20 % selon les sources ou les bases retenues pour les calculs.

b. La très grande amplitude possible des performances des bâtiments neufs conformes à la réglementation thermique française s'explique par le fait que les exigences à atteindre ne sont pas indexées sur une valeur maximum absolue, mais, à chaque fois, sur une référence fluctuant entre autre selon le climat, le type de bâtiment et l'énergie de chauffage utilisée (voir également annexe p. 227). Ainsi, le propriétaire d'une maison en climat froid chauffée à l'électricité aura la possibilité de « consommer » près de 3 fois plus d'énergie qu'un autre ayant une maison en climat doux chauffant avec une autre énergie.

c. Les informations disponibles à la mise sous presse de cet ouvrage ne permettent pas aux auteurs de calculer le « droit à consommer » maximum autorisé par la réglementation thermique à venir.

Sources : Observatoire de l'énergie, Insee, CSTB, MELT, Agence Minergie®, Passivhaus Institut® et étude « Guide for a building energy label », Armines/Cler (www.cler.org/predac).

Optimisation thermique et conception bioclimatique

Ramené en kWh/m^2.an, l'objectif d'une conception bioclimatique peut être résumé comme suit :
– en réhabilitation, à diviser par trois à huit les besoins de chauffage et de rafraîchissement des bâtiments existants. Cette amélioration énergétique fera passer les bâtiments de la classe « existant » (de 150 à 450 kWh/m^2.an) à la classe « basse énergie » de l'existant (45 à 75 kWh/m^2.an) ;
– en neuf, à construire des bâtiments sans besoins de production de fraîcheur et ayant des besoins de chauffage limités autour de 35 kWh/m^2.an au maximum. Ces bâtiments « basse » ou « très basse énergie » seront de fait au moins 3 fois plus performants que les bâtiments neufs aux standards français actuels (4).

1. Rapporter les consommations d'une construction en quantité d'énergie primaire* par mètre carré de plancher et par an apporte de la lisibilité et permet de comparer ensemble plusieurs bâtiments. Selon l'objet retenu pour la comparaison, ce calcul ne fera référence qu'aux besoins de chauffage et de rafraîchissement (tableau ci-dessus) ou aux consommations cumulées de chauffage, de rafraîchissement, de ventilation, de production d'eau chaude sanitaire et, éventuellement, d'éclairage et d'électricité spécifique.
2. La « basse énergie », popularisée grâce à sa pertinence économique et au succès du standard suisse MINERGIE® (www.minergie.ch) va donner lieu, en France, à la création d'un collectif en charge de sa promotion : Effinergie (voir chapitre 6 et annexe p. 227).
3. Au-delà de la « très basse énergie » ou « maison passive* », on peut, en adjoignant une production d'énergie au bâtiment (généralement toit photovoltaïque*), générer un bilan annuel nul (bâtiment « zéro énergie* ») ou avoir des bâtiments qui produisent plus qu'ils ne consomment (« maison à énergie positive* »). Néanmoins, le marché concernant ces bâtiments qui s'approchent ou dépassent l'autonomie énergétique est actuellement très restreint : les investissements nécessaires restant encore trop élevés pour être adaptés au marché français actuel de la construction.
4. Sur la pertinence de la réhabilitation « basse énergie » : www.negawatt.fr

2.2.2 Composer avec le site

Trouver les profils de moindre résistance pour minimiser les déperditions et optimiser les gains solaires

Nos ancêtres qui disposaient de peu de moyens extérieurs pour assurer leur confort thermique avaient appris à aller à l'essentiel, sans gestes superflus pour répondre aux facteurs climatiques du lieu. Ils restent souvent les meilleurs inspirateurs pour une conception bioclimatique cherchant à renouer avec une politique de sobriété. Il suffit souvent d'observer les dispositions des constructions anciennes de proximité pour connaître les principaux facteurs climatiques dont on peut tirer parti ou se protéger.

Les schémas suivants montrent par exemple comment dans un climat donné, celui de la Provence, l'habitat traditionnel isolé s'adapte avec le minimum de moyens aux quatre grandes contraintes locales : des hivers ensoleillés et relativement froids par absence de nébulosité, des étés chauds et secs, un régime des vents dominé par le mistral soufflant de nord à nord-ouest, parfois ouest, violent, sec et froid, et des vents d'est à sud porteurs de pluies orageuses, principalement à l'automne et au printemps.

« On ne le répète jamais assez aux élèves architectes : armons-nous sur les conditions climatiques : le soleil, la pluie, le froid, la chaleur, les vents… Préoccupons-nous des contraintes de l'environnement, et nous serons certains de construire avec sérieux. Cherchons donc l'essentiel sans avoir recours à des apports superflus : jeux de matières, effets, formes. Et sans vouloir accomplir des gestes techniques qui dépassent la stricte nécessité. »
André Ravéreau, *Le M'Zab, une leçon d'architecture.*

Application à l'habitat des généralités climatiques de la Provence.

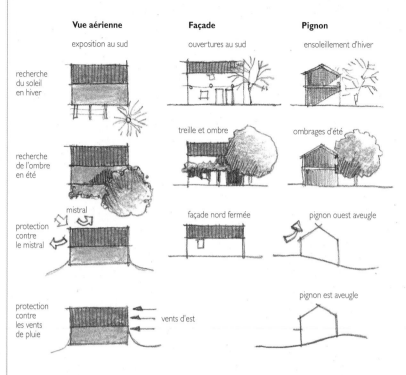

Vue aérienne	Façade	Pignon
exposition au sud	ouvertures au sud	ensoleillement d'hiver

recherche du soleil en hiver

treille et ombre — ombrages d'été

recherche de l'ombre en été

mistral — façade nord fermée — pignon ouest aveugle

protection contre le mistral

pignon est aveugle

protection contre les vents de pluie — vents d'est

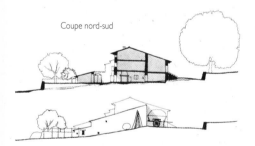

Coupe nord-sud

Coupe et élévation du mas à cour fermée de la Lave à Vachères.
Les principes traditionnels d'intégration aux sites sont toujours valables, même si les modes de vie et d'utilisation des espaces ont changé.

D'une façon générale, en construction neuve, on choisira sur le terrain l'endroit privilégié pour bénéficier au maximum :
– des protections naturelles au vent froid et au soleil estival par les mouvements du terrain naturel et la végétation existante ;
– de l'ensoleillement hivernal en évitant les masques portés par les feuillages persistants, le relief et les bâtis existants.

Maison individuelle à Venterol (Drôme). Situé sur une pente, le bâtiment en épouse le profil, ce qui permet de réduire au maximum la paroi nord pour limiter sa prise au mistral, et de s'ouvrir largement au sud pour capter le rayonnement solaire. Cette disposition reprend celle des constructions traditionnelles au lieu de «poser» la construction au milieu d'une terrasse excavée dans la pente comme on le fait couramment aujourd'hui.
Conception : J.-P. Oliva-HabiTer.

Façade nord

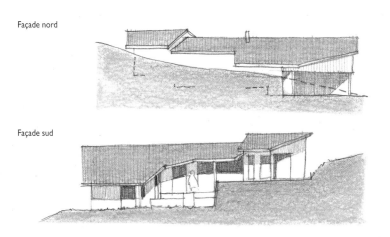

Façade sud

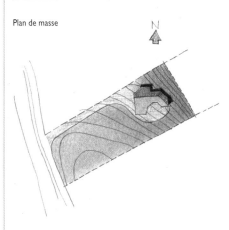

Maison individuelle à Marignac-en-Diois (Drôme). La pente ouest du terrain et la volonté de créer une zone privée extérieure au sud ont amené à une forme en croissant, enterrée au nord et à l'est (qui de toute façon ne reçoit pas le soleil en hiver) et largement ouverte au sud. Toute la construction de plain-pied s'étage sur plusieurs niveaux partiels.
Conception : J.-P. Oliva.

Les façades seront recouvertes d'un bardage en mélèze.

Quand le relief ou la végétation existante ne présentent pas ces caractéristiques, il sera souvent possible d'intervenir pour aménager l'environnement proche par des mouvements de terrain ou des plantations : essences caduques au sud et au sud-ouest, persistantes au nord (dans la mesure où elles préservent au voisinage son « droit au soleil »), haies de hauteur limitée à l'est, permettant l'arrivée rapide du soleil en hiver…

Quand la configuration du lieu le permet, on aura intérêt à valoriser les qualités d'inertie du sol et du sous-sol qui, non seulement assurent une protection contre les éléments extérieurs, mais en outre permettent de réguler les températures quotidiennes voire saisonnières.

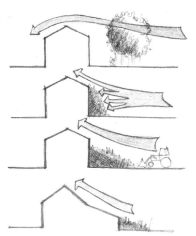

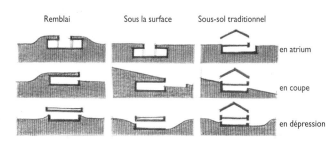

Coupes de principe montrant diverses configurations possibles d'implantation pour tirer partie de l'hyper-inertie du sol, allant du sous-sol traditionnel, ou avec « cour anglaise », aux maisons enterrées, sur patio excavé, recouvertes de gazon, etc.

En terrain plat, on pourra se protéger du vent de plusieurs façons : par des haies, en végétalisant la façade nord, par des remblais de terrain, ou par la forme architecturale.

Habitat troglodytique traditionnel en Tunisie.
Les cellules d'habitation sont creusées autour d'une cour excavée qui ajoute à l'inertie du sous-sol les bénéfices du patio (voir p. 16).

Plus avant dans l'adaptation au site : les maisons enterrées

Le principe d'adaptation au site pour régulariser les températures en minimisant les déperditions et en optimisant les gains a parfois été poussé très loin dans l'architecture vernaculaire. On trouve ainsi sous les climats les plus variés des habitats troglodytiques ou recouverts de terre qui tirent profit de la protection du sol et de l'inertie du sous-sol (voir aussi chapitre 3, p. 106).

Dans la construction bioclimatique contemporaine, un certain nombre de réalisations se sont fondées sur une mise à profit maximale de cette inertie. Et, quel que soit le climat, les résultats thermiques sont toujours très satisfaisants car les températures moyennes en profondeur et la limitation des déperditions créent des conditions de confort toujours suffisantes en été, et demandant peu d'apports thermiques de complément en hiver.

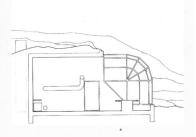

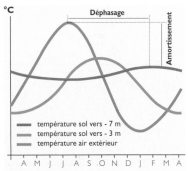

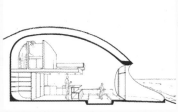

Deux exemples de maisons contemporaines enterrées sous des climats aux caractéristiques opposées, montrant que l'utilisation de l'hyper-inertie du sol amortit aussi les différences climatiques.
En haut, maison enterrée au Jutland (Danemark). Architecte K. Bonderup.
En bas, maisons jumelles enterrées sous une dune (Floride, États-Unis). Architecte W. Morgan.
La seule différence notable dans le concept bioclimatique réside dans les dispositifs de captage solaire : minimisé en Floride, et optimisé dans le projet septentrional.

°C

Déphasage

Amortissement

— température sol vers - 7 m
— température sol vers - 3 m
— température air extérieur

A M J J A S O N D J F M A

Courbes de températures saisonnières en fonction de la profondeur.
Plus on descend, plus l'amplitude entre les extrêmes de température diminue (amortissement) et plus les moments où ces extrêmes apparaissent se décalent. À 8 m de profondeur, la température annuelle se stabilise légèrement au-dessus de la moyenne annuelle du lieu.

Maison bioclimatique troglodytique.
Lotissement de maisons semi-enterrées au « troglovillage » de Perpezac-le-Blanc (Dordogne). Architecte J.-J. Delpech.

Vue perspective et coupe d'un projet de maison dans l'Idaho (États-Unis).
Le logement s'ouvre au sud et au nord sur deux cours-patios excavées.
Architecte M. Oeller.

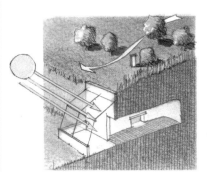

En réhabilitation, un habitat troglodytique traditionnel bien orienté auquel on adjoint une serre pour optimiser les apports solaires en hiver devient facilement un habitat bioclimatique confortable en toute saison.

Maison contemporaine semi-troglodytique à Séguret (Vaucluse).
Conception : F. Chabert.

terre végétale 30 cm
isolation 8 cm
isolation

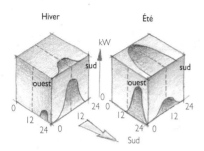

Puissance solaire reçue en kWh en hiver ou en été, selon la position de la façade.
Surface horizontale ou verticale, orientée au sud ou à l'ouest.

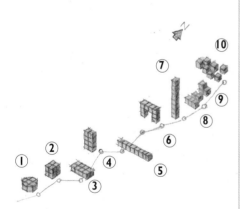

Variation du coefficient de forme par rapport à des géométries courantes pour un même volume.

De 2 à 10, pour un volume constant, la surface des parois extérieures s'accroît de plus du double, ainsi que les déperditions théoriques.

Mais, si l'on intègre les données de l'ensoleillement du schéma précédent, 4 reçoit par exemple deux fois plus de rayonnement solaire en hiver par sa façade sud que 2, et près de deux fois moins en été. 5 en reçoit la même quantité en hiver, mais beaucoup plus en été par ses toitures.

2.2.3 Optimiser la forme et l'orientation

Les parois d'un bâtiment climatique étant soit principalement captrices (paroi sud) ou principalement déperditives (paroi nord), et alternativement captrices et déperditives (parois est, ouest et toiture), la forme optimale, d'un point de vue énergétique, est donc celle qui permet simultanément de perdre un minimum de chaleur et d'en gagner un maximum en hiver, et d'en recevoir un minimum en été.

Compte tenu des données du site et du climat, le concepteur devra composer avec deux paramètres de base : l'ensoleillement et la compacité.

L'ensoleillement

Quelle que soit la latitude en zone tempérée, c'est la façade sud qui reçoit le maximum de rayonnement solaire en hiver, et les façades ouest et est, ainsi que la toiture en été. Bien que le rayonnement reçu en été par la façade est soit théoriquement symétrique à celui de la façade ouest, il est souvent inférieur du fait des nébulosités matinales.

On a donc intérêt, pour optimiser la thermique d'hiver comme celle d'été, à développer au maximum la surface des façades sud, et à réduire celle des façades est, ouest et des toitures. La meilleure configuration, que ce soit pour des constructions isolées ou groupées, sauf contraintes particulières, est la forme allongée dans l'axe est-ouest. Cet allongement est-ouest et la réduction en profondeur nord-sud, quand ils sont compatibles avec les autres considérations de site ou de programme, favorisent aussi très efficacement l'éclairage naturel des pièces de vie durant la journée. En fait, les éclairagistes préconisent de limiter la profondeur des pièces à deux fois et demie la hauteur des fenêtres (soit 4 à 5 m de profondeur environ pour des baies standard). Cette profondeur est également la distance maximale pour un chauffage efficace par rayonnement d'un mur.

La compacité

Pour un volume habité équivalent, l'enveloppe présentant la plus faible surface de parois extérieures sera celle présentant le moins de déperditions thermiques.

La recherche de la géométrie la plus compacte possible doit être pondérée par la priorité donnée à la façade sud et bien sûr rester en cohérence avec les autres objectifs architecturaux. Le coefficient de forme – rapport entre la surface extérieure de l'enveloppe et le volume de l'espace qu'elle contient – est un bon indicateur de la compacité et permet de comparer les volumétries par rapport à leur forme pour un espace de vie équivalent.

La recherche d'une compacité relative se justifie aussi largement d'un point de vue économique : moindre quantité de matériaux, moindre complexité, et donc moindres coûts (économiques et écologiques) de construction et de maintenance.

Une autre économie appréciable de la compacité pour une maison par ailleurs bien conçue d'un point de vue bioclimatique est de pouvoir disposer au centre de l'habitat d'un unique appareil de chauffage par rayonnement qui apporte l'appoint nécessaire en saison froide. Le coût très modéré de cet équipement de chauffage unique et simple amortit en partie — ou totalement — le surcoût des dispositifs bioclimatiques spécifiques.

Volumétrie en climats extrêmes

Plus le climat est rude, plus le gain d'une volumétrie compacte sera sensible. Dans les pays à enneigement important, on peut aménager les toitures de façon à conserver la neige pour la faire participer à l'isolation.
En climats à dominante chaude et sèche la stratégie sera inverse et consistera à évider le centre de la zone habitable pour ménager des zones d'ombre tout au long du jour et faciliter le rafraîchissement nocturne.

Une maison compacte avec une bonne isolation permet de se satisfaire d'un chauffage sommaire au centre de l'habitat. Poêle à granulés de bois pouvant avoir une autonomie de 90 heures.

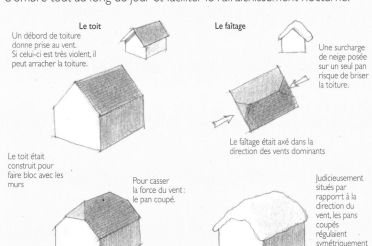

Le toit
Un débord de toiture donne prise au vent. Si celui-ci est très violent, il peut arracher la toiture.

Le toit était construit pour faire bloc avec les murs

Pour casser la force du vent : le pan coupé.

Le faîtage
Une surcharge de neige posée sur un seul pan risque de briser la toiture.

Le faîtage était axé dans la direction des vents dominants

Judicieusement situés par rapporrt à la direction du vent, les pans coupés régulaient symétriquement la charge de neige.

Volumétrie des maisons traditionnelles du haut Jura.
Dans les climats rigoureux, la compacité et l'orientation sont des facteurs de limitation des déperditions, mais aussi de résistance mécanique aux agents extérieurs : meilleure résistance au vent, mais aussi à la neige, qui est en outre utilisée comme manteau isolant en hiver.

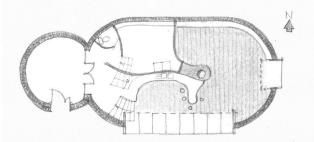

Maison individuelle en Savoie. Formée d'un cylindre et d'une sphère, cette construction de 140 m² habitables qui optimise le coefficient de forme en réduisant au maximum les déperditions est une interprétation contemporaine des principes d'une construction traditionnelle comme ci-dessus et de ceux de l'igloo. La façade sud est équipée d'une grande verrière à vitrage peu émissif, occultable l'été.
Architecte : J.-L. Chaneac, thermicien : ITF – B. Georges.

La détermination des zones constructibles et des parcelles d'un lotissement devrait toujours permettre au minimum une orientation sud et sans masques des façades principales, assurant ainsi à chacun le « droit au soleil ».

Analyse des ombres portées en hiver pour déterminer l'emplacement de maisons jumelées avec serres dans un lotissement solaire à Tourcoing (Nord). Projet : Iris, architecte : S'Pace, thermicien : SOCETEC.

4. Voir le séminaire « Architecture et anthropologie » à l'école des Hautes Études en sciences sociales, « L'habiter dans sa poétique première ».

Formes bioclimatiques et règles d'urbanisme

Les choix de construction ne sont pas qu'affaire individuelle : lorsqu'il s'agit d'établir les plans locaux d'urbanisme (PLU, les anciens POS), ou plus généralement d'envisager l'implantation des zones d'habitation, l'aménageur prend en compte de multiples paramètres ; celui de l'adaptation au site du point de vue bioclimatique est rarement prépondérant.

Par exemple, il arrive souvent, dans les lotissements sur sols pentus, que les axes imposés pour les faîtages soient indexés sur le sens de la pente en référence à l'architecture vernaculaire, alors que la pente du terrain proposé n'est pas orientée au sud, comme elle l'était généralement dans les terrains que choisissaient les anciens. Cette contrainte complique considérablement une adaptation bioclimatique dans le site : si l'on respecte le règlement, les façades principales ne sont plus orientées au sud, les débords de toiture sur les murs gouttereaux* ne les protègent plus des surchauffes estivales, etc. Les adaptations sont coûteuses, et de surcroît se heurtent souvent au règlement d'urbanisme lui-même, car la volumétrie n'est alors plus celle de « la tradition » !

Pourtant, la conception bioclimatique d'habitats adaptés à nos besoins et à nos modes de vie actuels est une chance de renouer avec l'esprit de l'architecture vernaculaire. La recherche d'économie de moyens, la composition avec les conditions climatiques locales plutôt que l'opposition sont la garantie d'architectures adaptées. Certes, comme il existe des bâtiments construits uniquement sur des critères technologiques ou économiques, ou sur des bases purement formelles, il ne serait pas cohérent maintenant de concevoir des bâtiments régis par les seuls critères énergétiques ou le seul objectif du bien-être thermique à moindres coûts, fussent-ils environnementaux. La qualité globale de la fonction « habiter » intègre aussi celle des vues et des relations avec l'extérieur, celle de la lumière, des ambiances, des matières, des couleurs, des rythmes, des odeurs, des sons, etc., facteurs qui ne sont pas entièrement mesurables et quantifiables, mais contribuent ensemble à faire de l'acte d'habiter une « fonction poétique », pour reprendre l'expression de Hölderlin (4). La bonne architecture a toujours été une architecture bioclimatique, mais ce paramètre n'est pas le seul et ne doit pas, à l'instar des dérives spécialistes de l'architecture du XXe siècle, occulter l'organisation de la complexité, qui est le défi posé à chaque projet.

En pratique

Même s'il déroge à quelques règles esthétiques d'un règlement trop étroit, un projet bioclimatique reste le plus souvent défendable, si on peut argumenter de sa cohérence énergétique et environnementale. Les architectes-conseils des communes quand il y en a, ceux des CAUE (conseils en architecture, urbanisme et environnement) ou des DDE (directions départementales de l'équipement) sont généralement des personnes sensibles à la qualité d'un projet et, moyennant quelques compromis souvent mineurs, peuvent aider à le faire accepter par des élus parfois plus méfiants.

2.2.4 Organiser les zones d'habitat selon l'ambiance thermique des espaces

L'occupation des divers espaces d'un habitat varie en fonction du rythme des saisons et des journées. Définir ces différentes zones et caractériser leurs besoins thermiques spécifiques permet de les disposer rationnellement les unes par rapport aux autres.

La double enveloppe

Les espaces habités en permanence de jour ou de nuit étant ceux qui nécessitent le plus de chaleur en hiver sont séparés de l'extérieur par des espaces intermédiaires, dits « tampons » qui jouent le rôle de transitions et de protections thermiques.

Maison passive ossature bois/remplissage bottes de paille (Autriche).
Avec des parois très isolées, la fonction protectrice des espaces tampons en façade nord ou en toiture perd une part de sa pertinence.

• Au nord, on disposera prioritairement les espaces non chauffés (garages, celliers, placards…), les locaux d'utilisation irrégulière (atelier…) ou ceux ne nécessitant pas une température élevée (sanitaires, circulation, buanderie…). En abaissant ainsi l'écart de température avec l'extérieur selon les cas de 5 à 10 °C, ces espaces tampons peuvent réduire les déperditions de 20 à 30 %. Dans certains cas, l'espace tampon nord pourra se réduire à un vestibule servant de sas d'entrée permettant de protéger l'intérieur de l'atteinte des vents directs.

• Au sud, la serre est un espace tampon habité temporairement limitant le refroidissement de nuit en hiver, mais aussi et surtout un espace capteur de calories (voir p. 147). Le mur capteur, principalement dans sa version « double peau », peut également être considéré comme un « mini »-espace tampon (voir p. 138).

• À l'est et à l'ouest, on disposera de préférence des pièces demandant plutôt à être tempérées que chauffées fortement, comme les chambres à coucher.

• Enfin, pour la toiture, l'habitat vernaculaire proposait presque systématiquement un niveau non aménagé entre l'espace chauffé et la couverture. Servant souvent de grenier, il garantissait un certain confort thermique hiver comme été.

Mais ces principes de base de la « double enveloppe » peuvent être modulés : chaque lieu, chaque projet de vie en ces lieux étant différent, la disposition et l'organisation thermique des espaces chercheront à suivre les rythmes de la vie quotidienne et saisonnière.

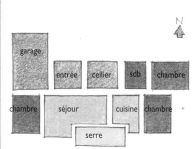

Principes du zonage thermique.

Vivre au quotidien avec le soleil et la lumière

La course quotidienne du soleil et sa hauteur saisonnière incitent à des orientations « naturelles ».

• Les chambres ouvriront de préférence au soleil levant car l'arrivée de la lumière le matin réchauffe la chambre et participe à la dynamique du lever. Par ailleurs, en été, les chambres à l'est resteront relativement fraîches en soirée, ce qui sera plus difficile à obtenir avec des chambres à l'ouest.

Dans les maisons à étage, la disposition des chambres en hauteur est intéressante en hiver car leur température de confort relativement plus basse peut

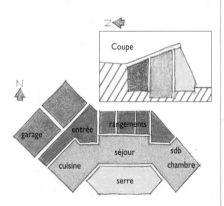

Maison à Leuc (Aude). La hiérarchie thermique des différentes zones est ici poussée à son optimum : la forme très compacte, organisée en diagonale entre le garage bas déflecteur de vent au nord et la serre sur toute la hauteur au sud, permet cependant des ouvertures et des vues du sud-est au sud-ouest. Architecte M. Orliac.

Maison à Aurignac (Haute-Garonne). Cette petite maison recouverte de terre sur toute sa face nord développe les espaces de vie autour d'un foyer central au bois et d'une très grande serre centrale dont l'air chaud circule dans un stockage constitué d'un lit de galets situé sous le sol du séjour (voir p. 159 « Les serres activées »). Elle s'ouvre seulement sur l'extérieur du sud-est au sud-ouest. Architecte H. Canonge.

être obtenue par la seule convection de l'air chaud montant du rez-de-chaussée. En saison chaude cependant, les risques de surchauffe dans les combles aménagés sont très importants si l'on n'a pas utilisé des isolants à forte capacité thermique (voir p. 70).

• Les pièces de vie diurnes gagneront à bénéficier du soleil et de la lumière pendant les heures d'occupation : leur orientation au sud ou sud-est/sud-ouest est évidemment la meilleure aussi bien pour l'hiver que pour l'été, mais peut être modulée en fonction des activités spécifiques.

• Les pièces où l'on séjourne le soir n'auront plus besoin de la lumière naturelle en hiver, elles peuvent donc être reculées au cœur de l'espace habitable, protégées par la « deuxième enveloppe », rendues confortables et chaleureuses par la présence du foyer rayonnant.
En été, la persistance de la lumière naturelle et la recherche de la fraîcheur du soir inciteront à déplacer cet espace vers l'extérieur tandis que l'ouverture des baies permettra d'amorcer le rafraîchissement nocturne de l'espace intérieur.

• Les zones de travail comme les bureaux seront disposées non seulement en fonction de la chaleur mais aussi de la luminosité : une zone de travail régulier à domicile doit pouvoir bénéficier d'un bon apport de chaleur (rendu nécessaire par la position assise) et de lumière naturelle, en veillant toutefois à éviter l'ensoleillement direct, source d'inconfort visuel (écrans d'ordinateurs), de dégradations (papiers, photos, supports informatiques) et bien sûr de surchauffes en saison chaude. L'orientation à l'est est alors tout adaptée… ou à l'ouest si l'on prévoit de bonnes occultations solaires.

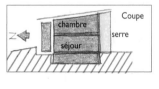

Maison à Ventenac-Cabardès (Aude). Les espaces tampons au nord sont prolongés à l'ouest par une chambre d'amis chauffée seulement de façon occasionnelle. Comme la chambre principale, elle ouvre au sud-sud-ouest sous un débord de la toiture qui la protège des surchauffes en été. Le séjour au milieu de l'espace central chauffé en hiver communique largement avec la serre sur deux niveaux. En avant de la cuisine-salle à manger située à l'est, un profond auvent crée un « séjour d'été » abrité du rayonnement solaire dès l'après-midi. Architecte R. Laignelot.

Maisons individuelles ou habitat groupé ?

La comparaison des coefficients de forme entre plusieurs agencements possibles montre à l'évidence que l'habitat groupé est une voie importante pour réduire les coûts en agissant simultanément sur plusieurs facteurs :
– le coût du foncier ;
– le coût de construction ;
– le coût du chauffage ;
– le coût d'équipements collectifs ;
– les coûts induits par la rallonge des dessertes, le recours indispensable à l'automobile et les dépenses énergétiques qui y sont liées (voir chapitre 6, p. 210).

Comparaison de l'impact sur l'environnement de 8 unités de logements en fonction de leur densité.

	Maisons individuelles (rez-de-chaussée + sous-sol)	Deux bandes de maisons mitoyennes (rez-de-chaussée + sous-sol)	Immeuble collectif (rez-de-chaussée + un étage + sous-sol)
Emprise au sol	100 %	70 %	34 %
Surface d'enveloppe	100 %	74 %	35 %
Coût de construction	100 %	87 %	58 %

Le cumul de ces facteurs d'économie peut aboutir à une réduction de l'ordre de 50 % du prix total et permettre ainsi un accès à un habitat de qualité à un nombre considérable de personnes qui en sont écartées.
Très développées en Europe du Nord, ces formules pâtissent en France d'un préjugé défavorable qui tient essentiellement à des conditions historiques :
– la très mauvaise qualité générale de l'habitat collectif édifié en masse après la Seconde Guerre mondiale et dont les nuisances de tous ordres agissent toujours en tant que repoussoir ;
– l'idée concomitante installée dès les années 1950 par le plan Marshall que, pour fuir cette « pauvreté » et les grandes barres urbaines, le seul contre-modèle était celui du pavillon à l'américaine ;
– la relative disponibilité d'espace dont jouit notre pays et les politiques commerciales flattant l'individualisme ont fait le reste.

•••

Maisons solaires HLM à Villepinte.
La disposition en bandes permet tout à la fois une économie d'espace, un bon coefficient de forme (en réduisant la surface des parois), un accès aux apports solaires par la serre placée à l'étage et des zones privées (solarium). Architecte : P. Phelouzat, thermicien : Set Foulquier.

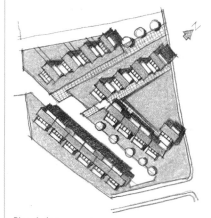

Plan du lotissement.

Vue latérale d'un appartement.

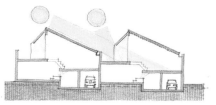

Coupe sur deux appartements.

•••

Les multiples réalisations en Europe du Nord ayant démontré que l'habitat groupé peut apporter une réponse adaptée aux besoins d'habitat de qualité, y compris sur les plans de l'intimité et de l'espace, une certaine tendance se dessine depuis quelques années en France : des associations de personnes ou de familles se constituent pour des projets d'« éco-hameaux » ou d'« éco-lotissements », des promoteurs privés ou publics commencent à s'y intéresser…

Housing Project (projet de logements) de Hockerton (Royaume-Uni).
Groupe de 5 maisons de 172 m² chacune organisées en « longère ». La façade nord est entièrement recouverte de terre et la face sud de serres bioclimatiques. Grâce à une excellente isolation (triple vitrage pour les serres) et à l'hyper-inertie de la terre, les températures sont de 18 °C en hiver et de 24 °C en été, sans chauffage ni climatisation. L'appoint est fourni par une pompe à chaleur sur échangeur d'air. Une éolienne de 6 kW couvre tous les besoins en énergie des 5 maisons. Le coût de la construction en 1996 a été très nettement inférieur à celui de la construction conventionnelle outre-Manche. Ce projet est issu, au départ, de l'initiative privée de trois familles associées.

Petits collectifs à Fribourg-en-Brisgau (Allemagne).
Une densité importante de l'habitat permet de réaliser d'importantes économies en coût de construction, de chauffage, de transport..., et préserve néanmoins des espaces d'intimité et de proximité avec la nature.

2.3 LES RESSOURCES (LIEUX ET CLIMATS)

Qu'elle concerne une construction neuve ou la réhabilitation d'un bâtiment existant, la démarche bioclimatique débute par une phase de découverte et d'exploration des données locales du projet (5). De la qualité de cette approche dépendra la garantie de ne pas faire une architecture «hors sol*» qui, pour pallier son manque d'adaptation, devrait faire appel à toutes sortes d'intrants* énergétiques (6).

Les caractéristiques climatiques d'un lieu se scindent en contraintes dont on cherchera à se protéger et en apports bénéfiques dont on cherchera à tirer le meilleur parti.

Afin de permettre la conception d'un projet bioclimatique, il est nécessaire de connaître les caractéristiques climatiques du lieu en données chiffrées. Une partie de ces données est disponible auprès des stations météorologiques régionales. Mais ces données, qui représentent des valeurs moyennes pour la zone climatique générale étudiée (ou «macroclimat»), peuvent subir d'importantes variations locales. Celles-ci sont couramment étudiées à deux échelles :

– celle dite du «mezzoclimat» qui prend en compte les influences locales plus ou moins étendues comme celles induites par le relief, la présence importante d'eau, ou la couverture du sol ;

– celle du «microclimat» qui correspond à l'échelle précise du site d'implantation de la construction avec les influences des constructions ou de la végétation environnantes qui peuvent influer sur l'ensoleillement ou les vents.

Pour connaître les caractéristiques climatiques précises du site, les sources d'information sont de plusieurs ordres :

– l'observation directe sur le site, enrichie de la collecte de renseignements auprès des habitants de proximité ;

– l'observation des dispositions constructives de l'architecture vernaculaire environnante.

2.3.1 Le macroclimat

L'ensemble de la France bénéficie d'un climat tempéré dans lequel on distingue trois grandes régions climatiques caractérisées par la température relative des hivers et des étés, et l'intensité du rayonnement solaire :

– la zone tempérée proprement dite correspond à la façade atlantique. C'est la zone la plus concernée par le Gulf Stream qui en hiver réchauffe et humidifie l'air. Les hivers et les étés sont relativement doux, et le rayonnement solaire limité ;

– la zone continentale au-dessus de l'arc alpin est caractérisée par des hivers plus rigoureux bénéficiant cependant d'un ensoleillement assez important. Les étés y sont chauds ;

– la zone méditerranéenne. Les hivers y sont doux et l'insolation intense. Les étés y sont chauds.

A. Zonage climatique pour l'hiver.

B. Zonage climatique pour l'été.

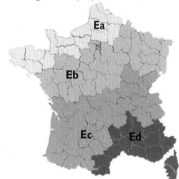

Caractéristiques climatiques par départements.
Source : ADEME-RT 2000.

5. Il va de soi qu'en cas de réhabilitation, les caractéristiques de l'existant sont à étudier en priorité, notamment vis-à-vis de leur pertinence climatique. Cela se fera en amont du projet, au stade du diagnostic, c'est-à-dire avant la programmation*.

6. La similitude des termes employés avec ceux de l'agriculture conventionnelle reflète bien la similitude des situations. Pour la construction comme pour l'agriculture, le défi actuel est de reconstruire des pratiques adaptées aux réalités locales.

À l'intérieur de chacune de ces zones, plusieurs variables interviennent pour définir un très grand nombre de caractéristiques climatiques locales. Ce sont :
– le rayonnement solaire incident et son intensité ;
– l'amplitude des températures de l'air ;
– le régime des vents (secteurs et vitesse) ;
– l'humidité de l'air.

Chacun de ces quatre composants est à son tour influencé par l'altitude, la nature des sols et l'environnement proche.

Dans la pratique on constate souvent des « types de temps » dans lesquels les quatre variables de base évoluent toujours dans le même sens. Par exemple, sur la montagne jurassienne, par temps de bise (vent du nord), les températures baissent, le rayonnement solaire est important par disparition des nébulosités, et l'humidité de l'air est très faible.

L'architecture doit donc prendre en compte ces phénomènes de manière combinatoire et non pas isolément, car tous les facteurs climatiques évoqués agissent simultanément sur le bâtiment, et non pas séparément.

La position du soleil

Vu d'un point donné de la terre, le soleil suit une course dont chaque position est déterminée par sa hauteur et son azimut.

La hauteur « H » (appelée également hauteur angulaire) est l'angle formé par la direction du soleil et le plan horizontal.

L'azimut « A » est l'angle formé par la direction du soleil avec le plan vertical nord-sud.

La hauteur et l'azimut du soleil varient d'heure en heure mais aussi suivant le rythme des saisons. Dans l'hémisphère Nord, la hauteur du soleil et son angle azimutal sont maximaux au solstice d'été (21 juin) et minimaux au solstice d'hiver (21 décembre).

La connaissance de ces angles pour un lieu est essentielle pour ldéterminer :
– les durées d'ensoleillement ;
– l'intensité du rayonnement reçu. En plus de l'angle qu'il fait avec la paroi (voir p. 63, § 2.4.1), l'intensité du rayonnement solaire, pour des conditions climatiques données, dépend grandement de la hauteur angulaire ;
– la proportion du rayonnement solaire réfléchi et absorbé par les parois.

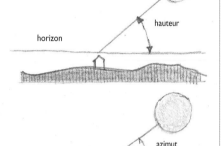

Coordonnées solaires : azimut et hauteur (ou hauteur angulaire).

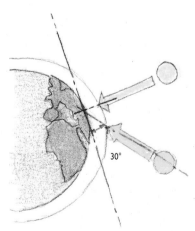

Plus le soleil est haut dans le ciel, moins la couche d'atmosphère traversée est épaisse. Par exemple, pour une hauteur « H » de 30°, les rayons doivent traverser une masse d'air égale au double de l'épaisseur de l'atmosphère.

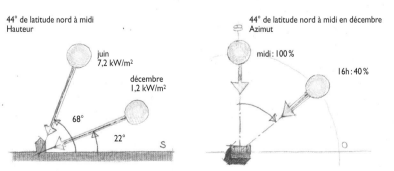

Variation des apports en fonction de la hauteur et de l'azimut.
À gauche. Apports solaires sur une surface horizontale en fonction de la hauteur angulaire.
À droite. Apports solaires sur une surface verticale sud en fonction de l'azimut.

Le diagramme solaire

Pour connaître la position du soleil en un point géographique donné tout au long de l'année et aux différentes heures, on se sert de diagrammes en projection cylindrique. Ces diagrammes sont disponibles gratuitement sur Internet pour chaque degré de latitude.

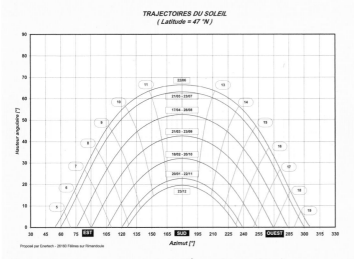

TRAJECTOIRES DU SOLEIL
(Latitude = 47 °N)

Proposé par Enertech - 26160 Félines sur Rimandoule

Diagramme solaire pour une latitude de 47° nord (Nantes, Dijon).
– En juillet à 12 heures, heure solaire (14 heures), le soleil aura un azimut de 0°, sa hauteur angulaire sera de 62,5°.
– En janvier à 9 heures heure solaire (10 heures), le soleil aura un azimut de 43° est, sa hauteur angulaire sera de 11,5°.
Source : Enertech : http//sidler.club.fr

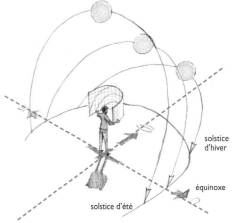

Principe du diagramme solaire cylindrique.
La courbe du soleil est reportée sur un plan. Les azimuts sont en abscisse, les hauteurs en ordonnée.

Le rayonnement solaire

Le rayonnement solaire atteignant le sol dépend de la composition de l'atmosphère. Il est en effet partiellement absorbé et réfléchi par les poussières et les microgouttes d'eau en suspension.

Une partie du rayonnement est également diffusée dans toutes les directions par les molécules d'air et les particules. Elle constitue le rayonnement diffus. Le reste du rayonnement atteignant directement la terre est le rayonnement direct. La somme du rayonnement direct et du rayonnement diffus atteignant la terre constitue le rayonnement solaire global (G).

Pour une région donnée, la quantité d'énergie reçue varie suivant l'heure et la saison. Elle est influencée par les conditions météorologiques, principalement la nébulosité. Ce dernier paramètre explique qu'en bonne exposition, l'énergie solaire reçue en montagne est supérieure à celle reçue en plaine.

Les mesures de radiations solaires par ciel clair sur des plans différemment orientés ou inclinés montrent que l'orientation la plus favorable est l'orientation verticale sud (voir schéma p. 44) car elle permet de récupérer une énergie maximale en hiver, et minimale en été. Ces performances en hiver et en été font de cette façade sud l'outil-paroi primordial de l'architecture bioclimatique.

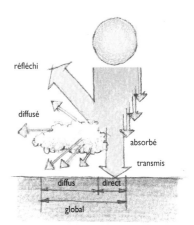

Composante du rayonnement solaire global.
Les proportions de chaque composant sont fonction des différents facteurs décrits plus bas.

Au mois de janvier

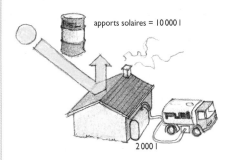

Au mois de juillet

Irradiation* solaire quotidienne sur le plan **horizontal** au mois de janvier et au mois de juillet (en kWh/m² par jour).
Source : Atlas climatique de la construction. Pour les zones de montagne, si en théorie les courbes adjacentes y sont continues, les différences possibles dues entre autres au relief et à l'altitude ont incité les concepteurs de ces cartes à ne pas les renseigner.

À 150 millions de kilomètres du soleil, la terre intercepte à peu près 0,45 milliardième de la puissance émise, ce qui représente tout de même 35 000 fois l'énergie totale utilisée par les hommes sur Terre en une année complète. L'énergie solaire actuelle reçue par l'ensemble du territoire français représente environ 700 000 milliards de kWh, ce qui équivaut à la production de 8 000 centrales nucléaires de 1 000 MW, ou 350 fois la consommation finale d'énergie française de 2003.

Le rayonnement solaire atteignant la Terre est filtré par l'atmosphère. Les ultraviolets qui parviennent jusqu'au sol représentent environ 5 % de la quantité totale, la partie visible du spectre en représente environ 50 %, et les infrarouges (IR) 45 %. C'est cette partie du rayonnement qui est responsable de l'effet thermique (la partie visible est, elle, responsable de l'effet photovoltaïque).

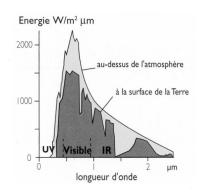

Energie W/m² μm

au-dessus de l'atmosphère

à la surface de la Terre

UV Visible IR

longueur d'onde

Énergie du rayonnement direct reçue sur une surface verticale sud
(en kWh/m².jour)

Ville	janv.	fév.	mars	avril	mai	juin	juil.	août	sept.	oct.	nov.	déc.
Lille (50° 34')	1,430	1,797	2,827	2,622	2,446	2,299	2,297	2,471	2,962	2,507	1,444	1,118
Nantes (47° 10')	2,282	2,582	3,388	3,017	2,528	2,393	2,421	2,943	3,312	3,364	2,303	1,928
Lyon (45° 48')	1,845	2,636	3,439	2,895	2,408	2,303	2,216	2,700	3,565	3,092	1,845	1,439
Perpignan (42° 44')	4,156	4,200	4,215	3,197	2,333	2,162	2,017	2,610	3,822	3,744	3,465	3,390

On constate que ces valeurs sont très différentes, voire parfois inversées par rapport à celles d'une surface horizontale (cartes ci-contre). À Lille par exemple, l'énergie reçue sur un plan horizontal en juillet est près de 7 fois supérieure à celle reçue en janvier. Sur un plan vertical sud, elle n'est plus supérieure que de 60 %.
À Perpignan, un plan horizontal reçoit 4,5 fois plus d'énergie solaire en juillet qu'en janvier, un plan vertical sud en reçoit 2 fois plus en janvier qu'en juillet !
Source : Atlas énergétique du rayonnement solaire pour la France.
Une page internet pour calculer facilement la solarisation exacte pour toute surface et en tout point, où que l'on soit en Europe : http://iamest.jrc.it/pvgis/solradframe.php?europe

apports solaires = 10 000 l

2 000 l

L'énergie solaire reçue par le toit ou la façade sud d'une maison est bien supérieure aux besoins en énergie pour la chauffer. En prenant l'exemple d'une maison neuve de 100 m² ayant un pan de toit sud de 60 m² et une façade sud de 30 m² :
– à Nice, le pan de toit sud reçoit 103 680 kWh par an soit près de 10 fois l'énergie nécessaire à son chauffage. Si c'est une maison « basse énergie » cette proportion passera à environ 30 et à près de 69 si elle est de type « très basse énergie* » ;
– à Lille, le pan de toit sud reçoit 63 360 kWh par an soit encore 5 fois l'énergie nécessaire à son chauffage (respectivement 18 et 42 fois si elle est de type « basse énergie » ou « très basse énergie »). L'énergie que reçoit son mur sud sera, selon sa classe de performance, respectivement de 2 ; 6.5 et 15 fois l'énergie dont elle aura besoin pour son chauffage.

La température

La température de l'air au-dessus du sol, dite température ambiante, est essentiellement influencée par l'ensoleillement, mais également par le vent, l'altitude et la nature du sol.

La température variera donc grandement en fonction des paramètres ayant trait aux rayonnements solaires et elle sera directement dépendante de la couverture nuageuse. Lorsque les journées sont claires, la température s'élève car les radiations reçues à la surface de la terre sont plus importantes. En revanche, lorsque les nuits sont claires, la terre et donc l'atmosphère se refroidissent plus à cause de la dissipation de chaleur rayonnée par le sol vers la voûte céleste.

La connaissance des températures du lieu pour chaque mois de l'année sera une donnée primordiale pour définir l'enveloppe du bâtiment (proportion des vitrages, définition des parois…). De plus pour quantifier la puissance des appareils de chauffage., la température extérieure de base devra être connue ainsi que les degrés jours unifiés (DJU, voir annexe p. 222) pour estimer les consommations de base.

Ces différentes données sont fournies pour chaque lieu par les stations météo locales (voir encadré p. 62) mais elles sont à pondérer en fonction des particularités du microclimat.

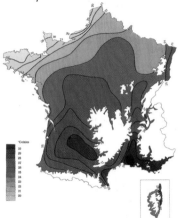

Températures minimales moyennes au mois de juillet.

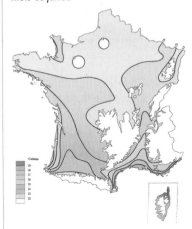

Températures maximales moyennes au mois de juillet.

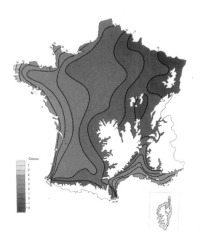

Températures minimales quotidiennes moyennes du mois de janvier.
En France, les moyennes des températures les plus basses croissent d'abord en fonction de l'éloignement par rapport aux façades maritimes, et de l'influence des reliefs, et secondairement de la latitude.

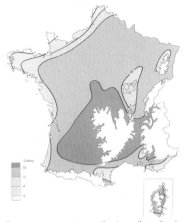

Amplitudes moyennes en juillet.

Le vent

Des facteurs climatiques complexes entraînent des différences de pression dans l'atmosphère, faisant naître des déplacements d'air à la surface de la terre, des zones de hautes pressions vers les zones de basses pressions.

Le régime des vents en un lieu est représenté par une rose des vents qui exprime la distribution statistique des vents suivant leur direction.

Ces roses des vents étant des mesures moyennes prises sur des sites déterminés, il faudra les recouper avec les témoignages des habitants du voisinage les plus proches du projet pour évaluer leur réalité sur le site.

Ces cartes permettent d'estimer l'amplitude de variation des températures en été. Cela sert entre autres à dimensionner les systèmes de rafraîchissement par surventilation nocturne (voir § 5.3, p. 199).

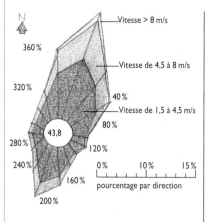

N

Vitesse > 8 m/s

360 %

Vitesse de 4,5 à 8 m/s

320 %

40 %

Vitesse de 1,5 à 4,5 m/s

80 %

43,8

280 %

120 %

240 %

0 %   10 %   15 %

160 %

pourcentage par direction

200 %

Une rose des vents pour un lieu donné (ici Lablachère, Ardèche) indique la vitesse et le pourcentage par mois ou par année de chaque vent en fonction de sa direction.
• Les traits indiquent la direction des vents.
• Leur longueur indique leur pourcentage par année.
• Leur couleur indique la vitesse en mètre/seconde.

Vitesse du vent (km/h)	Température (°C)									
	0	-2	-4	-6	-8	-10	-12	-14	-16	-18
10	-3	-6	-8	-10	-13	-15	-18	-20	-22	-25
15	-4	-7	-9	-12	-14	-17	-19	-22	-24	-27
20	-5	-8	-10	-13	-15	-18	-20	-23	-25	-28
25	-6	-8	-11	-14	-16	-19	-21	-24	-26	-29
30	-6	-9	-12	-14	-17	-20	-22	-25	-27	-30
35	-7	-10	-12	-15	-18	-20	-23	-25	-28	-31
40	-7	-11	-13	-15	-18	-21	-23	-26	-29	-31
45	-8	-10	-13	-16	-19	-21	-24	-27	-29	-32
50	-8	-11	-14	-16	-19	-22	-24	-27	-30	-33

Indice de refroidissement éolien.
La vitesse du vent a une incidence non négligeable par rapport à la température mesurée sous abri (celle qui est donnée par les stations météorologiques).

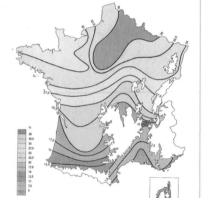

Pourcentages moyens de jours à humidité relative* minimale supérieure à 80 % en hiver. L'humidité relative en hiver croît surtout avec l'augmentation de la latitude.

En effet, plusieurs paramètres très localisés agissent sur le vent et sa vitesse, particulièrement la topographie locale et la rugosité des surfaces (obstacles au sol) qui peuvent le freiner, le dévier, ou créer des turbulences (voir p. 57, « Le microclimat »). Le vent est généralement bienvenu en été car il rafraîchit l'atmosphère, tandis que les vents d'hiver sont des sources importantes de refroidissement. La conception bioclimatique visera donc à utiliser et à favoriser les brises naturelles pour assurer le rafraîchissement en été. Pour l'hiver, elle se protégera des vents froids par une meilleure étanchéité grâce à la réduction des surfaces exposées au vent ou à l'installation d'écrans extérieurs (voir p. 39, « Conception des espaces »).

L'humidité

L'air est un mélange d'air sec et de vapeur d'eau. Entre 30 et 70 % d'humidité relative* (voir p. 30), la vapeur d'eau influence peu la sensation de confort thermique. Au-delà, les échanges thermiques par la peau (transpiration) sont ralentis et la sensation d'inconfort s'accroît. Lorsqu'il y a une grande quantité d'humidité dans l'air, le rayonnement solaire est ralenti et les variations de température jour/nuit sont réduites. Au contraire, dans les climats secs (zone méditerranéenne), les amplitudes jour/nuit sont accrues.

Pourcentages moyens de jours à humidité relative* minimale inférieure à 60 % en été. L'humidité relative en été décroît surtout en fonction de l'éloignement des zones océaniques et de l'influence du climat « nordique-maritime ».

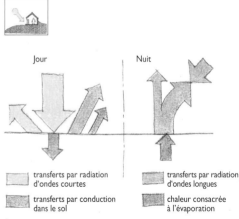

2.3.2 Le mezzoclimat et le microclimat

À l'intérieur de chaque zone climatique interviennent de nombreux paramètres locaux, créant autant de « mezzoclimats » (à l'échelle d'une zone plus ou moins étendue) et de « microclimats » (à l'échelle d'un site particulier) qui peuvent apporter des variables importantes au climat de base.

Influence des sols et de la végétation

La température de l'air en un lieu est directement dépendante de la nature des surfaces environnantes interceptant la radiation solaire.

On peut distinguer trois grandes catégories de sols.

• Les sols couverts de végétation (herbe, taillis, forêts…) favorisent l'évapotranspiration d'eau et réduisent ainsi le réchauffement de l'air. Nous verrons (p. 126) que l'utilisation de végétation à proximité des habitations est un des outils climatiques importants pour le confort d'été.

• Les sols minéraux à forte inertie, qu'ils soient naturels (rochers, sable, terre nue) ou aménagés par l'homme (béton, pavés, macadam…), stockent la chaleur durant les journées ensoleillées et rayonnent en début de soirée, ce qui a pour effet de retarder la chute des températures nocturnes.

• Le troisième type de surface réceptrice n'est pas à proprement parler un sol, puisqu'il s'agit des étendues d'eau. Celles-ci stockent également une grande quantité de calories. L'eau agit comme un volant thermique* en réémettant la chaleur par rayonnement et convection lors des chutes de température, et réduit ainsi les amplitudes des variations des températures de l'air. À l'inverse des sols minéraux qui s'échauffent et restituent la chaleur rapidement, l'eau emmagasine et restitue la chaleur lentement. C'est pour cette raison que les régions océaniques sont caractérisées par de faibles écarts de température, mais aussi que, à l'échelle du microclimat, un lac ou même un étang peuvent tempérer les amplitudes de température, leur influence dans les effets produits et dans la zone concernée étant généralement proportionnelle à leur taille (7).

Influence de l'altitude et du relief

L'altitude influence fortement le climat local par :

– une diminution des températures, globalement proportionnelle à l'altitude, due à l'amincissement de la couche atmosphérique. On constate en moyenne une baisse de la température de 0,7 °C pour 100 m de dénivelé ;

– la plus grande amplitude des variations de température entre le jour et la nuit par le même phénomène de réduction de l'effet « amortisseur » de l'atmosphère ;

– l'exposition aux vents d'altitude, plus intenses au fur et à mesure que l'on s'élève car non freinés par la rugosité des reliefs inférieurs, et moins affectés par les phénomènes locaux d'évapotranspiration dus à l'eau et à la végétation.

Échanges thermiques à la surface de la terre.

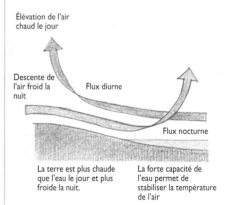

À proximité des rivages, les différences de température entre le sol et l'eau créent des brises de jour et de nuit. Les bâtiments en bord de mer ou de lacs bénéficient donc d'une ventilation naturelle très appréciable.

7. Cette influence peut cependant avoir des répercussions à distance : on a constaté par exemple dans certaines vallées des Préalpes une modification sensible du régime des vents après la mise en eau du barrage de Serre-Ponçon, pourtant distant de plus de 100 kilomètres.

Le relief, lui, quelle que soit l'altitude, ajoute aux phénomènes précédents un grand nombre de variations locales :
– les différences qu'il induit de jour sur l'insolation* des pentes, suivant leur orientation et leur inclinaison ;
– les modifications du régime des vents : le relief peut détourner, abriter, ou intensifier les vents ;
– les faces exposées aux vents sont plus froides que les faces qui en sont protégées.

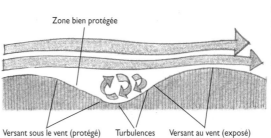

Zone bien protégée

Versant sous le vent (protégé)   Turbulences   Versant au vent (exposé)

Les vents perpendiculaires aux lignes de faîte des collines ou montagnes créent des versants « sous le vent ». Les vents froids d'hiver soufflant le plus souvent du nord, il se trouve que les versants sud sont à la fois ensoleillés et protégés de ces vents.

L'influence de ces diverses composantes climatiques engendre une gamme très variée de microclimats.
On constate que les vallées sont en général plus chaudes le jour que les pentes ou les sommets. Il se crée donc des mouvements d'air ascensionnels transversaux et longitudinaux, du bas vers le haut de la vallée. En revanche, de nuit, l'air se refroidit et, plus lourd que l'air chaud, s'accumule au fond des vallées,

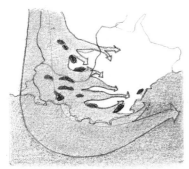

En Provence, le mistral qui souffle nord-sud dans la vallée du Rhône est détourné vers l'est par les massifs préalpins. Il peut même souffler du sud dans certaines vallées. Certaines zones en sont totalement protégées ; dans d'autres, au sortir d'un goulet, il est au contraire accéléré.

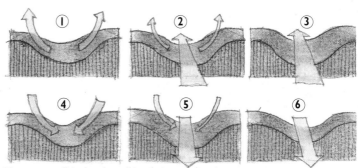

Mouvements d'air dans les vallées de jour et de nuit.
Dans les vallées de grande longueur, le phénomène tend à créer un mouvement d'air longitudinal d'autant plus important que la vallée est longue et que le différentiel de température est important.
1 Matin : la brise remonte le long des pentes.
2 Midi : l'air du fond de vallée s'échauffe et crée une brise vers le haut de la vallée.
3 Après-midi : la brise vers le haut de la vallée domine.
4 Soirée : la surface du sol refroidit, l'air frais descend.
5 Nuit : l'air frais se rassemble dans la vallée et une brise s'établit vers la vallée.
6 Aube : la brise vers le bas de la vallée prédomine.

Le relief peut également avoir un autre effet sur les phénomènes atmosphériques : l'effet de foehn, qui est un courant d'air chaud descendant, à la différence des mouvements d'air chaud ascendants pendant le jour (comme sur le dessin p. 58 en bas).

Il trouve son origine dans l'air chaud qui monte par convection pendant le jour sur les ubacs (pentes non exposées au soleil). En montant, il se dilate (la pression atmosphérique diminuant) et se refroidit, au contact de ces pentes. Il abandonne donc la vapeur d'eau qu'il contient sous forme de pluie ou de neige. Sur l'autre versant (adret), cet air (devenu sec) redescend et se réchauffe par compression pour arriver en pied de montagne avec une humidité relative* très faible, qui lui donne une grande transparence. Le foehn, assez répandu, peut faire à lui seul remonter la température de 20 °C en une journée dans une vallée.

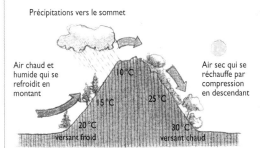

Le foehn.

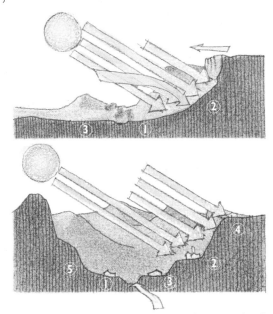

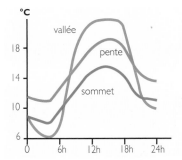

Variation des températures pendant 24 heures suivant la situation dans un relief de montagne.

Exemples d'implantations selon des critères climatiques dans les Alpes.

1 et 5 Mauvaise implantation : faible ensoleillement, vents froids, humidité élevée, rayonnement nocturne important.

2 Implantation favorable : très bon ensoleillement, protégée des vents du nord, température douce.

3 Implantation moyenne : bon ensoleillement (sauf le matin), protection contre les vents acceptable, risques d'humidité, températures élevées en été et faibles en hiver.

4 Implantation moyenne : très bon ensoleillement, vents très forts, températures basses mais amplitudes moyennes.

Influence des masques solaires

Quel que soit le lieu où l'on se trouve, il n'est pas toujours certain que l'on puisse bénéficier sur une façade sud du soleil à toutes les heures et à toutes les périodes de l'année, à cause des effets de masque portés par le relief, les bâtiments environnants ou la végétation. Dans un certain nombre de cas, ces masques peuvent être bénéfiques pour éviter les surchauffes en été (arbres à feuilles caduques à l'ouest), mais généralement ils seront fortement pénalisants pour une conception solaire passive.

Tracé des masques solaires

Tracé des masques sur le panorama sud.

L'observateur se place sur la ligne prévue pour la façade sud et a sur une planche à dessin un exemplaire du diagramme solaire correspondant à la latitude du lieu étudié.

Outre les instruments de traçage, les outils de base sont :
– une boussole pour déterminer le sud géographique (8) ;
– un niveau pour déterminer l'horizontale à partir du point de visée ;
– un rapporteur pour mesurer les angles d'azimut et de hauteur des différents obstacles. (9)

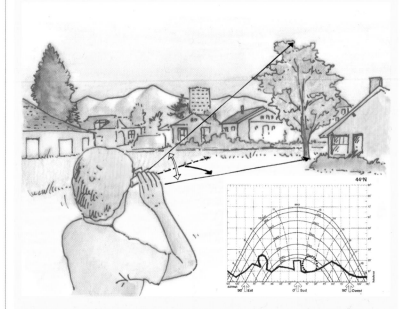

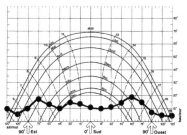

Quels que soient les outils utilisés, la procédure est la suivante :

1. Viser d'abord le sud et déterminer la hauteur angulaire de la ligne d'horizon (angle entre le plan horizontal et la ligne d'horizon). Reporter ce point sur le diagramme solaire au-dessus de l'azimut 0° (indiquant le sud).

2. Procéder de la même manière pour mesurer et noter la hauteur angulaire de la ligne d'horizon tous les 15° d'azimut de part et d'autre de l'azimut 0°, jusqu'aux bords extrêmes du diagramme (où théoriquement se lève et se couche le soleil le 21 juin en l'absence totale de masques).

3. Le tracé général effectué (voir schéma), on l'affine en y ajoutant les masques permanents importants (bâtiments, arbres à feuilles persistantes…) et les masques saisonniers (arbres à feuilles caduques) qui figureront en pointillés.

Le tracé, une fois terminé, permet de prévoir très exactement la course apparente du soleil pour chaque jour et à chaque période de l'année.

8. La boussole indique le nord magnétique qui ne correspond qu'exceptionnellement au nord géographique. Cette « déclinaison magnétique », par ailleurs variable dans le temps, est en France de quelques degrés vers l'ouest. Concrètement on peut soit la négliger, soit se reporter aux cartes de l'IGN au 1/25 000 qui donnent la valeur régionale de cet écart, à la date de l'édition.

9. Les visées avec un niveau et un rapporteur étant malaisées et approximatives, on gagnera du temps et de la précision avec des outils de géomètre : le goniomètre qui permet le relevé des angles horizontaux et verticaux, ou le clinomètre, spécialement conçu pour la mesure des pentes et des hauteurs angulaires. (Il existe des clinomètres de poche avec boussole intégrée qui permettent d'effectuer toutes les mesures nécessaires à ce relevé.)

Le microclimat urbain

En milieu urbain, on constate un ensemble de phénomènes qui modifient de façon sensible le climat environnant.

Températures

Les apports « gratuits » provenant des véhicules, industries, chauffage, etc., ainsi que la nature du sol et l'importance des matériaux à forte inertie réchauffent l'atmosphère.

De plus, le dôme de pollution recouvrant les villes limite les radiations nocturnes, si bien qu'en moyenne, la température en ville est de 2 à 3 °C plus élevée qu'en site dégagé.

La présence de pollution ralentit le réchauffement matinal de l'air et la grande quantité de matériaux accumulateurs freine la chute de température en début de soirée.

Rayonnement solaire

La densité des constructions occasionne souvent des masques au rayonnement solaire. Les projections cylindriques (voir p. 60) du trajet solaire permettent de représenter les constructions existantes susceptibles de faire masque et de réduire les durées d'ensoleillement.

Le microclimat urbain est également caractérisé par une moindre vitesse générale des vents (due à la rugosité des espaces construits) et par des effets secondaires de courants d'air et de turbulences (10). Selon le type de maillage urbain, l'orientation et la taille des percées par rapport à la hauteur des bâtis, on pourra alors constater soit une bonne protection contre les vents, soit à l'inverse des accélérations de ceux-ci.

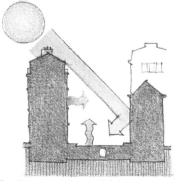

En ville, une grande quantité du rayonnement solaire est stockée puis réémise par les matériaux à forte inertie.

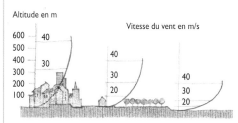

Vitesse du vent à la ville, à la campagne, en bord de mer.

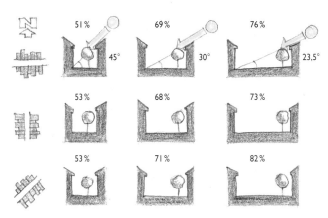

Apports solaires dans des bâtiments sur rue en fonction de l'orientation et de la largeur de la rue (44° de latitude nord).

Dans certains cas, il ne faut pas seulement prendre en compte les réductions d'ensoleillement, mais aussi les apports parasites occasionnés par certains bâtiments, particulièrement dans les quartiers où se trouvent de grandes façades vitrées. Par exemple, un bâtiment de bureaux vitré au nord pour tirer parti de la lumière naturelle peut se retrouver dans une situation pratiquement similaire à une façade sud si l'on construit en face un bâtiment à vitrage réfléchissant, précisément pour se protéger de l'ensoleillement.

Les surchauffes et l'éblouissement risquent donc de venir du nord pour le premier bâtiment !

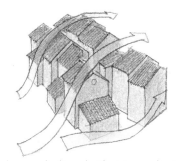

Les rues étroites orientées transversalement aux vents créent des zones de calme.

10. Une étude détaillée des turbulences dues au vent dans les formes urbaines se trouve dans *Architecture climatique*, t. II.

Où trouver les informations nécessaires ?

• Météo-France (www.meteofrance.com)
On peut commander à Météo-France des documents renseignant sur :
– les températures, moyennes mensuelles, minimales et maximales ;
– les degrés jours unifiés (DJU) et les températures extérieures de base ;
– la pluviométrie, en quantité par mois ;
– le nombre de jours de pluie ;
– les roses des vents, mensuelles ou annuelles.

• *L'Atlas climatique de la construction* (voir bibliographie)
Une centaine de cartes de France au 1/5 000 000 indiquent par le moyen de
transparents superposables aux cartes :
– les températures moyennes, maximales et minimales par saison et par an ;
– l'insolation, le rayonnement et la nébulosité ;
– l'humidité de l'air ;
– les précipitations ;
– le vent.

• Une page internet pour calculer facilement la solarisation exacte pour toute surface et
en tout point, où que l'on soit en Europe : http://iamest.jrc.it/pvgis/solradframe.php?europe

• Site internet d'Enertech (http ://sidler.club.fr)
Site où l'on peut télécharger gratuitement les diagrammes solaires pour toutes les latitudes
françaises.

• Les enquêtes de terrain
Les variations locales des caractères climatiques étant très importantes, il convient de
moduler les données générales par des observations sur le site :
– dans l'idéal, venir sur le lieu à toutes les saisons d'une année et à différentes heures de la
journée est la meilleure démarche ;
– les informations récoltées auprès du voisinage sont précieuses, ainsi que l'observation
des anciennes bâtisses dont la conception tenait le plus grand compte des phénomènes
climatiques ;
– les noms de lieux-dits (quand ils ne sont pas le fait de lotisseurs) peuvent aussi dans
certains cas être éclairants : construire à « Combefroide » ou à « Heurtebise » risque d'être
moins riant qu'à « Les Adrets » ou à « Serre-Chaud »…

Nous décrivons dans cet ouvrage les notions de base permettant de comprendre la logique des solutions bioclimatiques présentées. Ceux qui désirent approfondir ces notions, notamment pour faire des calculs de dimensionnement, pourront se reporter à deux ouvrages de référence :
• *Le Guide de la maison solaire* de E. Mazria (voir Bibliographie).
• *Architecture climatique*, tome 1 : Les Bases physiques (voir Bibliographie).
• D'autres ouvrages utiles, plus ou moins facilement disponibles, sont indiqués en bibliographie.

2.4 LES OUTILS (NOTIONS DE BASE)

Outre la connaissance des paramètres du climat extérieur, la conception bio-climatique s'appuie sur la connaissance fine des propriétés des matériaux qui vont constituer les parois, interfaces agissantes entre ce climat extérieur et les caractéristiques thermiques intérieures.

En effet, pour aboutir à des constructions dont les besoins de chauffage ou de rafraîchissement sont limités, il est nécessaire :
– de permettre au bâtiment de garder au maximum la chaleur (ou la fraî-cheur) dont il a besoin pour assurer du confort thermique ;
– d'utiliser au mieux l'énergie gratuite fournie par le rayonnement solaire.
Pour cela, il est également primordial de comprendre comment nous arrive ce rayonnement, et comment réagissent les surfaces face à ces apports solaires.

2.4.1 Intensité du rayonnement solaire

Le rayonnement global arrivant sur une surface se décompose en :
– rayonnement direct ;
– rayonnement diffus ;
– rayonnement réfléchi.

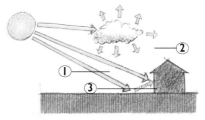

1 Rayonnement direct
2 Rayonnemenr diffus
3 Rayonnement réfléchi

La quantité totale d'énergie arrivant sur une surface est appelée énergie glo-bale (ou énergie incidente globale). Elle dépend principalement de :
– l'intensité du rayonnement solaire et de la nébulosité ;
– l'angle entre le rayonnement solaire direct et la surface de la paroi ;
– la nature des surfaces avoisinantes.

Intensité du rayonnement solaire et nébulosité
Ces données, présentées p. 51 (au § 2.3.1) dépendent :
– de la région (macro- et mezzoclimat) ;
– du lieu (microclimat) ;
– des conditions météo ;
– de la saison et de l'heure dans la journée.

Angle entre le rayonnement solaire direct et la surface de la paroi réceptrice
L'angle que font les rayons du soleil avec une surface détermine la densité énergétique (11) que reçoit cette surface par rayonnement direct.

Dans le cas d'un rayonnement perpendiculaire au plan, l'angle d'incidence est égal à zéro, la quantité d'énergie que reçoit la surface est maximale.
Plus cet angle d'incidence augmente, plus cette quantité diminue. Cette dimi-nution n'est pas linéaire : le tableau p. 64 nous montre par exemple qu'avec un angle d'incidence de 25°, la surface intercepte encore plus de 90 % du rayonnement.

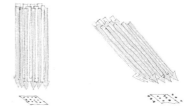

L'énergie reçue est maximale lorsque le rayonnement est perpendiculaire au plan de la surface réceptrice.

11. Attention, il est question ici seulement de la quantité d'énergie reçue par un plan et non de la quantité absorbée ou transmise qui dépendra, elle, des propriétés particulières de la paroi (voir § 2.4.2 et 2.4.3 p. 67 et p. 68).

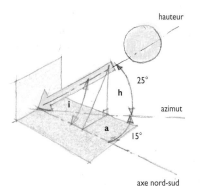

Calcul d'un angle d'incidence
(i = angle d'incidence).

Calcul de l'angle d'incidence et du rayonnement direct reçu par une paroi dans une plage d'heure donnée
(paroi verticale orientée plein sud, située à Grenoble, 45° de latitude)

Part de rayonnement solaire captable par m² entre 11 heures et 13 heures solaires à la fin du mois de janvier par temps clair.

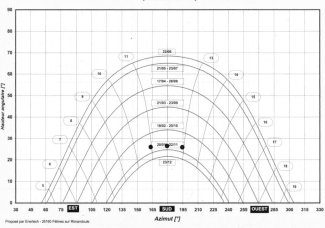

Proposé par Enertech - 26160 Félines sur Rimandoule

• À midi solaire l'angle d'incidence est directement lisible, c'est celui de la hauteur angulaire seule, soit 26° environ (azimut = 0°).
En se reportant au tableau on constate que le rayonnement intercepté sera de l'ordre de 90 %.
La partie réfléchie, transmise ou absorbée de ce rayonnement incident dépendra du coefficient du verre (voir p.72), ou de la nature de la paroi opaque (couleur, matériau).

• À 11 heures et à 13 heures, la hauteur angulaire baisse d'environ 1°, mais l'azimut est déplacé de 15° vers l'est et vers l'ouest.
Pour calculer l'angle d'incidence, il faut combiner ces deux données (azimut et hauteur).
Connaissant l'angle a (azimut) et h (hauteur), l'angle d'incidence recherché i se déduit par trigonométrie en appliquant la formule :
Cosinus i = cosinus a x cosinus h
Cela donne dans notre exemple :
Cos i = cos 15 x cos 25 = 0,760 x 0,991 = 0,753
La valeur de l'angle i est donnée par une table trigonométrique, ou bien en tapant sur la calculette « inverse cosinus », ici 28,9°.
Pour cet angle d'incidence proche de 29°, le tableau nous indique par approximation une énergie incidente de 87 % par rapport à un angle d'incidence nul.

On réalise de nouveau par ce calcul qu'une orientation peu décalée par rapport à l'orientation optimale ne contrariera que modérément la performance du captage du rayonnement solaire direct. Cette réalité laisse donc une liberté réelle aux architectes pour la conception des bâtiments bioclimatiques, la recherche du « plein sud » n'étant pas une nécessité absolue.

• Pour des parois orientées sur des directions intermédiaires vers l'est ou l'ouest, il suffit de prendre pour référence d'azimut 0° l'angle que fait la paroi avec l'axe nord-sud.
• Pour des parois inclinées, les calculs d'angle d'incidence se font en soustrayant l'angle d'inclinaison de la paroi par rapport à la verticale à la hauteur angulaire du soleil.

Pourcentage du rayonnement intercepté par une paroi en fonction de l'angle d'incidence.

Angle d'incidence (en degrés)	Rayonnement intercepté (en pourcentage)
0	100,0
5	99,6
10	98,5
15	96,5
20	94,0
25	90,6
30	86,6
35	81,9
40	76,6
45	70,7
50	64,3
55	57,4
60	50,0
65	42,3
70	34,2
75	25,8
80	17,4
85	8,4
90	0,0

Source : *Le Guide de l'énergie solaire passive.*

L'ensemble de ces paramètres est intégré dans de nombreux logiciels de dimensionnement des capteurs solaires et d'aide à la conception bioclimatique.

Rayonnement diffus

Selon les régions, les composantes du rayonnement solaire global peuvent être très variables : dans les climats à faible nébulosité (Sud, zones d'altitude) le rayonnement direct prédomine toute l'année, ailleurs le rayonnement diffus est prépondérant, sur tout ou partie de l'année.

Répartition des rayonnements directs et diffus sur un plan horizontal à Carpentras, Paris et Strasbourg.

	janv.	fév.	mars	avril	mai	juin	juil.	août	sept.	oct.	nov.	déc.
Carpentras (44°)												
G	1,49	2,67	3,72	5,08	6,04	6,85	6,99	6,12	4,56	3,03	1,85	1,46
D	0,73	0,99	1,53	2,09	2,49	2,54	2,03	2,03	1,69	1,25	0,80	0,60
D/G	49 %	37 %	41 %	41 %	41 %	37 %	29 %	33 %	37 %	41 %	41 %	41 %
Paris (48°)												
G	0,8	1,5	2,7	4,0	5,0	5,4	5,2	4,2	3,5	2,0	1,0	0,6
D	0,58	0,97	1,54	2,28	2,85	3,08	2,76	2,39	1,72	0,98	0,61	0,41
D/G	73 %	65 %	57 %	57 %	57 %	57 %	53 %	53 %	49 %	49 %	61 %	69 %
Strasbourg (48°)												
G	0,8	1,46	2,66	3,81	4,98	5,76	5,90	5,07	3,81	2,24	1,32	0,74
D	0,56	0,95	1,52	2,17	2,65	2,84	2,67	2,29	1,72	1,19	0,86	0,48
D/G	69 %	65 %	57 %	57 %	53 %	49 %	45 %	45 %	45 %	53 %	65 %	65 %

G : rayonnement global en kWh/m².jour.
D : rayonnement diffus en kWh/m².jour.
D/G : proportion du rayonnement diffus dans le rayonnement global (en pourcentage).
À Carpentras, le rayonnement est principalement direct tout au long de l'année.
À Paris, c'est le rayonnement diffus qui sera majoritaire. Il atteindra même 70 % en hiver.
À Strasbourg, le diffus n'est prépondérant qu'en hiver. En été, le rayonnement est principalement direct.
Sources : *Effets de serres : conception et construction des serres bioclimatiques* et *Atlas énergétique du rayonnement solaire pour la France*.

Ces données seront particulièrement importantes pour la configuration des organes de captage de l'énergie comme les serres : plus la composante directe du rayonnement est importante, plus la recherche du meilleur angle d'incidence sera importante (le plan vertical orienté au sud sera alors le meilleur compromis pour l'hiver et pour l'été). En revanche, plus la composante diffuse du rayonnement est importante, plus on gagnera d'énergie avec des surfaces inclinées qui captent mieux le rayonnement diffus provenant principalement de la voûte céleste (voir p. 148 « Profil des serres »).

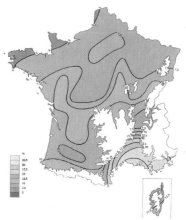

Pourcentage de jours avec ciel clair en hiver (nébulosité inférieure à 20 %).

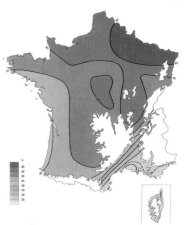

Pourcentage de jours avec ciel couvert en hiver (nébulosité supérieure à 80 %).

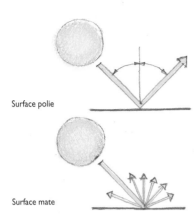

Surface polie

Surface mate

Une surface polie permet d'envisager la récupération des rayonnements réfléchis (on parle de réflexion spéculaire) contrairement à une surface mate qui répartit la réflexion dans toutes les directions (réflexion diffuse).

Réflectivité de différentes surfaces

Miroir parfait (théorique)	100
Aluminium poli	75-95
Neige fraîche	75-95
Miroir ordinaire (verre argenté)	88-90
Porcelaine blanche brillante	70-77
Peinture blanche (récente)	68-76
Neige vieille	40-70
Béton	30-50
Neige sale	20-50
Herbe sèche	env. 32
Eau	8-10

Nature des surfaces avoisinantes : la réflexion

L'intensité du rayonnement réfléchi qui arrive sur une paroi dépend :
– du type de surface des parois avoisinantes (polie ou mate, claire ou foncée…) ;
– des angles que la surface réfléchissante a, d'une part avec le rayonnement solaire, d'autre part avec la paroi.

Le choix des matières et des couleurs pour les plans horizontaux en avant des parois extérieures captrices, comme les terrasses, sera donc important soit pour amplifier le captage en hiver, soit pour éviter les surchauffes en été ainsi que les risques d'éblouissement (voir p. 128).
La neige fraîche réfléchit un maximum, un dallage clair renvoie également beaucoup de l'énergie qu'il reçoit alors qu'un sol enherbé réfléchit très peu.

Utilisations possibles de la réflexion

Exemples de réflecteurs permettant d'augmenter le captage solaire.

Coupe sur fenêtres sud.
On estime qu'avec des volets réflecteurs placés sous une fenêtre sud et de même surface que la baie, l'énergie supplémentaire captée peut aisément augmenter de 25 % la performance de la baie.

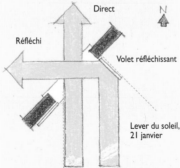

Vue de dessus d'un volet réfléchissant vertical équipant une fenêtre orientée au sud-est.
Lorsque la fenêtre n'est pas orienté plein sud, les volets-réflecteurs verticaux sont plus efficaces car le soleil en hiver est encore plus bas sur l'horizon que vers le sud.

Pour des baies orientées sud-est ou sud-ouest, des volets dont la face interne est revêtue d'un matériau réflecteur et ouverts à angle droit par rapport au plan de la façade sont plus efficaces que les ouvrants horizontaux (la hauteur du soleil d'hiver le matin et l'après-midi étant faible, les surfaces réfléchissantes verticales ont un meilleur rendement que les horizontales).

Dans l'un et l'autre cas (volets réfléchissants horizontaux ou verticaux), ces volets mobiles peuvent, une fois fermés, renforcer l'isolation la nuit et ne causent pas de surchauffes en été puisqu'ils peuvent être rabattus vers l'extérieur, ou mieux, vers l'intérieur.

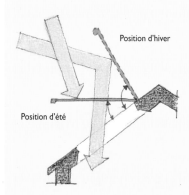

Position été/hiver d'un volet réflecteur au-dessus d'une fenêtre de toiture orientée au sud.

Murs réflecteurs.
Avec des bâtiments très profonds ou des logements mitoyens n'ayant pas de façades sud, on peut capter le rayonnement solaire en composant avec un mur réflecteur. Si en plus la surface du sol entre mur et façade nord est spécialement aménagée, on pourra également récupérer une part de l'énergie du rayonnement solaire diffus.

L'utilisation de réflecteurs sera mise à profit pour le captage direct par baies vitrées (fenêtres, portes-fenêtres, fixes vitrés…) mais également pour améliorer la performance des murs capteurs-accumulateurs (voir § 4.1, p. 129) et des capteurs à air (voir § 4.3, p. 163).

2.4.2 Comportement des surfaces réceptrices

Une partie du rayonnement solaire atteignant une surface est réfléchie par celle-ci. Selon la nature des matériaux de la surface rencontrée, la partie non réfléchie du rayonnement va être totalement absorbée sous forme de chaleur par le matériau, ou bien partiellement absorbée et partiellement transmise.

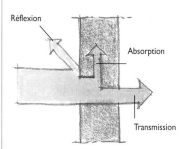

La proportion variable de chacun de ces trois phénomènes s'exprime par des coefficients. La somme des coefficients d'absorption α (alpha), de réflexion ρ (rhô) et de transmission τ (tau) des récepteurs est égale à la totalité du rayonnement reçu, c'est-à-dire que $\alpha + \rho + \tau$ est égale à 1.

Comportement d'une surface réceptrice.

• Un matériau très réfléchissant comme l'aluminium poli, dont la valeur ρ peut aller jusqu'à 0,85, aura un coefficient α résiduel de 0,15 c'est-à-dire qu'il ne s'échauffe quasiment pas, et une transmission τ égale à zéro puisque le rayonnement ne le traverse pas (12).

• Un matériau très absorbant au rayonnement solaire aura une valeur α proche de 1 et des valeurs ρ et τ proches de zéro. Le cas extrême est le « corps noir » dont le coefficient d'absorption théorique est de 1.

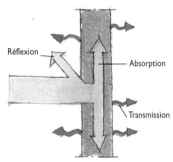

Matériau absorbant.
Lorsque les rayons du soleil frappent une paroi opaque, une partie de l'énergie solaire est absorbée sous forme de chaleur tandis que le reste est réfléchi. Il n'y a pas de transmission directe.
La partie de l'énergie solaire absorbée est restituée de part et d'autre de la paroi par rayonnement avec un certain déphasage par rayonnement.

Coefficients d'absorption pour différents matériaux et différentes couleurs.

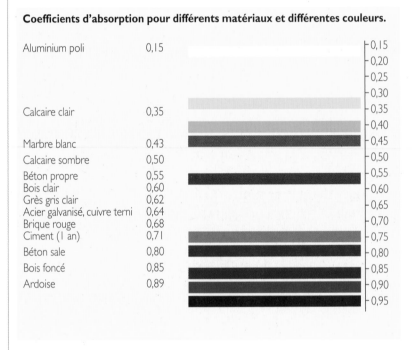

Aluminium poli	0,15
Calcaire clair	0,35
Marbre blanc	0,43
Calcaire sombre	0,50
Béton propre	0,55
Bois clair	0,60
Grès gris clair	0,62
Acier galvanisé, cuivre terni	0,64
Brique rouge	0,68
Ciment (1 an)	0,71
Béton sale	0,80
Bois foncé	0,85
Ardoise	0,89

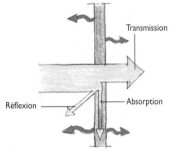

Matériau transparent.
Le rayonnement solaire frappant un élément transparent est partiellement réfléchi, partiellement absorbé, et sa plus grande partie est transmise. La fraction absorbée est ensuite réémise de part et d'autre de la paroi transparente par rayonnement.

• Un matériau transparent ou translucide qui transmet la plus grande partie du rayonnement solaire a un coefficient τ proche de 1. C'est le cas du verre, et de divers composés organiques (Plexiglas®, polycarbonate, isolants transparents…).
La transmission énergétique totale, et donc les gains solaires à travers un élément transparent, est fonction de l'angle d'incidence des rayons (voir p. 63) et des propriétés du verre utilisé (voir § 2.4.4, p. 72).

2.4.3 Propriétés et performances thermiques des matériaux

Les matériaux reçoivent différemment le rayonnement selon leur degré de transparence ou d'opacité, leur couleur et leur texture de surface. Mais ils ont aussi des caractéristiques thermiques particulières tenant à leur structure et à leur masse qui leur permettent de gérer différemment les apports caloriques. Ces caractéristiques thermiques seront prises en compte dans la conception

12. C'est cette propriété de réflexion qui est mise à profit dans les films dits isolants minces réfléchissants. Si cette capacité de réflexion du rayonnement infrarouge émis par les corps chauds est utilisée dans certains cas en architecture bioclimatique, elle ne peut en aucun cas être retenue comme seule solution pour l'isolation des parois.

des parois d'un habitat bioclimatique, qui auront pour mission première selon les cas de capter, de stocker, de transmettre et/ou de conserver les calories. Ces caractéristiques thermiques des matériaux (13) sont de deux ordres :
– les caractéristiques statiques : comment tel matériau se comporte-t-il en présence d'un flux thermique indépendamment du temps de réaction ? Ce sont la **conductivité** et la **capacité** thermique ;
– les caractéristiques dynamiques : à quelle vitesse tel matériau gère-t-il le flux thermique ? Ce sont la **diffusivité** et l'**effusivité**. Dérivées des caractéristiques précédentes, elles font en plus intervenir le facteur temps.

En conception bioclimatique, les transferts thermiques qui nous intéressent, ceux issus des événements climatiques extérieurs et ceux des apports intérieurs, sont variables dans le temps, voire rythmiques. Pour bénéficier au mieux de cette rythmicité, la prise en compte des caractéristiques dynamiques des matériaux est essentielle.
Essentielle également pour expliquer des phénomènes incompréhensibles à partir des seules caractéristiques statiques, comme par exemple le fait que des habitats en bois massif s'avèrent si confortables et si peu voraces en énergie…

Prototype de plancher chauffant intégralement composé de bois.
Les propriétés des matériaux, longtemps méconnus, reviennent en force dans l'ingénierie écologique.

La conductivité thermique (λ)

La conductivité thermique est la propriété qu'ont les matériaux de transmettre la chaleur par conduction. Symbolisée par le coefficient λ (lambda), elle est exprimée en watt par mètre Kelvin (W/m.K) (14).
Plus la conductivité thermique d'un matériau est grande, plus ce matériau sera conducteur. Plus la conductivité thermique est faible, plus il sera isolant.

Propriété des isolants et certification

Si la conductivité des matériaux qui exprime leurs qualités isolantes est bien connue des professionnels, les autres caractéristiques sont beaucoup moins bien connues et utilisées. Elles ne sont quasiment jamais indiquées sur les fiches techniques des fabricants. Ainsi, la certification française la plus complète pour les matériaux isolants (classement « ISOLE » de l'ACERMI) n'indique, en plus de la capacité thermique (lambda) donnée par la résistance thermique (R) du matériau, que :
– leur résistance à la compression ;
– leur comportement à la déformation ;
– leur capacité à absorber l'eau ;
– leurs propriétés en cohésion et flexion ;
– leur faculté de s'opposer au passage de vapeur d'eau.
Souhaitons que cette liste soit bientôt complétée par :
– leur « capacité thermique » ;
– des d'informations permettant de connaître leur perte de résistance thermique en présence d'eau ;
– des informations sur la durabilité de ces performances ;
– des informations lisibles et comparables entre elles sur l'énergie grise* contenue.
Cet ensemble de critères sera alors suffisant pour réaliser des choix pertinents d'isolants.
ACERMI : www.acermi.com

13. Une annexe présentant les principales unités rencontrées ainsi que les performances thermiques de nombreux matériaux se trouve p. 224. Pour des informations complémentaires sur le sujet, voir également *L'Isolation écologique, conception, matériaux, mise en œuvre*.

14. Depuis l'harmonisation des calculs thermiques au niveau européen, la référence à un différentiel de température (appelé « Δ.T » pour « Delta Té ») est exprimé en Kelvin (symbolisé K) et non plus en degrés Celsius (symbolisé °C). Ce changement d'unité n'affecte néanmoins pas les données : une différence entre deux températures de 1 Kelvin étant égale à une différence de 1 degré Celsius.

15. Selon les sources, textes réglementaires ou documentation des fabricants, le lambda sera donné à 0 % d'humidité relative (λ sec) ou avec 50 % d'humidité relative (λ utile), voir annexe p. 224.

Pose d'un plancher chauffant sur des panneaux isolants en laine de bois.
La pose d'une interface isolante entre le sol (ou le mur) et un système de chauffage à basse température est un des rares cas où, du point de vue thermique, n'est sollicitée que la conductivité thermique d'un matériau.

Poêle de masse et cloison intérieure en blocs de terre crue compressés.
Les matériaux à forte capacité thermique sont précieux en enveloppe extérieure pour déphaser les apports solaires mais également pour la réalisation des parois intérieures. Ils permettent de stocker les calories en période froide et de générer alors un confort amélioré par une transmission de la chaleur par rayonnement.

16. Il y a encore quelques années, le coefficient U s'appelait coefficient K, et figure encore ainsi dans de nombreux ouvrages de référence (à ne pas confondre donc avec le K de Kelvin).

17. Pour un matériau donné, la capacité thermique (ρC) est quantifiée par le produit de la quantité de chaleur à apporter à un kilogramme de ce matériau pour élever sa température de 1 K (que l'on appelle sa chaleur massique, symbole C) par sa masse volumique (symbole ρ, rhô). Voir également annexe p. 224.

18. La diffusivité (symbole a) est le quotient de la conductivité par la capacité (a = λ/ρC).

La conductivité thermique propre à chaque matériau permet de quantifier le pouvoir isolant des parois, c'est-à-dire leur aptitude à s'opposer au passage des calories contenues dans l'air. Cette aptitude, symbolisée U (coefficient de transmission calorique surfacique (16)) était jusqu'à peu représentée par la résistance thermique (symbolisée R) avec R = 1/U (voir § 3.1.1, p. 76).

Aujourd'hui, R (résistance thermique) est surtout utilisé pour quantifier le pouvoir isolant des matériaux pour une épaisseur donnée.

R dépend du λ de chaque matériau et de l'épaisseur de ceux-ci :

Rmatériau = épaisseur/λ, il s'exprime en mètre carré Kelvin par watt (m².K/W).

Plus R est grand, plus le matériau sera isolant.

Exemple d'utilisation de la conductivité thermique

Bien qu'elle ne soit pas le seul paramètre à prendre en compte, la conductivité thermique des matériaux entrant dans la réalisation des parois doit impérativement être connue pour réaliser des enveloppes de bâtiments qui s'opposent à la fuite des calories.

La capacité thermique (ρC)

La capacité thermique d'un matériau désigne son aptitude à stocker de la chaleur. Symbolisée ρC (ρ étant la lettre grecque rhô), elle est exprimée en wattheure par mètre cube Kelvin (Wh/m³.K) (17).

Plus la capacité thermique d'un matériau est grande, plus la quantité de chaleur à lui apporter pour élever sa température est importante. Autrement dit, plus grande est sa capacité de stockage des calories avant que sa température ne s'élève (voir également schéma du barrage p. 82 « L'inertie thermique »).

Exemple d'utilisation de la capacité thermique

Une capacité thermique importante caractérise généralement les matériaux lourds, dits « à inertie ». Cette propriété est essentielle pour avoir un bâtiment performant, en confort d'hiver comme en confort d'été. On l'utilise pour la gestion « passive » des apports solaires où il faut « mettre en réserve » les calories. On lisse ainsi sur la journée ces apports de chaleur, pour les utiliser plus tard dans la journée en saison froide, ou pour les dissiper la nuit en saison chaude. Mais contrairement aux idées reçues, la capacité thermique ne concerne pas seulement les matériaux lourds et denses ; elle concerne aussi les isolants, matériaux nettement plus légers. Ainsi, certains matériaux isolants, outre une très faible conductivité, peuvent également stocker en été suffisamment de calories pour permettre un déphasage jour/nuit.

La diffusivité thermique (a)

La diffusivité thermique d'un matériau exprime son aptitude à transmettre rapidement une variation de température. Elle croît avec la conductivité et décroît avec la capacité thermique. Symbolisée a, elle s'exprime en mètre carré par heure (m²/h) (18).

Plus la diffusivité est faible, plus le front de chaleur mettra du temps à traverser l'épaisseur du matériau : le temps entre le moment où la chaleur arrive sur une face de la paroi et le moment où elle atteint l'autre face (déphasage) s'en trouve augmenté.

Exemple d'utilisation de la diffusivité

La diffusivité est une caractéristique précieuse pour gérer le temps de restitution de la chaleur à travers une paroi. Si l'on veut par exemple construire un mur capteur dont la fonction sera de transmettre les calories vers un espace salon où l'on séjournera en soirée, son épaisseur sera à choisir en fonction de sa diffusivité pour permettre un déphasage d'environ 8 heures.

Mais la diffusivité peut également concerner le confort d'été et les matériaux légers. Ainsi, certains isolants, malgré une très faible conductivité thermique, peuvent avoir grâce à leur capacité thermique la possibilité de ralentir suffisamment le flux de calories pour permettre un déphasage jour/nuit et participer ainsi grandement au confort intérieur (voir p. 86 et suiv.).

L'effusivité thermique (b)

À la différence de la diffusivité thermique qui décrit la rapidité d'un déplacement des calories à travers la masse d'un matériau, l'effusivité décrit la rapidité avec laquelle un matériau absorbe les calories. Symbolisée b (quelquefois Ef), elle s'exprime en watt racine carré d'heure par mètre carré Kelvin ($W.h^{0.5}/m^2.K$) (19). Plus l'effusivité est élevée, plus le matériau absorbe d'énergie sans se réchauffer notablement.

Au contraire, plus elle est faible, plus vite le matériau se réchauffe.

Exemple d'utilisation de l'effusivité

Dans une pièce de même volume, même isolation et même puissance de chauffe installée, et où seuls diffèrent les revêtements de surface, ceux-ci ne s'échauffent pas à la même vitesse. Il faut, pour passer de 5 à 10 °C :
– 10 minutes au liège (b = 1,9 $W.h^{0.5}/m^2.K$) ;
– 80 minutes à un bois tendre (b = 4,9 $W.h^{0.5}/m^2.K$) ;
– 330 minutes à la faïence (b = 25 $W.h^{0.5}/m^2.K$).
Connaissant l'importance du différentiel de température air/paroi (voir p. 29), on comprend facilement le parti que l'on pourra tirer de ces propriétés selon le climat, les besoins thermiques de la pièce et son utilisation. Par exemple une salle de bain en pays froid ou même tempéré, où l'on se trouve souvent sans vêtements, sera plus confortable et de fait demandera beaucoup moins d'énergie pour être chauffée si elle est revêtue de parements à faible effusivité qui se réchaufferont vite, comme le bois (ce que savent depuis longtemps les peuples nordiques).

Inversement, en climat chaud, l'utilisation en parement de matériaux à forte effusivité comme le marbre ou le carrelage retarde au maximum l'échauffement des surfaces et permet de maintenir plus longtemps un confort malgré l'échauffement de l'air.

Pose de « panneaux sandwichs » préfabriqués de toiture préalablement isolés de laine de cellulose.

En été, le déphasage entre le maximum de chaleur sous le toit et l'arrivée de l'onde thermique à l'intérieur est d'environ 10 heures avec 20 cm de cellulose. Cela permet entre autres à la surventilation nocturne d'avoir toute son efficacité et d'éviter ainsi toute surchauffe dans les combles.

L'utilisation du bois comme revêtement intérieur dans les pays nordiques, y compris dans les pièces d'eau, s'explique par l'effusivité de ce matériau, autant que par son aspect chaleureux ou ses qualités esthétiques.

19. L'effusivité thermique b est la racine carrée du produit de la conductivité par la capacité thermique (b = racine carrée de $\lambda \rho C$).

2.4.4 Particularités thermiques des matériaux transparents

Rappel du principe de l'effet de serre

Les corps transparents laissent passer le rayonnement infra-rouge de courte longueur d'onde, mais s'opposent au passage des infra-rouges à grande longueur d'onde. Lorsque les rayons du soleil frappent un vitrage, celui-ci laisse passer une partie du rayonnement visible et les infrarouges de courte longueur d'onde. Cette part du rayonnement solaire qui traverse le vitrage est alors absorbée par les parois du local qui s'échauffent. Celles-ci réémettent alors dans toutes les directions un rayonnement thermique. Et, parce qu'il est composé d'infrarouges de grande longueur d'onde, ce rayonnement perd alors sa capacité à traverser les parois transparentes... Il est ainsi piégé à l'intérieur et contribue alors au réchauffement du bâtiment : c'est le principe de l'effet de serre (20). Cette propriété est exploitée dans les systèmes solaires passifs (baies vitrées exposées au soleil, serres solaires, murs capteurs, etc.) comme dans les systèmes actifs (capteurs à air ou à eau).

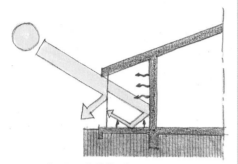

Principe de l'effet de serre.

Propriétés thermiques des vitrages

Compte tenu de leur importance stratégique et de leurs fonctions multiples dans la conception des bâtiments, les vitrages ont été, et sont encore l'objet de constantes améliorations. Celles-ci ont abouti à une offre très vaste de produits spécialisés (vitrages phoniques, vitrages anti-effraction, vitrages auto-nettoyants, etc.). Mais les caractéristiques qui nous intéressent ici concernent principalement deux propriétés spécifiques :
– la transmission énergétique ou facteur solaire g ;
– la déperdition énergétique U.
Accessoirement s'y ajoute une troisième liée à la première :
– la transmission lumineuse τ (tau).

Facteur solaire (g)

Pour un angle d'incidence égal, le rayonnement solaire qui atteint une paroi vitrée est réfléchi, transmis et absorbé dans des proportions variables selon la nature du verre et son aspect de surface. Les fabricants ont mis au point des vitrages dont la fonction est de favoriser telle ou telle de ces trois qualités, la plupart du temps pour réduire la transmission lumineuse et/ou énergétique dans les immeubles tertiaires.

Chaque type de vitrage est affecté d'un « facteur solaire » qui représente la proportion du flux énergétique que le vitrage laisse passer. Le facteur solaire, qui s'exprime en pourcentage du rayonnement reçu est représenté par la lettre g (anciennement S). Connaître cette valeur est nécessaire pour calculer les apports énergétiques d'une paroi vitrée.

20. L'effet de serre (du verbe « serrer », enfermer en ancien français) fonctionne de la même façon à l'échelle de l'habitation qu'à l'échelle de la planète. Dans ce dernier cas, ce sont les gaz à effet de serre (GES) qui emprisonnent le rayonnement thermique réémis par la terre... Ils jouent donc le même rôle que le vitrage dans un bâtiment.

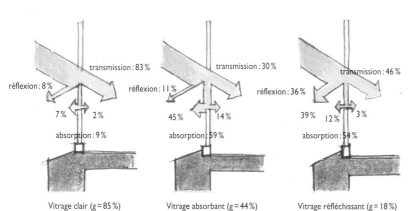

transmission : 83 %

réflexion : 8 %

7 %   2 %

absorption : 9 %

Vitrage clair (g = 85 %)

transmission : 30 %

réflexion : 11 %

45 %   14 %

absorption : 59 %

Vitrage absorbant (g = 44 %)

transmission : 46 %

réflexion : 36 %

39 %   12 %   3 %

absorption : 54 %

Vitrage réfléchissant (g = 18 %)

Facteur solaire et coefficients d'absorption, de réflexion et de transmission pour différents types de vitrages.
Dans le cas de vitrages doubles ou triples, les coefficients des différents vitrages s'additionnent.

La transmission lumineuse (τ)

C'est le pourcentage de lumière solaire transmise (coefficient τ), qui ne mesure pas l'énergie calorique transmise, mais seulement la lumière (on l'appelle aussi coefficient de transparence). Pour réduire l'éblouissement dans les immeubles de bureaux, quantité de vitrages réfléchissants ou absorbants ont été mis au point, mais ceux-ci réduisent d'autant la transmission énergétique.

Il existe également des vitrages « dynamiques » présentant la particularité de pouvoir s'obscurcir ou s'éclaircir de manière continue et réversible. Ces vitrages électrochromes ou gazochromes se modifient respectivement sous l'effet d'un courant électrique basse tension, ou de l'injection d'un gaz dans la cavité entre les deux vitres. Dans une conception climatique d'esprit écologique, à ces propositions *high-tech* destinées surtout à pallier les inconvénients des façades de bureaux intégralement vitrées, on préférera des solutions plus durables et plus économiques, comme l'utilisation de vitrages à facteur solaire élevé associés à des systèmes efficaces de protection solaire (voir également p. 121).
Par contre des systèmes solaires actifs permettent de composer afin de réduire la transmission lumineuse tout en produisant de l'eau chaude ou de l'électricité.

Vitrage associé à un capteur thermique.
Un absorbeur en argent contenant un serpentin de cuivre est installé à l'intérieur d'un double vitrage à isolation renforcée. La transmission lumineuse est de 40 %.

Vue intérieure de la verrière avec cellules photovoltaïques au Centre de l'écologie de Boxtel (Pays-Bas).
Une solution intéressante dans certains programmes où l'on doit réduire la transmission lumineuse consiste à utiliser des modules photovoltaïques translucides ou semi-transparents constitués de cellules photovoltaïques insérées entre deux feuilles de verre. Ils permettent de tamiser la lumière tout en produisant de l'électricité.

Simple vitrage (vitrage clair de 4 mm)
U = 5,9 W/m².K
g = 87 %

Double vitrage simple 4/6/4 mm
U = 3,3 W/m².K
g = environ 73 %

Double vitrage simple 4/16/4 mm
U = 2,8 W/m².K
g = environ 73 %

Triple vitrage simple 4/12/4/12/4 mm
U = 2 W/m².K
g = environ 66 %

Double vitrage à faible émissivité
(4/12/4)
U = 1,8 W/m².K
g = 67 %

Triple vitrage à faible émissivité
(4/12/4/12/4)
U = 1,4 W/m².K
g = 60 %

Double vitrage à isolation renforcée
avec gaz rare 4/12/4 mm
U = 1,1 à 1,8 W/m².K
g = 65 %

Triple vitrage à isolation renforcée et
gaz rare 4/12/4/12/4 mm
U = 0,5 à 0,8 W/m².K
g = environ 60 %

Comparaison des propriétés thermiques U et g des différents vitrages.
Si au fur et à mesure des améliorations du coefficient de transmission (U) on perd sur la valeur du facteur solaire (g), le gain thermique final de ces évolutions est toujours très positif : du simple vitrage de base aux triples vitrages les plus performants, le bilan gains-déperditions s'améliore considérablement.

Coefficient de transmission thermique (U)

La capacité d'un vitrage à s'opposer à la fuite des calories est exprimée par le coefficient de transmission thermique. Symbolisé par la lettre U (anciennement K) elle est exprimée en watts par mètre carré Kelvin (W/m².K).
Plus le coefficient de transmission thermique est faible, plus le vitrage est isolant.

L'amélioration du coefficient de transmission U d'un vitrage se fait grâce à une ou plusieurs des solutions suivantes (21) :
– en doublant, voire en triplant le vitrage ;
– en augmentant l'épaisseur de la lame d'air qui les sépare ;
– en revêtant une des faces du verre intérieur d'une couche à faible émissivité (film métallique réfléchissant la chaleur) ;
– en remplaçant l'air entre les vitrages par un gaz plus lourd que lui comme l'argon ou le krypton pour diminuer les effets de la convection.

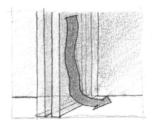
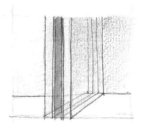

Comparaison double vitrage de base et double vitrage à faible émissivité*.
La différence de température du verre intérieur entre un double vitrage ordinaire et un double vitrage performant supprime la radiation froide de la paroi et les mouvements de convection qu'elle entraîne. Pour un confort identique, elle permet donc de ne pas avoir à surchauffer l'air intérieur. Ces avantages s'additionnent au fait que ces nouveaux vitrages limitent la fuite des calories vers l'extérieur et qu'ils permettent d'éviter tout risque de condensation.

Le vitrage pariétodynamique

Le vitrage pariétodynamique que l'on présentait comme révolutionnaire dans les années 1980 ne semble plus désormais d'actualité. En effet, ce vitrage qui permettait de tempérer l'air entrant en le faisant passer entre les vitres des baies ne semble plus du tout garder de sa pertinence face aux performances thermiques des nouveaux vitrages et à celle des ventilations double flux à récupération de chaleur (voir chapitre 5, p. 188).

21. Les vitrages performants, double ou triple vitrage comportant un film basse émissivité sont appelés « vitrage à basse émissivité ». Ces mêmes vitrages comportant en plus un gaz en remplacement de l'air sont appelés « vitrages à isolation renforcée » ou VIR.

CHAPITRE 3
Des parois performantes

Dans une conception bioclimatique, les parois du bâtiment sont les principaux moyens pour gérer les flux thermiques. Ce sont elles qui d'abord vont capter l'énergie calorifique du soleil, la stocker, la conserver et la distribuer. Elles aussi qui protégeront des rayons solaires en été, et stockeront les calories excédentaires pour les évacuer la nuit. Enfin ce sont elles qui auront la fonction de conserver et de gérer la chaleur fournie par le chauffage et les autres apports internes* ainsi que la fraîcheur issue des éventuels systèmes de rafraîchissement.

Face à l'ensemble de ces fonctions à remplir simultanément ou alternativement, la conception bioclimatique cherchera pour chaque projet à composer avec des parois cohérentes entre elles pour obtenir un ensemble performant. Mais la performance des différentes parois et *a fortiori* celle de l'ensemble de l'enveloppe et des parois intérieures d'un bâtiment n'est pas la somme des performances des matériaux qui les composent. De multiples interactions entre les conditions climatiques extérieures et l'intérieur sont à l'œuvre, de même qu'entre les divers éléments constitutifs du bâti.
Concevoir l'enceinte thermique d'une construction bioclimatique ne consiste donc pas seulement à additionner des matériaux, fussent-ils performants, ou à s'opposer à la seule fuite des calories en période de chauffe (1).

3.1 LES PAROIS OPAQUES

À partir des notions de base présentées au paragraphe 2.4 (p. 63) qui précisent qu'en plus de comportements spécifiques face aux rayonnements solaires, les matériaux ont chacun quatre caractéristiques thermiques particulières (conductivité, capacité, diffusivité et effusivité), l'objet désormais est d'appréhender :
– les performances thermiques recherchées pour les différentes parois du bâtiment ;
– les réponses techniques adaptées pour la réalisation de ces parois.

3.1.1 Propriétés et performances thermiques des parois opaques

Pour offrir une réponse globale à la problématique thermique, la conception de l'enveloppe devra d'une manière générale :
– choisir des complexes constructifs permettant une adaptation aux besoins des diverses saisons, en intégrant de plus les notions de rythmicité des apports caloriques extérieurs ou intérieurs ;

1. S'opposer seulement à la fuite des calories en période de chauffe correspond à la stratégie conventionnelle en France. Conçue dans l'urgence dans les années 1970 pour apporter une réponse corrective immédiate au seul problème de la conservation des calories de l'air de bâtiments non isolés, cette stratégie n'a pas encore été revue dans notre pays. En découlent de graves problèmes de surchauffes en été (dus à un manque d'inertie des bâtiments) et de piètres performances en confort d'hiver (dues notamment à la présence d'importants ponts thermiques).

– porter une attention à toutes les « faiblesses » potentielles de l'enveloppe, notamment aux ponts thermiques et aux défauts d'étanchéité à l'air ;
– estimer les phénomènes de condensation par une attention fine aux transferts de vapeur d'eau ;
– porter une attention spécifique aux matériaux de finition intérieurs qui devront être choisis entre autres critères en fonction de leur effusivité (voir § 2.4.3, p. 71).

Enfin, les matériaux de construction étant essentiellement évalués en laboratoire, il importe de se poser la question de l'adéquation entre les performances annoncées (théoriques) et les performances réelles, c'est-à-dire une fois leur mise en œuvre réalisée dans les conditions de chantier.
De même, la durabilité des performances des matériaux et systèmes constructifs sera un critère déterminant. Souvent inférieure à la durée de vie du bâtiment et à la durée de vie des matériaux, cette réalité devra être intégrée dans les choix à faire, tant par les professionnels que par les investisseurs.

Performances isolantes d'une paroi

Une grande partie des calories captées du rayonnement solaire ou produites par les systèmes de chauffage s'échappe des bâtiments en traversant par conduction les parois extérieures en saison froide. Nous avons vu plus haut (§ 2.4.3, p. 68) que les matériaux dits isolants permettaient de réduire cette fuite de calories.

Pour qualifier la résistance thermique d'une paroi, on utilise le **coefficient de transmission thermique surfacique** U (2).
U, souvent simplement appelé coefficient de transmission, dépend de la conductivité thermique (coefficient lambda) et de l'épaisseur des différents composants de la paroi.

Si désormais on utilise U, coefficient de transmission thermique surfacique et non plus R, résistance thermique pour qualifier la performance d'une paroi, on se servira toujours de R pour :
– quantifier la performance thermique de chaque matériau pris séparément (voir § 2.4.3 p. 68) ;
– calculer le U d'une paroi.

R paroi = R matériau 1 + R matériau 2 + … + R superficielle (3)
U paroi = 1/ R paroi
U est exprimé en watt par mètre carré Kelvin ($W/m^2.K$),

Plus U est faible, plus la paroi est isolante.

Le coefficient de transmission U permet d'exprimer la performance des parois à s'opposer au passage des calories. Mais, bien qu'elle soit souvent la seule prise en compte dans les calculs thermiques basiques, cette valeur ne

Rappel
R matériau = épaisseur matériau/lambda matériau avec R en $m^2.K/W$, lambda en $W/m.K$ et épaisseur en m (mètres).

2. Avant l'harmonisation européenne des calculs thermiques, U s'appelait K et la valeur usuellement utilisée pour qualifier la performance d'une paroi à s'opposer au flux thermique était R, sa résistance thermique.
3. La résistance superficielle d'une paroi est une valeur qui permet d'intégrer, dans le calcul de la performance thermique d'une paroi, l'incidence de la place qu'elle a dans le bâtiment. A additionner aux calculs de base, elle n'aura une véritable incidence que pour les parois pas ou peu isolées (voir annexe « Réglementation thermique » p. 227).

nous renseigne que sur la performance théorique de 1 m² de paroi courante. Afin de connaître la performance réelle d'une paroi, et *a fortiori* celle de l'enveloppe d'un bâtiment, il faudra retrancher aux résultats obtenus à partir des seules valeurs U l'incidence :

– des liaisons entre parois d'une part mais aussi entre éléments de parois (ponts thermiques) ;

– des défauts d'étanchéité à l'air des différentes parois ;

– des éventuels défauts de pose qui créent ou amplifient les phénomènes précédents ;

– des pertes de performance des matériaux et systèmes constructifs dans le temps.

Coefficients de transmission thermique surfacique (U) pour différents murs et valeurs de référence

	U (W/m².K)
Mur en aggloméré de béton 22,5 cm	2,08
Mur de briques 20 cm + 3 cm vide d'air + doublage brique 8 cm	1,15
Performance de référence moyenne RT 2000	**0,43**
Mur en béton cellulaire 30 cm d'épaisseur ($\rho = 400\,kg/m^3$)	0,42
Performance de référence moyenne RT 2005	**0,40**
Mur en briques auto-isolantes 37 cm (maçonnerie roulée)	0,36
Ossature bois + briques de chanvre 30 cm	0,34
Mur en brique isolé 10 cm de liège expansé *(0,04)*	0,32
Mur bois massif (10 cm) + 10 cm de laine de bois *(0,04)* + lambris bois intérieur	0,26
Performance moyenne murs bâtiments « basse énergie* »	**0,20**
Mur ossature bois remplissage 20 cm de laine de cellulose *(0,04)*	0,19
Performance moyenne murs « maisons passives* »	**0,13**
Mur ossature bois remplissage paille comprimée fibres verticales	0,11
Ossature bois avec 37 cm de laine de cellulose *(0,04)* + pare-pluie en feutre de bois	0,10

• Calculs réalisés selon règles Th.U (Réglementation française). Données de base provenant du tableau p. 224 excepté valeurs en italique (performances moyennes données pour les produits manufacturés).
• Calculs réalisés pour parois complètes avec parement plâtre, enduit ou lambris bois intérieur.

Thermographie d'une habitation mettant en évidence les faiblesses thermiques d'un bâtiment.
Rouge-orange : perte de chaleur très importante ; jaune : perte de chaleur importante ; vert : perte de chaleur moyenne ; bleu : perte de chaleur réduite.
On devine sur cette photographie les faiblesses des jonctions toiture/murs, murs/dalle et fenêtres/murs.
Concernant les fenêtres proprement dites, on parlera plus de faiblesses de ces surfaces que de ponts thermiques à proprement parler.
Concernant les entourages de fenêtres en rouge, ils correspondent à des défauts d'étanchéité à l'air.

Ponts thermiques

Les ponts thermiques sont les parties de l'enveloppe d'un bâtiment où sa résistance thermique est affaiblie de façon sensible. Outre les problèmes de tassement des isolants ou de faiblesses dues à une mauvaise pose, on les retrouve généralement à la jonction de différentes parois : entre deux façades, entre mur et dalle, à l'entourage des menuiseries extérieures, au niveau des coffres de volets roulants, etc.

La présence de ponts thermiques n'est cependant pas une fatalité.
• En construction neuve, elle dépend principalement du système constructif choisi : il y a peu de ponts thermiques avec les systèmes d'isolation répartie

(briques auto-isolantes, béton cellulaire…), quasiment aucun avec les maisons à ossature bois et les systèmes d'isolation par l'extérieur.

• En réhabilitation, si l'on n'opte pas pour l'isolation par l'extérieur qui reste la solution de loin la plus efficace, de nombreux choix techniques restent pertinents :

– pour limiter les ponts thermiques existants : habillage des parties de façades englobant les balcons (les balcons déperditifs peuvent devenir ainsi les stockages thermiques de serres solaires, voir p. 160, § 4.2), réalisation d'un crépi extérieur isolant ;

– pour ne pas créer de nouveaux ponts thermiques : plancher bois ou bois/béton à la place d'une dalle béton, pose de rupteurs thermiques, pose d'isolant entre refends* et murs périphériques, choix de systèmes de doublages isolants n'utilisant pas d'ossatures métalliques (voir encadré ci-dessous)…

Exemples des déperditions dues aux ponts thermiques à la liaison plancher intermédiaire/mur extérieur avec différents systèmes constructifs

Isolation intérieure	Isolation répartie	Isolation extérieure	Mur à ossature bois
ψ (1) = 0,97 W/m.K	ψ = 0,19 W/m.K	ψ = 0,11 W/m.K	ψ = 0,06 W/m.K
Mur maçonné courant : épaisseur du mur et épaisseur du plancher comprise entre 20 et 25 cm.	Murs à isolation répartie + isolant + planelle* : épaisseur du mur comprise entre 25 et 40 cm.	Mur maçonné isolé par l'extérieur (R isolant = 2,0 m².K/W).	Mur à ossature bois (R isolant = 4,0 m².K/W) : épaisseur du mur 25 cm.

1. Ponts thermiques dits linéiques mesuré par la grandeur ψ (coefficient ψ (psi), anciennement k ou parfois Kl (pour K linéique, par opposition à Ks : K surfacique) Plus ψ est grand, plus les déperditions linéiques sont grandes.

Les ponts thermiques ne sont pas seulement à l'origine d'importantes déperditions thermiques dues aux fuites de calories, ils sont également :

– la source de surconsommations de chauffage (pour atténuer la sensation d'inconfort due au rayonnement froid des parois et aux mouvements de l'air créés par la présence de zones froides, on est amené à surchauffer l'air) ;

– le siège de condensations pouvant entraîner une pollution de l'air intérieur et une dégradation prématurée du bâti (on atténue partiellement ces problèmes par des débits de ventilation amplifiés, ce qui entraîne de fait une augmentation des déperditions thermiques).

Doublage laine minérale et ossature métallique

Outre que l'isolation conventionnelle par l'intérieur sur des murs anciens crée souvent plus de problèmes qu'elle n'en résout, les doublages isolants qui utilisent des ossatures métalliques, solution quasi généralisée dans l'ancien, génèrent des ponts thermiques grandement préjudiciables aux performances attendues :

– la réglementation thermique propose d'estimer la performance réelle de ces doublages à 50 % de leur valeur calculée dans le cas de poteaux métalliques traversants ;

– un essai comparatif réalisé au CSTB nous apprend que les ossatures métalliques des complexes isolants génèrent une perte des performances de 20 à 44 % par rapport aux calculs thermiques de base.

Sources : *RT 2000, méthode à points* (www.logement.equipement.gouv.fr) et *Les Cahiers techniques du bâtiment*, n° 218.

Défauts d'étanchéité à l'air des enveloppes (4)

Si en théorie le bon sens peut nous faire penser qu'un bâtiment récent ne doit pas comporter de fuites d'air non désirées, la réalité des chantiers conjuguée à la mise sur le marché de systèmes constructifs très dépendants d'une mise en œuvre irréprochable donne un résultat tout autre.

Les déperditions thermiques dues à ces défauts d'étanchéité de l'enveloppe peuvent être estimées à 10 % des déperditions totales pour un bâtiment récent conforme à la réglementation (5). Cette proportion peut même doubler avec des bâtiments très bien isolés (type « basse énergie* » ou « très basse énergie* ») ou en habitat ancien.

Par ailleurs, outre ces déperditions thermiques, les inétanchéités à l'air des bâtiments apportent des faiblesses acoustiques et engendrent des dommages dans la construction (dus principalement à la condensation). De plus, les défauts d'étanchéité apportent dans l'espace intérieur un air souillé de poussières d'isolants, de moisissures ou autres polluants présents à l'intérieur des parois, principalement avec les systèmes de ventilation simple flux (voir chapitre 5, p. 186).

S'il est difficile d'assurer une étanchéité à l'air complète des bâtiments, il est néanmoins possible de la limiter.

• En neuf, l'étanchéité à l'air d'un bâtiment sera quasiment proportionnelle à la qualité du travail sur chantier. Les étapes les plus sensibles sont :
– la pose des isolants ;
– la pose des menuiseries ;
– la réalisation de l'installation électrique.

• En réhabilitation, des interventions légères type réalisation ou réfection des joints d'étanchéité autour des baies représentent le meilleur investissement en termes de travaux d'amélioration énergétique. Mais seule une rénovation lourde saura aboutir à un résultat vraiment satisfaisant.

Attention ! En réhabilitation, toute intervention modifiant l'étanchéité à l'air d'un bâtiment doit entraîner une adaptation du système de ventilation (voir chapitre 5, p. 179).

Préconisation pour la pose d'un film pare-vent et freine-vapeur selon la norme allemande DIN 4108.

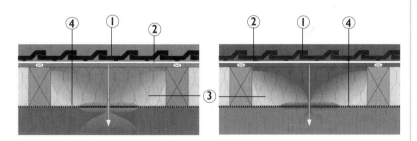

Repérage des flux thermiques dans un isolant avec freine-vapeur ou pare-vapeur non étanche à l'air.
Les défauts d'étanchéité à l'air sont responsables non seulement des déperditions en hiver (à gauche) mais aussi des pénétrations d'air chaud en été (à droite).
1 Éléments de toiture (tuiles…)
2 Pare-pluie
3 Isolant
4 Film freine-vapeur ou pare-vapeur

4. La confusion est souvent faite entre « étanchéité à l'air » et « étanchéité à la vapeur d'eau »… d'où l'amalgame courant entre un bâtiment très isolé et une bouteille Thermos. En construction écologique, les parois perspirantes* permettent de concilier ces deux exigences : étanchéité à l'air et perméabilité à la vapeur d'eau (voir « Isolation et hygrothermique des parois » p. 89 et le livre L'Isolation écologique, conception, matériaux, mise en œuvre).
5. Les défauts d'étanchéité les plus fréquents proviennent des entourages des portes et fenêtres, des prises de courant, interrupteurs et autres appliques électriques, des gaines techniques, des coffres de volets roulants, des liaisons structures/isolants et planchers/façades, et des trappes d'accès aux combles.

Pose de sous-toiture en panneaux bouvetés (étanchéité au vent).
Les défauts d'étanchéité à l'air de l'isolation sont très largement réduits avec des matériaux et des techniques de pose appropriés.

Vue de deux maisons test : celle de gauche isolée avec de ouate de cellulose, celle de droite avec de laine minérale, à coefficient U théorique équivalent. Les déperditions de chaleur supérieures dans le second exemple sont attribuables aux inétanchéités à l'air.

Test d'étanchéité à l'air d'un bâtiment.
Malgré l'importance que représentent sur le plan national les déperditions thermiques dues à l'inétanchéité à l'air des bâtiments, une seule équipe intervient régulièrement en France pour réaliser des tests de contrôle. Cet état de fait devrait évoluer avec la mise sur le marché d'un équipement plus léger permettant de réaliser des essais similaires (renseignements : www.aldes.fr).

Matériau isolant de cellulose.
Structure floconneuse.
Perméabilité à l'air en m³/m²h à 50 Pa : 4
Source : Étude Ebök, Tübingen.

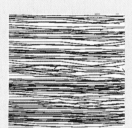

Matériau isolant de fibre minérale.
Structure fibreuse.
Perméabilité à l'air en m³/m²h à 50 Pa : 13-150

Inertie thermique

Le dictionnaire et le sens commun donnent à la notion d'inertie une connotation négative. Pourtant, sous nos latitudes, où les périodes chaudes alternent avec les périodes froides, sur des rythmes courts (jour/nuit) ou beaucoup plus longs (saisonniers), la résistance aux variations thermiques des conditions extérieures est une des stratégies majeures pour avoir des bâtiments confortables. De fait, c'est là un des outils principaux de l'architecture bioclimatique.

Par exemple, le caractère rythmique du rayonnement solaire, largement indépendant de la volonté des occupants et de leurs besoins thermiques dans le temps, demande un moyen de stocker les apports instantanés afin d'atténuer leur intensité et de mettre les « surplus » en réserve. L'air n'ayant quasiment aucune capacité à stocker les calories, il faut pouvoir confier cette fonction aux éléments du bâtiment qui présentent les propriétés nécessaires à l'inertie thermique : la masse et la capacité thermique (voir § 2.4.3, p. 70).

L'inertie d'un bâtiment ou d'une paroi représente son aptitude à stocker de la chaleur. Pour un bâtiment elle s'exprime généralement par l'appartenance à une classe d'inertie (de « très faible » à « très forte », voir encadré). Pour une paroi, elle s'exprime en wattheure par mètre carré Kelvin (Wh/m².K).

Plus l'inertie est forte, plus la paroi (ou le bâtiment) est capable de stocker de la chaleur ou de restituer de la fraîcheur.

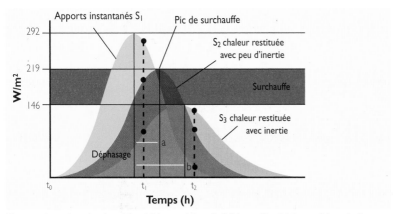

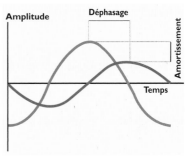

Variation de la température intérieure de deux bâtiments, l'un à forte inertie, l'autre à faible inertie.
L'inertie a un double effet :
– amortir l'amplitude de l'onde thermique instantanée ;
– déphaser sa restitution dans le temps.

Comparaison des réactions d'un bâtiment à inertie faible et d'un bâtiment à inertie forte face aux apports solaires.
La surface jaune S1 représente l'évolution dans le temps de l'apport solaire. La surface S2 représente la réponse dans le temps du local à faible inertie, et la surface S3 celle du local à forte inertie.
Au temps t1 le rayonnement solaire direct est intense et la chaleur restituée par le local à faible inertie est importante alors que celle restituée par le local à forte inertie est réduite.
Au temps t2, le rayonnement solaire est faible, la chaleur restituée par le local à faible inertie est faible alors que celle restituée par le local à forte inertie est importante.
Avec une inertie forte, il n'y a pas de surchauffe et l'on bénéficie d'une réserve de chaleur pour les heures sans soleil.

Inertie, stratégie d'hiver, stratégie d'été

Quelle que soit la saison, la forte inertie d'un bâtiment, en contribuant à atténuer les fluctuations de température dans les locaux, est une source de confort car elle permet d'éviter les surchauffes comme les chutes trop brutales de température.
• En été, elle sera toujours un moyen efficace pour maintenir des températures relativement fraîches à l'intérieur à condition qu'elle soit associée à des moyens efficaces de protection solaire et à un rafraîchissement des structures pendant la nuit (voir « Surventilation nocturne », p. 199).
• En hiver, le bénéfice de l'inertie sera inverse et permettra de profiter pleinement des apports solaires des belles journées : plutôt que de limiter les surfaces captrices par crainte de souffrir de surchauffes aussitôt que le soleil donne, on ouvrira la maison à cette énergie gratuite que l'on emmagasinera dans des masses qui la restitueront en soirée, la nuit, ou durant les périodes sans soleil (voir notamment § 4.1, p. 129 « Les murs capteurs accumulateurs »).

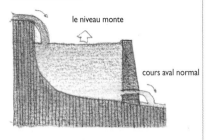

cours amont en crue

le niveau monte

cours aval normal

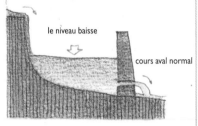

cours amont en étiage

le niveau baisse

cours aval normal

L'inertie fonctionne à l'image d'un barrage hydraulique.

La capacité thermique des éléments de la construction est comparable à la capacité du barrage qui permet de régulariser les débits quelle que soit la variation des apports en amont.

Choix de l'inertie en fonction de l'occupation des bâtiments

Si la stratégie d'été (inertie forte, protections solaires et ventilation nocturne) est adaptée à tout type d'occupation des locaux, la stratégie d'hiver (apports solaires conjugués à une inertie forte) sera particulièrement bénéfique dans les lieux occupés de façon permanente.

Dans les bâtiments utilisés de façon intermittente, la logique voudrait que les calories produites pendant la période d'occupation (par le soleil ou par le système de chauffage) soient utilisées instantanément pour le confort des habitants et non stockées dans les parois. Par exemple, pour une résidence secondaire à la montagne, un gîte occupés de façon occasionnelle ou temporaire…, des murs en pierre à très forte inertie vont accumuler les calories sans se réchauffer notablement pendant les quelques jours d'occupation et obliger à surchauffer l'air intérieur, alors que la chaleur par rayonnement qu'ils réémettront après leur montée en température ne bénéficiera plus à personne. Dans ce cas, il vaut mieux en théorie que l'inertie du bâtiment soit la plus faible possible.

Cependant, cette logique d'occupation intermittente en saison froide doit être modulée par le type de climat, la rythmicité de l'occupation et le potentiel des apports solaires passifs hors des périodes d'occupation. Dans le cas d'une résidence à la montagne, l'utilisation de parois en bois massif, ou de parements intérieurs en bois, est un bon compromis pour toute saison (grâce à la capacité thermique (voir p. 70) et l'effusivité de ce matériau (voir p. 71).

Inertie thermique de diverses parois

L'inertie thermique d'une paroi se calcule par l'addition de l'inertie de ces composants.
$I = (\rho C \text{ matériau } 1 \times \text{épaisseur matériau } 1) + (\rho C \text{ matériau } 2 \times \text{épaisseur matériau } 2) + \ldots$

	Inertie en Wh/m².K
Mur en terre crue ($\rho = 1900$ kg/m³) 35 cm	275
Mur d'eau 15 cm	175
Mur en briques de terre cuite pleines ($\rho = 2300$ kg/m³) 25 cm	163
Dalle ou mur en béton plein 20 cm	128
Mur en briques auto-isolantes 37 cm	82
Mur en sapin massif 20 cm	60/44
Ossature bois + briques de chanvre 30 cm	60/44
Dalle d'étage classique (poutrelle hourdi 12 + 4) avec chape 4 cm	55
Mur en béton cellulaire 30 cm ($\rho = 400$ kg/m³)	36
Cloison panneaux de bois (OSB 12 mm) + isolation laine de bois 10 cm ($\rho = 250$ kg/m³)	30/20
Cloison plaque de plâtre isolé de 10 cm de laine de verre	8

Selon données p. 224. Avec pour les lignes 5, 7, 8, 9 et 11, intégration de l'incidence de la finition (parements plâtre).

Inertie et captage du rayonnement solaire

Reprenons l'exemple de notre maison de 100 m² (p. 54, § 2.3) offrant 30 m² de sa façade sud au rayonnement solaire en prenant Paris comme référence.

L'énergie reçue par la seule façade sud sur les 7 mois de chauffe (octobre à avril) est en moyenne de 14 220 kWh. Cette valeur correspond à peu près à 1,2 fois les besoins de chauffage de notre logement s'il est juste conforme à la réglementation thermique française. Si ces besoins de chauffage sont moindres du fait d'une construction bioclimatique, cette énergie gratuite reçue par la façade sud sera de 4 (bâtiment « basse énergie ») à 9 fois supérieure (bâtiment « très basse énergie ») aux besoins de chauffage annuel.

Ce rapide calcul justifie la démarche bioclimatique qui cherche à réaliser des bâtiments très isolés en même temps qu'elle compose avec l'inertie des parois pour les ouvrir largement au soleil.

Importance des systèmes de captage composant avec l'inertie thermique pour la gestion des apports solaires dans le temps.

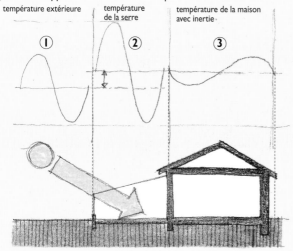

– De la courbe 1 à la courbe 2. L'effet de serre amplifie le maximum de l'onde de température extérieure, ce qui augmente sa moyenne. Les températures les plus basses restent égales à celles de l'extérieur (c'est le cas le plus défavorable car la serre n'est pas isolée et est sans inertie).

– Courbe 3. La fluctuation des températures du local attenant à la serre est amortie et déphasée autour de la moyenne des températures dans la serre.

Une étude de cas similaire est présentée au § 4.2, p. 161 « Serre en réhabilitation ». L'exemple donné ci-dessus avec une serre est transposable aux murs capteurs (voir § 4.1, p. 132).

Quelle inertie?

L'inertie d'un bâtiment dépend essentiellement de la masse des parois en contact avec l'intérieur. Elle oscille entre une valeur très faible et une valeur très forte.

• **Bâtiment à inertie très faible** : aucune des parois n'est considérée comme lourde (6).

• **Bâtiment à inertie faible** : une paroi au maximum est considérée comme lourde.

• **Bâtiment à inertie moyenne** : l'ensemble des murs est estimé lourd ou bien les planchers bas et haut sont estimés lourds.

• **Bâtiment à inertie forte** : l'ensemble des parois est considéré comme lourd.

Enfin, **l'inertie très forte** appelée également **inertie saisonnière** est celle des constructions traditionnelles à murs maçonnés très épais ou celle des constructions bioclimatiques à stockage intersaisonnier.

Inertie et réglementation thermique

La réglementation thermique française officialise depuis 2001 trois classes d'inertie.

• **L'inertie horaire** (période 1 heure) n'a d'intérêt que pour régulariser l'intermittence des systèmes de chauffage… Elle sera similaire pour nous à une inertie très faible.

• **L'inertie quotidienne** (période 24 heures) régularise les amplitudes quotidiennes des variations de température. En saison froide, elle permet d'étaler les apports de chaleur journaliers, notamment solaires, et en saison chaude, de dissiper la nuit les stockages effectués le jour. Nous l'assimilerons à une inertie moyenne.

• **L'inertie séquentielle** (période 12 jours) permet l'amortissement de l'onde thermique en saison chaude, et l'étalement des apports solaires sur plusieurs jours sans ensoleillement en saison froide dans les constructions fortement solarisées. Nous l'assimilerons à une inertie forte.

Plancher bas (A)	Plancher haut (B)	Paroi verticale (C)	Classe d'inertie quotidienne	Classe d'inertie séquentielle
Lourd	Lourd	Lourde	Très forte	Moyenne
Léger	Lourd	Lourde	Forte	Faible
Lourd	léger	Lourde	Forte	Faible
Lourd	Lourd	Léger	Forte	Faible
Lourd	Léger	Léger	Moyenne	Très faible
Léger	Lourd	Léger	Moyenne	Très faible
Léger	Léger	Lourd	Moyenne	Très faible
Léger	Léger	Léger	Très faible	Très faible

Ce tableau montre que si une inertie suffisante pour gérer un déphasage jour nuit est facilement atteinte (inertie quotidienne), celle permettant d'accumuler les calories des journées ensoleillés pour les jours sans soleil (inertie séquentielle) nécessite des choix de parois très lourdes (murs extérieurs et murs de refend maçonnés moyens à larges, dalle épaisse en sol, toiture-terrasse lourde...) ou demande de gérer l'inertie du bâtiment avec des systèmes type hypocauste (voir p. 12).

Source : Guide CATED des techniques du bâtiment, « Réglementation thermique 2000 ».

A. Plancher bas lourd. Exemple : 10 cm de béton plein avec isolant en sous face soit environ 64 Wh/m^2.K par m^2 d'espace habité.
B. Plancher haut lourd. Exemple : 8 cm de béton plein sans faux plafond environ 51 Wh/m^2.K par m^2 d'espace habité.
C. Paroi verticale lourde. Exemple : 11 cm de bloc de béton creux avec surface de mur au moins égale à 0,9 fois la surface du plancher (25 Wh/m^2.K par m^2 d'espace habité).

6. Est appelée « paroi lourde » une paroi ayant une inertie similaire à celle de 10 cm de béton soit environ 64 Wh/m^2.K. C'est par exemple le cas avec 21 à 29 cm de bois résineux, 32 cm de brique isolante, 57 cm de béton cellulaire, 490 cm de polystyrène et 5 cm d'eau.

Où placer l'inertie ?

Pour que l'inertie puisse jouer pleinement son rôle, il importe que ces masses appelées masses inertielles que l'on intègre au bâtiment soient correctement placées et mises en œuvre. Particulièrement, il est nécessaire qu'elles tiennent compte des surfaces d'échange entre la source de chaleur (ou de fraîcheur) et les volumes intérieurs habités.

Dans un bâtiment, chaque paroi a une vocation différente vis-à-vis de l'inertie :
– la façade sud : captage solaire + déphasage ;
– la toiture et la façade ouest : protection solaire + déphasage ;
– le sol intérieur recevant le rayonnement solaire : stockage (7) ;
– les parois intérieures balayées par les mouvements d'air de la ventilation nocturne : stockage ;
– les parois intérieures pouvant servir d'émetteurs de chauffage (plancher ou murs chauffants) : émissions avec ou sans stockage ;
– l'espace entre le volume habité et la terre : stockage + déphasage ;
– plus généralement pour l'ensemble des parois en contact avec l'espace de vie : stockage.

Les paragraphes « Les différents types de parois » (§ 3.1.2, p. 92) et « Les parois et parements intérieurs » (§ 3.1.3, p. 110) présentent comment réaliser les différentes parois d'un bâtiment, la notion d'inertie y est donc intégrée.

En plus de l'inertie propre au bâtiment que l'on apporte en intégrant des matériaux à forte capacité thermique dans les parois, la conception bioclimatique peut également composer :
– avec l'inertie du sol :
  – en enterrant tel mur ou telle partie du bâtiment (§ 2.2.2, p. 41),
  – en réalisant une isolation seulement partielle de l'interface espace chauffé/sol (§ 3.1.2, p. 109),
  – en réalisant un stockage thermique entre l'espace habité et le sol (§ 3.1.2, p. 109),
  – en réalisant des puits canadiens (§ 4.4, p. 171) ;
– avec l'inertie des matériaux à changement de phase* (voir encadré p. 111) ;
– avec l'inertie des stockages d'eau (cette solution, intégrée comme composante des systèmes de chauffage actifs, sera présentée dans un ouvrage ultérieur).

L'inertie thermique d'un bâtiment peut également se calculer. On le fera par l'addition de l'inertie thermique de l'ensemble de ses parois sachant que pour les parois en contact avec l'extérieur :
– on ne tient compte que des matériaux se trouvant coté intérieur de l'isolant ;
– on ne considère que 50 % de l'inertie totale de la paroi pour les systèmes à isolation répartie (ossature bois, béton cellulaire, briques isolantes…).

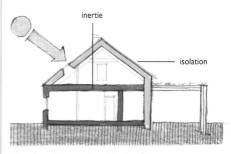

Situation d'une maison bioclimatique type avec murs d'enveloppe sans inertie.
On profite alors au maximum des parois intérieures pour apporter de l'inertie au bâtiment. Maison Renaudin (Jura). Conception : J.-P. Oliva-O. Teissier-Scop HabiTer.

Plafond solives bois/terre cuite/béton maigre.
Placer l'inertie dans le complexe plafond-plancher est logique d'un point de vue thermique mais aussi phonique.

7. Stockage sous-entend, selon la saison, stockage possible de calories et/ou de frigories* avec restitution plus ou moins déphasée.

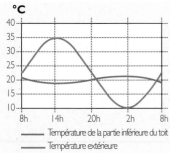

— Température de la partie inférieure du toit
— Température extérieure

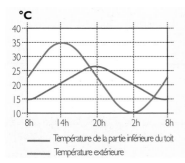

— Température de la partie inférieure du toit
— Température extérieure

Courbes de températures à l'extérieur et au-dessous de l'isolant de toiture au cours d'une journée d'été pour deux toitures à coefficient de transmission égal (U = 0,21 Wh/m².K). Le premier isolé de 20 cm de laine minérale peu dense (20 kg/m³), le second de 20 cm de panneaux de cellulose assez dense (80 kg/m³).

En haut
– La réduction d'amplitude génère des températures intérieures sous isolant qui oscillent entre 15 et 26 °C.
– Le déphasage est de 6 heures : le maximum de température sur la face inférieure du toit se produit vers 20 heures, alors que la température extérieure est encore de 23 °C.

En bas
– La réduction d'amplitude génère des températures intérieures sous isolant qui oscillent entre 18 et 21 °C.
– Le déphasage est de 11 heures : le maximum de température sur la face inférieure de l'isolant se produit vers 1 heure. À ce moment, la température extérieure est tombée à 12 °C ; l'espace intérieur a donc déjà pu se rafraîchir et les calories qui arrivent du toit sont aussitôt évacuées.

8. Les caractéristiques thermiques des matériaux sont présentées en § 2.4.3 p. 68 et en annexe p. 224.

Isoler pour l'hiver ou pour l'été ?

Quelles que soient les caractéristiques du climat, la toiture dans un bâtiment est la paroi sujette à l'essentiel des sollicitations thermiques, aussi bien en été qu'en hiver. S'il est facile d'installer un isolant généralement léger pour l'hiver, il est plus difficile, sauf dans le cas de toitures-terrasses, d'interposer des matériaux lourds entre l'isolant et l'espace intérieur pour assurer une inertie nécessaire au confort d'été. Dans ce cas, la nature de l'isolant et la qualité de sa mise en œuvre sont essentielles.

Pour l'hiver, il conviendra de choisir un isolant ayant :
– une conductivité thermique (8) faible (coefficient lambda) ;
– une épaisseur suffisante et une mise en œuvre adéquate.

Pour l'été, cet isolant devra répondre en outre à deux autres objectifs :
– une réduction d'amplitude forte qui lui permettra d'atténuer l'amplitude entre les températures minimales et maximales extérieures quotidiennes et donc de ne transmettre à l'espace intérieur qu'une onde de température très limitée : pour ce faire, il faut choisir des matériaux isolants présentant une capacité thermique (ρC) élevée permettant de stocker suffisamment de calories sans s'échauffer notablement ;
– un déphasage de l'onde thermique de 8 à 12 heures afin que la chaleur de la journée arrive à l'intérieur lorsque la fraîcheur de la soirée permet de tempérer les espaces intérieurs : pour augmenter ce déphasage, il faut choisir des isolants qui ralentissent le passage du flux de chaleur, c'est-à-dire à faible diffusivité thermique (coefficient a).

Résistance thermique, réduction d'amplitude et déphasage en fonction de l'épaisseur de l'isolant pour des panneaux de laine de bois souples.

Caractéristiques	Unité	Épaisseurs d'isolation					
		140 mm	160 mm	180 mm	200 mm	220 mm	240 mm
Coefficient de transmission thermique Valeur U	W/m².K	0,259	0,229	0,206	0,187	0,175	0,161
Résistance thermique R	m²K/W	3,86	4,37	4,85	5,35	5,71	6,21
Réduction d'amplitude (1)	–	10	12	14	18	22	27
Déphasage	h	8,4	9,2	10	10,8	11,6	12,4

Les données techniques de certains fabricants d'isolants permettent aujourd'hui de calculer précisément la contribution qu'auront les parois pour le confort d'hiver comme pour le confort d'été.

1. Facteur de réduction d'amplitude : rapport entre l'écart moyen des températures extérieures et l'écart moyen des températures intérieures.
Source : Homatherm.

Quelle épaisseur installer en fonction de l'isolant ?

Des études ont été menées en Allemagne sur l'efficacité d'une l'isolation de toiture sur les deux saisons extrêmes. Des tableaux comparatifs entre les différents systèmes isolants ont été établis sur ces deux critères conjoints. Voici par exemple un tableau comparant les épaisseurs nécessaires à mettre en œuvre en isolation de toiture avec différents matériaux pour un confort en hiver et en été donné.

Épaisseurs minimales des isolants de toiture pour le confort d'hiver et d'été.

	Masse volumique ρ kg/m^3	Conductivité λ W/m.K	Capacité thermique ρC Wh/m^3.K	Épaisseur hiver m	Épaisseur été m
Panneau isolant de fibres de bois	160	0,04	80	0,173	0,185
Copeaux de bois	90	0,055	63	0,238	0,245
Liège expansé (vrac)	100	0,045	42	0,195	0,271
Ouate de cellulose forte densité	70	0,045	42	0,195	0,271
Ouate de cellulose moyenne densité	55	0,04	33	0,173	0,286
Mousse rigide de polyuréthane	30	0,03	13	0,13	0,405
Perlite expansée	90	0,05	20	0,217	0,416
Laine de mouton	20	0,04	10	0,173	0,535
Polystyrène	20	0,04	8	0,173	0,593
Coton	25	0,04	6	0,173	0,690
Laines minérales	18	0,04	4	0,173	0,815
Fibres polyester	15	0,045	2	0,195	1,100

Réalisation d'une maquette instrumentée ossature bois/laine de bois.
Certains des nouveaux diplômés de la filière bois sont désormais formés aux propriétés thermiques dynamiques des matériaux isolants.

Ce tableau montre qu'en fonction de la conductivité et de la capacité thermique des matériaux, les épaisseurs minimales requises pour l'été et pour l'hiver sont très différentes : par exemple, pour les panneaux en laine de bois isolants ($\rho C = 80$), l'épaisseur minimale est de 17,3 cm pour l'hiver, et sensiblement la même pour l'été : 18,5 cm. Pour les fibres polyester ($\rho C = 2$), l'épaisseur minimale est de 19,5 cm pour l'hiver, mais de 1,10 m pour l'été !

Bases de calculs
• Pour l'isolation hivernale, l'efficacité des différents systèmes est évaluée sur la base de la résistance thermique préconisée par la norme DIN 4108* (coefficient U minimal de 0,22 W/m^2.K, voir § 3.1.1, p. 76).
• Pour l'isolation estivale, l'évaluation est fondée sur la réduction d'amplitude. Le facteur de réduction choisi pour ce tableau est de 10, c'est-à-dire une division par 10 de l'écart quotidien maximum des températures extérieures.
Dans ces calculs, le déphasage n'est pas pris en compte.
Source : DR. Ingénieur Reinhardt Geisler, Isofloc.

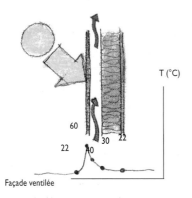

Façade ventilée

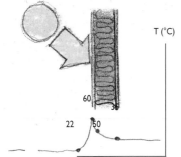

Système d'isolation compacte

Confort d'été : une solution pour les murs.

Les remarques de ce paragraphe sur le confort des toitures sont transposables sur les parois verticales. Sur ce schéma, on remarque que le tirage thermique* d'une lame d'air verticale correctement dimensionnée est suffisant pour éviter les surchauffes, même dans des murs à faible inertie comme les murs à ossature bois.

Laine minérale usagée.

Nul besoin d'une longue expérience dans le domaine de la réhabilitation pour deviner le mauvais état de la plupart des laines minérales de base, peu denses, au bout de quelques années. Les tassements des couches horizontales mais surtout l'affaissement des parties verticales laissent deviner l'efficacité dans le temps de ces matériaux.

Ventilation des sous-toitures

La ventilation de la sous-toiture de la couverture est nécessaire pour évacuer la condensation et ainsi assurer la pérennité des ouvrages. Elle est également importante pour le confort d'été. L'augmentation de l'épaisseur de la lame d'air de sous-toiture pour un balayage important en cas de fortes chaleurs permettra d'avoir alors des températures proches des températures extérieures plutôt que des pics qui peuvent monter à plus de 80 °C…

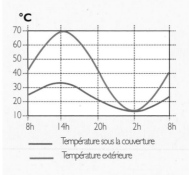

— Température sous la couverture
— Température extérieure

Évolution de la température sous la couverture.

Dans la plupart des cas, le tirage thermique de la lame d'air de sous-toiture est insuffisant pour éviter les surchauffes de la sous-couverture pendant la journée d'autant plus que la pente de la toiture est faible… Augmenter la hauteur du passage d'air de 27 à 60 mm et tripler les entrées et sorties d'air réglementaires est une solution simple, quasi gratuite et très efficace pour limiter grandement les surchauffes d'été.

Durabilité des performances des parois

Une approche de la qualité thermique des parois doit non seulement s'attacher à en optimiser les performances, à en réduire les points faibles, mais elle doit également se soucier de la durabilité des performances des systèmes mis en œuvre.

Des tests de vieillissement sont bien réalisés en laboratoire pour estimer la durabilité des matériaux, mais il est beaucoup plus complexe de s'engager sur la durabilité de leurs performances une fois ceux-ci mis en œuvre dans les conditions réelles de chantier, et soumis aux aléas de l'utilisation des lieux. Sur ce point de la durabilité des performances des matériaux, l'expérience et la compétence des professionnels alliées au bon sens seront les principaux atouts qui permettront de réaliser les bons choix.

S'assurer que certains matériaux garderont leurs performances longtemps après leur mise en œuvre est souvent une question de bon sens. Mais, sauf à être un maître d'ouvrage* insistant sur le sujet ou avoir la chance de travailler avec des professionnels sensibilisés, ce point est trop rarement abordé dans les projets de construction ou de réhabilitation.

Pour une politique de performances durables

Si une mise en œuvre défectueuse ou le mauvais vieillissement d'un produit ne sont pas aisés à repérer, l'utilisation de plus en plus fréquente de la thermographie infrarouge peut permettre de fiabiliser une filière du secteur de la construction qui, malgré un rôle majeur dans la production nationale des gaz à effet de serre, n'est actuellement pas plus connue que reconnue.

Gageons qu'en multipliant ce type de contrôle, le secteur de l'isolation réalisera un réel bond qualitatif dans les années à venir. Après une courte étape où il faudra bien accepter de parler de « non-qualité », l'ensemble des acteurs sera bénéficiaire d'une telle initiative.

Par exemple, multiplier par deux les coûts du poste « isolation » à tous les niveaux du bâtiment, en utilisant des produits de qualité, en quantité suffisante et correctement mis en œuvre, occasionne un surcoût d'investissement d'environ 2 à 3 % dans l'acquisition d'une maison individuelle. Cette somme limitée, très vite récupérée sur les notes de chauffage et de rafraîchissement entraîne en outre :

– un meilleur maintien de la valeur patrimoniale du bâtiment pour les propriétaires ;

– une utilisation moindre des ressources naturelles et une diminution de production de gaz à effet de serre ;

– une reconnaissance financière des professionnels de l'isolation leur permettant de parfaire la mise en œuvre des isolants ;

– une augmentation du chiffre d'affaires des fabricants et négociants d'isolants avec la disparition du marché de leurs produits « bas de gamme »

Ce type de réflexion est entre autres à l'origine de la mise en place dans certaines régions françaises d'un programme permettant de produire, en neuf comme en rénovation, des bâtiments « basse énergie » (voir également chapitre 6, p. 217 et annexe p. 227).

La thermographie infrarouge permet de repérer la qualité des isolations.

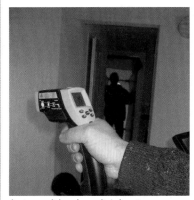

Artisan validant la qualité de mise en œuvre de l'isolant lors de la réception d'un chantier.

Beaucoup moins onéreux qu'une caméra thermique, le pistolet thermique permet de repérer les principaux points faibles d'un bâtiment en affichant la température des parements.

Isolation et hygrothermique des parois

Sous nos climats, la différence de température en hiver entre l'intérieur et l'extérieur est importante. Cette différence de température se retrouve de fait entre les faces intérieures et extérieures des diverses parois de l'enveloppe des bâtiments. L'air intérieur, plus chaud, qui se trouve en surpression par rapport à l'air extérieur cherche à traverser les matériaux constituant la paroi. Au fur et à mesure qu'il s'approche de l'extérieur, cet air se refroidit et perd ainsi progressivement de sa capacité à contenir de l'eau sous forme de vapeur. Arrivée au point de saturation en vapeur d'eau (dit « point de rosée »), la vapeur se condense et imbibe d'eau les matériaux.

Cette présence d'humidité peut être très néfaste pour l'efficacité et la durabilité des isolants, pour la pérennité du bâti, ainsi que pour le confort et la santé des habitants. Le fonctionnement hygrothermique des parois doit donc être pris en compte et géré avec méthode afin d'éviter ces nuisances.

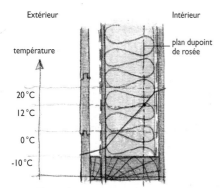

Chute de température dans une paroi avec visualisation du point de rosée.

Exemple d'un mur à ossature bois : pour une humidité relative* de l'air intérieur de 60 % à 20 °C, le point de rosée se situe à 12 °C.

Relation entre la température du point de rosée, la température ambiante et le taux d'humidité.

Température ambiante en °C	Température du point de rosée pour une humidité relative* de				
	30 %	50 %	60 %	70 %	90 %
28	8,8	16,6	19,5	22	26,2
26	7,1	14,8	17,6	20,1	24,2
24	5,4	12,9	15,8	18,2	22,3
22	3,6	11,1	13,9	16,3	20,3
20	1,9	9,3	12,0	14,4	18,3
18	0,2	7,4	10,1	12,5	16,3
16	-1,4	5,6	8,2	10,5	14,4

Sur le terrain, outre un système de ventilation adapté (9), deux stratégies différentes gèrent le phénomène plus ou moins efficacement (10).

• **La stratégie conventionnelle** consiste à essayer d'empêcher la vapeur d'eau de pénétrer dans la paroi par la pose d'un pare-vapeur, film étanche à l'air et à la vapeur d'eau. Mais l'étanchéité de cette barrière, posée côté chaud de la paroi, n'est que théorique : l'air étant un fluide, la surpression le fait confluer vers tous les défauts et toutes les discontinuités du pare-vapeur. Le résultat est donc une concentration de la vapeur d'eau et de la condensation dans certaines parties de la paroi : ponts thermiques, raccords entre parois, ossatures primaires ou secondaires, passages des canalisations électriques, non-étanchéité entre lés de pare-vapeur…

• **La stratégie écologique** considère l'ensemble de la paroi comme un organe du bâtiment régulant non seulement les échanges thermiques mais aussi les échanges hygrométriques.

Ces parois, dont les parements sont conçus de façon à ce que la vapeur d'eau puisse sortir plus facilement qu'elle n'y rentre, sont constituées de matériaux poreux peu sensibles aux migrations de vapeur d'eau, et, pour certains, peu sensibles à l'éventuelle présence d'eau de condensation.

C'est le principe de la perspiration*, calqué sur le fonctionnement de la peau humaine qui laisse sortir l'humidité, et celle-ci s'évaporer, sans qu'il y ait transpiration. Cela suppose une excellente étanchéité à l'air, assurée au besoin par un film pare-vent intérieur régulant la pénétration de la vapeur d'eau, dit « freine-vapeur ».

Selon le type de paroi et selon que l'on se trouve dans le cas d'un bâtiment neuf ou d'un projet en réhabilitation, ces problématiques se posent de manière sensiblement différente. Certaines sont exposées au § 3.1.2, « Les différents types de parois », p. 92.

9. Le système de renouvellement d'air, obligatoire pour assurer une qualité d'air intérieur, a en particulier pour vocation de limiter grandement les risques de condensation sur et dans les parois des bâtiments. Le chapitre 5 présente comment concilier cette obligation de renouveler l'air et la recherche d'un confort à moindre coût énergétique et environnemental.

10. Le détail de ces stratégies est exposé dans *L'Isolation écologique, conception, matériaux, mise en œuvre.* Nous ne les rappelons ici que pour mémoire.

Étanchéité des pare-vapeur et efficacité des isolants.

La performance de certains matériaux dépend étroitement de la qualité de leur mise en œuvre. Une des familles de matériaux les plus sensibles à une mise en œuvre irréprochable est celle des laines minérales. En effet, de nombreuses laines de verre et de roche sont très sensibles aux condensations induites aux passages de vapeur d'eau par les discontinuités des films pare-vapeur (1). Ce dernier doit en effet représenter une barrière continue à 100 % pour que les performances annoncées de ces isolants soient vérifiées… Et, sur le terrain, dans des conditions de mise en œuvre de chantier, la continuité complète de ces films pare-vapeur est malheureusement très rarement effective.

Tenant compte de ces informations, pour une isolation efficace il faudra :

– s'assurer d'une mise en œuvre irréprochable de ce type de matériaux… ;

– choisir un isolant ou un système constructif moins sensible à la présence de vapeur d'eau.

1. Depuis peu, quelques laines minérales à poser avec freine-vapeur sont proposées sur le marché. Elles permettent de réaliser des parois régulant une partie de la vapeur d'eau.

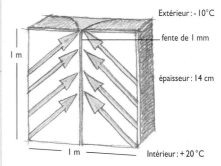

Incidences dues à un pare-vapeur ayant une fente de 1 mm de largeur sur 1 m de longueur pour 1 m² de laine minérale.
Le pouvoir isolant est divisé par 4,8 (le U passe de 0,30 à 1,44 W/m².K).
Source : Institut de physique du bâtiment, Stuttgart. Étude réalisée sur 1 m² de laine minérale de qualité basique de 14 cm d'épaisseur avec une différence de pression extérieure/intérieure de 20 pascals, une température extérieure de –10 °C et intérieure de 20 °C).

Conception et construction :
N. Meunier

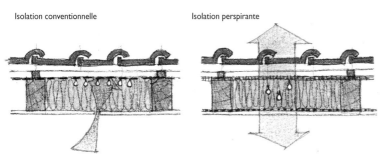

Isolation conventionnelle   Isolation perspirante

Comparaison du fonctionnement hygrothermique d'une isolation conventionnelle et d'une isolation perspirante.
En haut, l'air chaud et humide en surpression s'infiltre dans l'isolant par les défauts du pare-vapeur et se condense dans sa partie la plus froide sans pouvoir s'évaporer vers l'extérieur ni vers l'intérieur.
En bas, l'air chaud et humide migre lentement à travers la structure microporeuse du freine-vapeur ; la condensation, réduite et répartie, peut ensuite s'évaporer vers l'extérieur à travers un écran pare-pluie perspirant*, ou vers l'intérieur à travers le freine-vapeur. L'isolant (en ouate de cellulose) est en outre très peu sensible à l'humidité.

Certaines parois perspirantes* ont la capacité de stocker une quantité d'humidité qui peut, quand l'air se dessèche ou la température s'élève se reévaporer vers l'intérieur et ainsi apporter un certain rafraîchissement. Ce principe, particulièrement mis en valeur dans le patrimoine en terre crue contribue au confort d'été…
Architecte : J. Colzani

3.1.2 Les différents types de parois pour l'enveloppe

Que l'on soit en construction neuve ou en rénovation, l'objectif de la conception bioclimatique, qui est de réaliser des bâtiments procurant un confort thermique à moindre coût économique et énergétique, passe tout d'abord par l'attention portée aux parois composant l'enveloppe.

Comme nous l'avons vu p. 63 (§ 2.4.1), les fonctions thermiques que l'on demande d'assurer aux diverses parties de l'enveloppe sont différentes et varient selon la nature de la paroi, son orientation, la saison et l'affectation de l'espace intérieur qui y est contigu. Sans oublier que les fonctions de chaque paroi sont multiples, chacune se verra affecter des fonctions prédominantes : capter, stocker – ou dissiper –, ou encore conserver la chaleur – ou la fraîcheur.

Ce chapitre présente pour chaque paroi de l'enveloppe les principaux concepts constructifs possibles avec indication de leurs avantages et faiblesses.

Bilan énergétique à la production de quelques isolants.

Isolant	Énergie grise* hors transport et élimination (en kWh/m³)
Laine de cellulose vrac (45 kg/m³)	6
Laine de bois panneaux (160 kg/m³)	12,5
Liège aggloméré en panneaux	85
Laine minérale	150 à 280
Polystyrène	450 à 850
Polyuréthane	1 000 à 1 200
Verre cellulaire	1 600

1. L'énergie grise : on estime actuellement en France que l'énergie incluse dans les composants d'un bâtiment correspond à l'équivalent de 20 ans environ de sa consommation de chauffage (à partir d'un logement standard juste conforme à la réglementation thermique). Cette valeur augmente considérablement avec des bâtiments plus performants : pour une maison basse énergie il passe à près de 60 ans et pour une maison très basse énergie il dépasse le siècle. On réalise donc qu'en parallèle de ce qui est la priorité actuelle (construire des logements faciles à chauffer et n'ayant pas besoin de climatisation), il faut prendre en compte dès à présent le coût énergétique global des matériaux et des bâtiments.

Approche bioclimatique et approche écologique

Pour réaliser un choix parmi les nombreux systèmes constructifs et matériaux, les exigences thermiques font partie des toutes premières priorités. En effet, l'incidence environnementale des bâtiments tout au long de leur durée de vie est encore actuellement majoritairement issue des seuls postes « chauffage » et « climatisation ».

Mais les exigences environnementales sont beaucoup plus nombreuses que les seules exigences thermiques :

– coût de la fabrication des matériaux et du bâtiment sur l'environnement. Problématique englobant le coût énergétique (énergie grise* (1)), l'utilisation de matières premières non renouvelables (ou au contraire de matériaux « puits de carbone* »), les incidences en termes de pollution ou de production de gaz à effet de serre (bilan carbone)… ;

– contribution des composants du bâtiment à une éventuelle pollution de l'air intérieur ;

– coûts d'entretien, durabilité des systèmes et de leurs performances, facilité à gérer la fin de vie des bâtiments (démolition, réemploi éventuel de matériaux, recyclabilité…).

Parce qu'ils sont globalement présentés dans l'ouvrage *L'Isolation écologique, conception, matériaux, mise en œuvre* et qu'ils nécessitent effectivement un livre à part entière, ces nombreux paramètres, qui différencient l'approche écologique de la seule approche bioclimatique ne seront qu'évoqués succinctement dans ce chapitre .

Source du tableau : compilation de données européennes.

Les murs

Les murs sont les parois qui offrent le plus de surfaces de contact avec l'extérieur, donc le plus d'échanges thermiques. Ce sont aussi les plus sollicitées mécaniquement, et, avec une importante proportion d'ouvertures, les plus complexes.

Du point de vue des cultures constructives et climatiques, on peut classer les murs en deux grandes familles, les murs maçonnés et les murs à base de bois.

Les murs maçonnés

Issus des traditions constructives de l'Europe du Sud, ils font référence à une mise en œuvre d'éléments minéraux (pierre, terre cuite, terre crue). Ces matériaux traditionnels à grande inertie sont bien adaptés aux climats à fortes amplitudes et conviennent bien à la problématique du confort d'été.

Les murs à base de bois

L'utilisation du bois a plutôt été développée dans l'Europe du Nord et les régions montagneuses, zones climatiques dans lesquelles un fort niveau d'isolation, principalement pour l'hiver, est requis. Peu conducteur de la chaleur, le bois est néanmoins capable de la stocker, et sa surface comme sa masse s'échauffent vite.

A. Murs maçonnés à isolation répartie (en neuf)

L'industrie des matériaux à maçonner a mis au point ces dernières années des blocs de petits ou moyens éléments allégés qui permettent la réalisation de murs n'ayant pas besoin d'isolation rapportée. À base de terre cuite, de roche volcanique, d'argile expansée ou de béton cellulaire, ces techniques constructives présentent de nombreux avantages.

• Compromis souvent satisfaisant entre isolation et inertie apportant, principalement pour la saison chaude, un confort remarqué.

• Bonne gestion de l'humidité permettant de régler entre autres les problèmes dus à la condensation à l'intérieur des murs.

• Durabilité des matériaux exceptionnelle accompagnée d'une très bonne tenue de leurs performances (thermiques, mécaniques et acoustiques) dans le temps.

• Bilans environnementaux variables selon la technique. De moyen à bon en fonction, principalement, de la performance isolante pour le confort d'hiver. (La résistance thermique de ces parois pouvant varier du simple au double – voir annexe p. 224).

Mise en œuvre de briques auto-isolantes en « maçonnerie collée ».
De nouvelles techniques de pose permettent de limiter les faiblesses thermiques au niveau des joints : pour une épaisseur de mur identique, la résistance thermique de la paroi augmente.

Brique auto-isolante de 50 cm d'épaisseur.
Pour des maisons « basse énergie » ou pour des murs nord, le choix peut être fait d'avoir des parois plus performantes pour la thermique d'hiver (avec un coefficient de transmission U très faible). On pourra alors soit doubler les modules de base d'une isolation extérieure, soit utiliser des modules plus larges.

Les performances données pour les différents systèmes de maçonnerie à isolation répartie ne sont vérifiées que si l'on utilise les nombreux accessoires spécifiques adaptés au système constructif en question : blocs angles de murs (photo), embouts de dalle, entourages de baies, blocs linteaux, coffres de volets roulants…

Isolation par l'extérieur : inertie forte

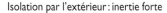

extérieur   intérieur

Isolation par l'intérieur : inertie nulle

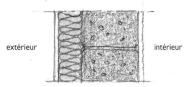

extérieur   intérieur

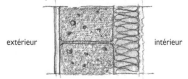

L'emplacement de l'isolant dans la paroi détermine la capacité thermique utile de la paroi.

11. Si ce n'est un rapide paragraphe p. 101, l'isolation par l'intérieur ne donne pas lieu à une présentation spécifique dans cet ouvrage. En effet, les situations où elle satisfait sont trop rares pour être estimées représentatives : bâtiments à utilisations intermittentes en période de chauffe, construction à inertie moyenne à forte comportant des rupteurs de ponts thermiques et faisant l'objet d'une gestion fine des réalités hygrothermiques à l'intérieur des parois isolées.

B. Murs maçonnés minces + isolation extérieure (11)
(en neuf et en réhabilitation)

Beaucoup de constructions depuis 1918 et quasiment toutes celles bâties depuis la fin de la Seconde Guerre mondiale sont constituées de murs porteurs minces en béton armé, en parpaings creux de ciment ou en briques. L'isolation, quand elle existe, est installée par l'intérieur, sans souci des nombreux ponts thermiques et autres nuisances qu'elle entraîne (voir p. 76, « Performances isolantes d'une paroi »). Les performances d'hiver et d'été de ces parois sont de moyennes à mauvaises.

Les programmes de réhabilitation de ce patrimoine sont l'occasion d'améliorer largement la performance thermique de ces bâtiments. Et, s'il n'est pas toujours possible de profiter des rayonnements solaires sur les façades sud en leur adjoignant des serres bioclimatiques ou des murs capteurs (voir § 4.1, p. 129 et § 4.2, p. 143), l'isolation par l'extérieur, excellente solution technique, est en revanche souvent possible.

- Bon niveau d'isolation avec suppression des principaux ponts thermiques.
- Création d'un volant thermique* interne important (inertie bénéfique aussi bien pour le confort d'hiver que d'été).
- Bonne gestion hygrométrique à l'intérieur de la paroi.
- Amélioration esthétique aisée des façades.
- Avantage d'une intervention qui peut s'effectuer sans déménagement des habitants et qui ne prend pas de surface sur l'espace habité.
- Bilan environnemental de moyen à très bon selon le type de matériaux utilisés et l'efficacité effective de l'isolation.

Réhabilitation et nouvelle peau thermique pour un petit immeuble locatif (Suisse).
Outre la résolution des problèmes de condensation qui rendaient quasiment inhabitable le bâtiment (surnommé avant intervention « la moisissure » par ses habitants) et la division par deux des dépenses énergétiques, l'isolation par l'extérieur atténue sensiblement la brutalité et la laideur de l'ensemble d'origine (appelé « le bloc » par les habitants de ce village classé).

Réhabilitation d'une ancienne usine en centre-bourg.
L'isolation par l'extérieur permet également d'accompagner des réhabilitations très lourdes permettant de changer la destination comme la réalité thermique et esthétique des bâtiments d'origine. Réhabilitation « Terrasse de Lancone », architecte : J.-M. Jacquier, Jura.

Isolation extérieure en laine de bois sur maison individuelle.
Si l'isolation par l'extérieur s'impose comme une évidence pour la réhabilitation du patrimoine contemporain, les performances thermiques qu'elle apporte sont également très intéressantes pour le neuf. De plus, que l'on soit en neuf ou en réhabilitation, l'isolation par l'extérieur peut se faire avec des matériaux à très faible énergie grise*.

La réhabilitation thermique de l'existant, chantier du siècle

Travailler à l'optimisation thermique de l'existant représente l'investissement le plus efficace pour réaliser rapidement un bond quantitatif réel vers une limitation de nos émanations de gaz à effets de serre. Dans de tels programmes, bénéfiques pour l'économie, l'environnement et les usagers, l'isolation extérieure des bâtiments construits au XXᵉ siècle représente une des trois priorités avec la pose de baies performantes et l'installation de systèmes de ventilation adaptés.

Excepté les balcons en béton, l'isolation par l'extérieur permet de réduire quasiment tous les ponts thermiques. Y compris ceux des liaisons murs-baies si on déplace par exemple celles-ci au niveau du nu extérieur du mur. Le captage solaire en est en outre ainsi amélioré par réduction des ombres portées par les tableaux*. Ici, des volets coulissants parachèvent l'isolation nocturne.

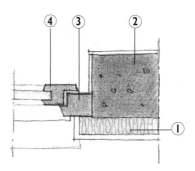

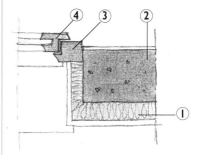

Préconisations pour la rupture des ponts thermiques autour des baies.
Plus que l'épaisseur de l'isolant, la performance finale de tels complexes isolants dépend principalement de la qualité dont aura fait l'objet leur mise en œuvre (gestion des entourages de baies, des bas et hauts de murs, type de fixations utilisées…).
1 Isolant
2 Mur
3 Dormant
4 Ouvrant

C. Murs ossature bois, remplissage isolant (en neuf)

Avec une demande croissante de confort en hiver et un prix de l'énergie en ascension, on peut penser que les performances potentielles des constructions à ossature bois seront de plus en plus remarquées et sollicitées. Par ailleurs, les capacités du bois à stocker le CO_2 en font un matériau de construction en première ligne dans la lutte contre les changements climatiques (12).

Mais si ce système constructif peut produire des bâtiments très performants, le choix des isolants et la qualité de réalisation de ces parois seront des éléments cruciaux. De fait, les performances de ces murs ossature bois sont très variables.

- Résistance thermique pour la saison froide de moyenne à excellente.
- Inertie de très faible à moyenne en fonction de la présence d'éléments lourds à l'intérieur du bâtiment (cloisons maçonnées, planchers bois/béton, doublage terre crue…) (voir « Inertie thermique », p. 80).
- Contribution au confort d'été de mauvaise à moyenne en fonction des éléments inertiels intérieurs et de la capacité thermique des isolants utilisés (voir « Isoler pour l'hiver ou pour l'été », p. 86).
- Qualité de gestion de l'hygrométrie et des transferts de vapeur d'eau de mauvaise à bonne selon qu'on utilise des isolants conventionnels dans des parois non perspirantes* ou un ensemble de composants capables de gérer les transferts de vapeur d'eau (voir « Isolation et hygrothermique des parois », p. 89).
- Durabilité des performances de mauvaise à bonne en fonction du type de remplissage et de la qualité de mise en œuvre.
- Bilan environnemental de mauvais à excellent selon les performances réelles de la paroi, leur durabilité, le type et l'origine des bois et des matériaux associés.

Insufflation de laine de cellulose dans des panneaux préfabiqués en usine.

Projection de laine de cellulose humide dans des caissons ouverts sur chantier.

Pose de panneaux souples en laine de bois.
Plus encore qu'avec les autres systèmes constructifs, la performance des parois ossature bois dépendra de la qualité intrinsèque des isolants et de la qualité de leur mise en œuvre ainsi que de la maîtrise technique qui accompagnera la gestion des nombreux détails constructifs (éviter les ossatures traversantes, les ossatures métalliques, préférer les matériaux en vrac, denses, les panneaux rigides en pose croisée, travailler finement l'étanchéité à l'air…).

121. Les arbres, comme les autres végétaux chlorophylliens, absorbent du CO_2 pendant leur croissance (qu'ils stockent sous forme de carbone pendant qu'ils libèrent l'oxygène). Utiliser de tels matériaux, une fois qu'ils sont arrivés à maturité, permet d'entretenir ce rythme de transformation de CO_2 en oxygène et de fixer le gaz carbonique au minimum jusqu'à la déconstruction des bâtiments.

Construction d'un mur à ossature bois avec remplissage en bottes de paille compressées.
La paille comprimée est sans conteste la championne toutes catégories de l'isolation écologique : pour une densité moyenne de 80 kg/m³, un lambda de 0,04 W/m.K (fibres parallèles aux parois), on obtient un coefficient U de 0,12 W/m².K. Et ce, avec des matériaux sains, puits de carbone*, à énergie grise* très faible, durables, recyclables et faciles à produire localement (voir *La Botte de paille, matériau de construction*). Chantier Renaudin (Jura). Conception : J.-P. Oliva-O. Teissier-Scop HabiTer.

Recherche d'un compromis entre isolation et inertie

Les murs à ossature bois ont eu la réputation d'être excellents pour la thermique d'hiver, mais d'une piètre efficacité contre les surchauffes en été. Cela est vrai avec des complexes isolants à faible capacité thermique, mais ne l'est plus avec ceux qui permettent une réduction d'amplitude suffisante et un déphasage permettant de donner au rafraîchissement nocturne toute son efficacité (voir « Isoler pour l'hiver ou pour l'été », p. 86 et suiv.) Mais parallèlement à cette approche, dès le début des années 1990, des remplissages de structures bois constitués de conglomérats liant/granulats légers ont été expérimentés en France, afin d'offrir un bon compromis isolation/inertie à l'image des maçonneries à isolation répartie. La proportion des mélanges et l'épaisseur des murs sont alors choisies pour répondre à la performance attendue de chaque mur (mur nord faiblement déperditif, mur sud majoritairement capteur…). Ces techniques sont désormais répandues pour la construction neuve ou la réhabilitation du patrimoine en pans de bois.

Deuxième bâtiment en bois et béton de chanvre.
En 1989, l'utilisation du béton de chanvre n'en était qu'à ses balbutiements. Chantier Oïkos.

Maison de l'habitat à Clermont-Ferrand.
L'utilisation de briques de chanvre ou de liants spécialement conçus pour résister au caractère éminemment hydrophile de la chènevotte est venue fiabiliser, dans les années 1990, cette nouvelle filière. Architecte : Atelier de l'Entre.

Ici, briques isolantes réalisées à partir de broyat de tournesol, de terre et de chaux.
À la suite des conglomérats chanvre/chaux, de très nombreux « sous-produits » agricoles ont été testés avec des liants divers pour le remplissage des structures bois.

D. Murs bois massif (en neuf)

Traditionnelle dans de nombreuses régions, la construction en bois massif a connu de nombreuses évolutions techniques passant de la fuste* au madrier brut puis au madrier contrecollé. Mais c'est l'arrivée sur le marché de grands panneaux contrecollés dont les dimensions permettent la réalisation de parois entières préfabriquées (murs, plafonds, planchers…) qui révolutionne ce mode constructif.

Au-delà de ces nombreuses améliorations techniques, la recherche d'une optimisation coûts/performances thermiques porte désormais l'évolution des techniques « bois massif » vers le choix de structures bois moins épaisses mais accompagnées d'un doublage isolant.

Avec ce doublage par l'extérieur et l'utilisation de matériaux perspirants*, cette solution permet de profiter pleinement des nombreux avantages thermiques du matériau bois et d'avoir, pour des parois peu épaisses, des performances exceptionnelles aussi bien pour la thermique d'hiver que d'été (13).

Les constructions en bois massif présentent des intérêts variables suivant la conception du système, l'existence d'un doublage isolant et, dans le cas d'un tel doublage, du type d'isolant utilisé.

- Résistance thermique de mauvaise (problèmes d'inétanchéité à l'air) à excellente (bois massif doublé d'un isolant de qualité).
- Inertie très variable selon l'épaisseur des murs et selon l'utilisation du seul bois massif (+ à ++), du bois massif doublé à l'intérieur d'un isolant à faible capacité thermique (– –), du bois massif doublé à l'extérieur d'un isolant à capacité thermique moyenne (+ à ++).
- Qualité de gestion de l'hygrométrie et des transferts de vapeur d'eau variable selon qu'on utilise des isolants conventionnels dans des parois non perspirantes* (– –) ou que l'on n'utilise que du bois ou du bois doublé d'isolants gérant les transferts de vapeur d'eau (++).
- Bilan environnemental de moyen à excellent selon principalement la performance réelle de la paroi mais aussi, dans le cas d'un doublage isolant, du type de matériau choisi.

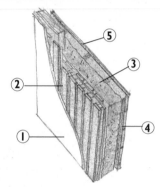

Paroi en bois massif contrecollé en plis croisés.

À mi-distance entre l'ossature bois et le bois massif, certaines productions à base de bois contrecollé apportent la performance environnementale du bois et la pertinence économique des solutions standardisées.

1 Parement intérieur
2 Panneau de structure bois contrecollé
3 Panneaux isolants perspirants* en laine de bois
4 Lame d'air
5 Bardage

Système de construction en « parpaings » de bois massif.

Le petit volume des éléments façonnés dans du bois préalablement étuvé évite les déformations et permet la valorisation de bois noueux et de faibles longueurs généralement délaissés. Les éléments perforés sont vissés les uns sur les autres, et donc démontables.

13. Comme il a été signalé p. 69, l'approche thermique française ne retient pas les caractéristiques thermiques dynamiques des matériaux (effusivité et diffusivité, voir p. 70 § 2.4.3). De fait le bois massif s'en trouve être un matériau taxé de performances moyennes.

Bureaux et logements du Groupement des énergies renouvelables à Gleisdorf (Autriche).
À l'exception de la façade sud entièrement captrice, toutes les parois externes, y compris la toiture, sont réalisées en panneaux porteurs en bois massif, préfabriqués en atelier. Les murs extérieurs sont revêtus de panneaux isolants de laine de bois et enduits. La capacité thermique de la coque intérieure en bois permet de gérer les apports solaires très importants.

Maison en fustes*.

E. Rénovation. Spécificités des murs traditionnels (14)

Il est heureusement possible d'adapter une construction ancienne à un fonctionnement thermique pour lequel elle n'a pas été conçue (gestion d'apports solaires plus importants, températures intérieures plus élevées, occupation d'espaces conçus à l'origine comme espaces tampons, etc.). Et ce, en réduisant simultanément ses dépenses énergétiques.

Mais lors de ces aménagements, les parois de ce bâti traditionnel auxquelles on affecte une nouvelle fonction thermique risquent de voir leur fonctionnement et leur équilibre profondément modifiés.

Quelle que soit la technique traditionnelle devant laquelle on se trouve, la compréhension préalable du fonctionnement global de l'ensemble du bâti est indispensable avant tout projet d'aménagement et d'amélioration thermique.

Depuis 30 ans l'amélioration thermique des murs traditionnels a consisté à poser, en France, un doublage isolant côté intérieur. Si ce traitement a bien pour effet de réduire la sensation de paroi froide et de freiner la fuite des calories, il présente néanmoins de nombreux inconvénients dont les deux principaux au niveau thermique entraînent :
– la perte du bénéfice de l'inertie thermique représentée par la masse du mur, et donc de la possibilité de profiter pleinement des apports solaires et de se protéger des surchauffes d'été ;
– des condensations dans l'isolant entraînant une chute de sa résistance thermique. Lors de la pose d'un pare-vapeur présentant des discontinuités, ces problèmes sont amplifiés en concentrant ces condensations à certains endroits sensibles.

Maison en pisé.
Excepté certaines parois à base de bois, les murs traditionnels sont constitués de matériaux massifs, épais. Ce patrimoine est généralement caractérisé par :
– une grande inertie qui lui permet d'assurer très bien le confort d'été mais qui génère des performances de moyennes à mauvaises pour l'hiver ;
– une grande capillarité qui permet aux murs de réguler les transferts de vapeur d'eau dans leur masse.

14. En opposition à «conventionnel» qui qualifie les techniques et matériaux issus de l'industrie contemporaine, le qualificatif «traditionnel» désigne les matériaux et mises en œuvre issus des savoir-faire populaires locaux. «Bâti traditionnel» ou «bâti ancien» désignera donc les techniques de construction en vigueur jusqu'au début du XXe siècle.

Fonctionnement hygrothermique d'un mur traditionnel

En période de chauffe, la vapeur d'eau qui rentre dans le mur sous l'effet de la surpression de l'air intérieur se condense en traversant les couches froides du mur. Cette eau est alors tractée par la capillarité vers les parements dont la porosité lui permet de s'évaporer à nouveau. Ce phénomène, qui se produit sur des cycles longs et dans de grandes quantités de matériaux, favorise en l'absence d'accidents ou d'interventions maladroites une très bonne durabilité du mur et de ses performances.

Flèche rouge : pression de vapeur d'eau.
Flèche verte : évaporation.
Flèche bleue : capillarité.

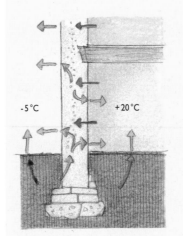

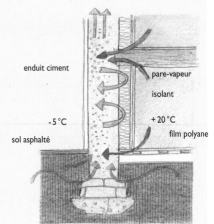

Fonctionnement hygrothermique
d'un mur traditionnel.

Fonctionnement hygrothermique
d'un mur traditionnel isolé par l'intérieur.

Sans précautions particulières, la pose d'un isolant à l'intérieur d'un mur ancien favorise des condensations importantes dans l'isolant. Pour pallier cet inconvénient, l'utilisation de films pare-vapeur est malheureusement d'une efficacité toute théorique. En fait, dans les conditions réelles, le pare-vapeur concentre la vapeur d'eau et la condensation dans les nombreuses zones où il est discontinu (liaisons entre lés, traversées de câbles électriques, liaisons planchers d'étage/murs, refends*/murs, pourtour des baies, etc.). Ce système d'isolation remplace donc une humidité diffuse dans l'ensemble du mur par une humidité concentrée en certains points.

L'humidité d'un mur ancien arrivant également par le sol, la présence du pare-vapeur accentue encore, par l'annulation des possibilités d'évaporation par l'intérieur, la présence de cette humidité. Et la capillarité, au lieu de jouer son rôle d'assainissement, entraîne l'eau de plus en plus haut dans le mur avec des conséquences parfois catastrophiques (pourrissement des pièces de bois du mur, des ancrages des solives bois, chutes de performances des isolants, moisissures, salpêtre, dégradations de l'air intérieur…).

En outre, l'absence de système de ventilation à fort débit augmente dans ce cas les conséquences de ce traitement des murs et favorise en plus une propagation d'un air malsain dans l'habitat.

Saignée de sauvetage sur une maison du Gers en briques de terre crue (adobe) isolée conventionnellement par l'intérieur et enduite au ciment.
Cette opération d'urgence en attendant une réhabilitation dans les règles de l'art réduit les nuisances par la possibilité d'évaporation au niveau du soubassement.

Avec une meilleure connaissance du fonctionnement des murs traditionnels, la question de les isoler ou de ne pas les isoler se pose réellement. Néanmoins, entre la simple correction thermique et la véritable isolation, plusieurs solutions techniques sont possibles.

• Pose d'un complexe isolant par l'extérieur

Cette solution, similaire à celle présentée au paragraphe « Murs maçonnés minces + isolation extérieure », p. 94, doit respecter la capacité de la paroi à évacuer son humidité par l'extérieur. Lorsqu'elle est possible sur un bâtiment ancien, cette solution est sans contexte celle qui apporte le plus d'améliorations thermiques aux bâtiments.

• Pose d'un simple enduit isolant sur le parement extérieur

Lorsqu'il n'est pas adapté, pour des raisons techniques, esthétiques ou patrimoniales de réaliser une véritable isolation par l'extérieur, la réalisation d'enduits isolants de quelques centimètres permet d'atteindre des performances tout de même appréciables (voir encadré ci-dessous).

• Pose d'une isolation intérieure

Cette solution se fait par voie sèche ou humide au moyen d'un isolant ne perturbant pas le fonctionnement hygrothermique des murs d'origine. Le bénéfice thermique est double :
– même si elle est relativement mince, cette couche isolante réduit fortement les déperditions thermiques (voir encadré) ;
– elle offre au mur un parement ayant la capacité de prendre très vite la température de l'air (voir « L'effusivité thermique », p. 71).

• Pose en parement intérieur d'une correction thermique par un matériau à faible effusivité

Lorsque l'on sait que la température du parement joue pour moitié dans la température ressentie, on comprend pourquoi la pose d'un parement, même relativement mince (lambris, voilage, liège décoratif, papier ingrain*…) apporte un gain thermique et des économies de chauffage réels.

Enduit chanvre en cours de réalisation.
La pose d'un enduit isolant perméable à la vapeur d'eau à l'intérieur de murs massifs améliore la résistance thermique du mur et augmente sa température de surface sans contrarier son équilibre hygrothermique. Selon son épaisseur, elle permettra également de pouvoir profiter encore d'une partie de la capacité thermique du mur d'origine.

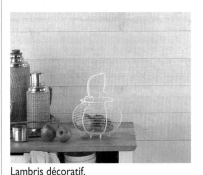

Lambris décoratif.
L'utilisation de parements intérieurs en bois même en faible épaisseur supprime le rayonnement froid de la paroi et permet d'obtenir une grande variété d'effets décoratifs.

Isolation et épaisseur des isolants

Contrairement à une opinion couramment répandue, le rendement thermique d'une isolation n'est pas proportionnel à son épaisseur. La figure ci-contre montre que les deux premiers centimètres d'isolation (λ 0,04) sur un mur apportent une économie en besoins de chauffage (103 kWh/m²/an) environ deux fois et demie supérieure aux 8 centimètres supplémentaires qu'on pourrait leur ajouter (42 kWh/m²/an). En outre, cet effet isolant se cumule avec la réduction de la sensation de paroi froide, ce qui permet d'abaisser la température de l'air intérieur de plusieurs degrés tout en conservant la même sensation de confort.

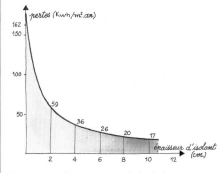

Pertes annuelles moyennes de 1 m² de mur en fonction de l'épaisseur d'isolation.

Les toitures

Même si sa surface est souvent inférieure à celle des murs, la toiture est dans un bâtiment l'organe le plus sollicité thermiquement. Il occasionne à la fois le plus de déperditions caloriques en hiver (par stratification de l'air chaud), et le plus de risques de surchauffes en été. Le choix du système retenu devra répondre à ces deux exigences, et donc ne pas négliger, comme trop souvent, sa capacité à contribuer au confort thermique d'été.

A. Toitures-terrasses (en neuf et en réhabilitation)

Traditionnelles sous des climats divers, les toitures-terrasses offrent globalement des performances thermiques intéressantes (15).

• Amélioration du coefficient de forme (voir p. 44).

• Forte inertie entraînant un confort amélioré pour l'été (déphasage et atténuation des pics de chaleur) et pour l'hiver par la possibilité donnée de conserver les calories gratuites des journées ensoleillées.

• Durabilité importante des matériaux usuellement utilisés pour la confection de tels complexes (béton et verre cellulaire le plus souvent, mais aussi bois massif et liège expansé...).

• Bilan écologique de moyen à bon dépendant principalement de la performance thermique de l'ensemble (continuité de l'isolant de toiture avec l'isolant des murs, épaisseur et qualité de l'isolant…).

Végétalisation extensive à base de sédums.

Végétalisation naturelle dite « toiture prairie ».
Si elle n'est pas du tout répandue en France, la technique qui consiste à végétaliser des toitures en pente n'en comporte pas moins les mêmes intérêts thermiques et environnementaux que pour les toitures végétales plates.

15. La seule solution retenue dans ce paragraphe concerne celle où l'isolant est placé au-dessus de la structure porteuse. Une isolation « sous dalle » ne présente pas suffisamment d'intérêt pour être présentée dans cet ouvrage (voir *L'Isolation écologique*).

Application d'une étanchéité thermosoudable sur des panneaux isolants de verre cellulaire, au cours de la réhabilitation d'une toiture-terrasse.
Que ce soit en neuf ou en réhabilitation, la pose de l'isolant et de l'étanchéité est une opération qui ne souffre aucune approximation.

Toiture-jardin à Munich.
Végétaliser les toitures-terrasses apporte, en plus de performances thermiques améliorées pour le confort d'été comme pour le confort d'hiver, des intérêts environnementaux indéniables :
– réduction des stockages thermiques et de la réverbération en zones urbanisées en été, création de zones d'évapotranspiration ;
– ralentissement de l'écoulement des pluies ;
– participation au maintien de la biodiversité. Architecte paysagiste : D. Evert.

B. Gestion des combles en espace tampon, ou « toiture froide »
(en neuf et en réhabilitation)

Le principe bioclimatique de l'espace tampon entre l'espace chauffé et l'extérieur du bâtiment comporte de nombreux avantages, y compris pour les toitures. Il consiste dans le cas de toitures pentues à ménager des combles perdus, c'est-à-dire non utilisés ou servant de simples greniers aérés.

Que l'on soit en construction neuve ou en réhabilitation, l'isolation horizontale du plafond du dernier étage ou du plancher du grenier présente plusieurs intérêts.

• Performances thermiques améliorées pour le confort d'été : la température d'un grenier aéré est sensiblement identique à la température extérieure alors que celle de l'espace entre l'isolant et la couverture dans le cas de combles aménagés s'apparente plus à celle d'un capteur à air (couramment supérieure à 60 ou 70 °C).

• Performances pour le confort d'été et d'hiver de bonnes à excellentes en fonction de la conductivité thermique et de la capacité thermique des isolants retenus mais aussi de leur épaisseur et de leur éventuelle continuité avec l'isolation des murs.

• Facilité de mise en œuvre de l'isolant avec un choix de matériaux beaucoup plus important (entre autres par la possibilité offerte d'un simple déversement de matériaux en vrac, produits souvent plus performants et moins onéreux que les isolants se présentant en panneaux ou en rouleaux).

• Qualité de gestion de l'hygrométrie et des transferts de vapeur d'eau de mauvaise à bonne selon qu'on utilise des isolants conventionnels dans des parois non perspirantes* ou un ensemble de composants gérant les transferts de vapeur d'eau (voir « Isolation et hygrothermique », p. 89).

• Durabilité supérieure de la charpente et de la toiture en plus de la possibilité offerte de vérifier facilement leur état.

• Bilan écologique de bon à excellent en fonction de la performance de l'isolation, du choix de l'isolant et de la durabilité de ses performances.

Isolation entre solives avec de la laine de cellulose en vrac.
Les éventuels tassements de matériaux posés en vrac dans des coffres horizontaux seront limités et se feront uniformément. De plus, ne permettant pas la formation de galeries, ils seront également peu sensibles aux passages de rongeurs.

Réalisation du plancher grenier sur isolation en anas de lin.

Pose de laine de mouton brute en isolation de plafond sous combles non aménagées.

C. Toitures sur combles aménagés, ou « toiture chaude »
(en neuf ou en réhabilitation)

Les coûts croissants du foncier et de la construction conjugués à une demande de volumes habités toujours plus importante entraînent souvent l'utilisation des combles en espace de vie.

Cette évolution qui s'est généralisée ces trente dernières années grâce, entre autres, à l'arrivée sur le marché d'isolants thermiques peu onéreux, favorise généralement des espaces de vie inconfortables (problèmes de surchauffes en été, fortes déperditions en hiver…). Cet inconfort n'est pourtant pas une fatalité, mais aménager des combles thermiquement confortables nécessite un soin et un investissement rarement consentis lors de ce type de travaux :
– choix de matériaux lourds à inclure dans le sol et les cloisons (stockage de la chaleur pour augmenter l'inertie d'où moindre sensibilité aux surchauffes) ;
– utilisation d'isolants à bonne capacité thermique. Voir également p. 86 « Isoler pour l'hiver ou pour l'été ».
De fait, les performances de ces parois seront très variables.

- Résistance thermique de moyenne à excellente.
- Contribution au confort d'été de mauvaise à bonne.
- Qualité de gestion de l'hygrométrie et des transferts de vapeur d'eau de mauvaise à bonne selon qu'on utilise des isolants conventionnels dans des parois non perspirantes* ou un ensemble de composants gérant les transferts de vapeur d'eau (voir p. 89).
- Durabilité des performances de mauvaise à bonne en fonction du type de remplissage et de la qualité de mise en œuvre.
- Bilan écologique de mauvais à excellent selon les performances réelles de la paroi et le bilan environnemental des isolants utilisés.

Isolation en bottes de paille de caissons préfabriqués.
Le surcoût imposé par l'utilisation de chevrons de 35 cm de hauteur est largement compensé par le faible coût de la paille, la rapidité de mise en œuvre de tels coffres préfabriqués et surtout la performance thermique obtenue.
Projet : Montholier. Achitectes : A. Combet et J.-M. Haquette.

Recherche d'un compromis entre isolation et inertie

Parallèlement aux recherches pour apporter aux murs ossature bois une capacité thermique proche des systèmes maçonnés à isolation répartie (voir p. 97), des initiatives ont vu le jour pour adapter le même type de solutions aux toitures. Si avec des bétons de chanvre très légèrement dosés en liant, les premiers résultats donnent grandes satisfactions (voir www.construction-chanvre.asso.fr), de nombreuses initiatives alternatives semblent également pertinentes.

Plafond en terre cuite.
Le choix de matériaux de plafonds à forte capacité thermique permet de renforcer la capacité de l'ensemble de la paroi. Hammam du centre Nature d'Eaux à Chateauneuf-sur-Isère.

Essai d'isolation en conglomérat chaux/tiges de tournesol broyées.
En plus de trouver un compromis entre isolation pour l'hiver et capacité thermique pour l'été, ces techniques permettent de valoriser des « déchets » agricoles sous forme de « co-produits ».

Isolation des rampants et réhabilitation

Isolation de la toiture avec dépose de la couverture

Cette situation, de loin la plus satisfaisante, sera traitée comme une intervention dans le neuf.

Isolation de la toiture sans dépose de la couverture

Dans la plupart des cas, la couverture (tuiles ou autre revêtement + supports + pare-pluie) est très perméable à la vapeur d'eau. On approchera alors le chantier de réfection comme si nous étions en neuf… avec néanmoins la contrainte de ne pouvoir intervenir que par le dessous.

Mais le problème devient plus complexe dans les cas où la couverture est non perspirante* (sous-toiture étanche comme certains écrans bitumés ou panneaux CTBX…). Une solution théoriquement satisfaisante serait d'apporter un isolant avec en sous-face un pare-vapeur… mais pour être pérenne cette solution doit pouvoir garantir une continuité parfaite et durable de ce film. Estimant cette situation improbable, il est préférable dans ce cas d'envisager la solution proposée par nos voisins allemands de mettre en œuvre des isolants peu sensibles à la présence de vapeur d'eau ou d'eau de condensation associés à des freine-vapeur adaptés (voir schéma ci-dessous).

Isolation de toiture par déversement de chènevotte brute.

Sur des chantiers en neuf ou en réhabilitation, choisir de poser l'isolant par le dessus donne la possibilité d'utiliser des matériaux en vrac. Ces produits, souvent performants en thermique d'hiver et d'été, sont généralement beaucoup moins onéreux que des isolants en panneaux ou en rouleaux. De plus, c'est une gamme dans laquelle le choix de matériaux écologiquement satisfaisants est large.

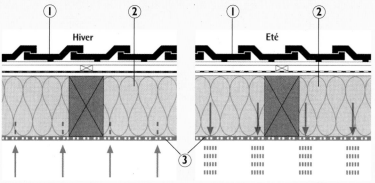

Préconisation pour toiture en rénovation étanche à la diffusion de vapeur d'eau.

Exemple d'une isolation de toiture en laine de cellulose sous un voligeage avec feutre bitumé étanche. Le freine-vapeur permet une certaine pénétration de l'humidité dans l'isolant en hiver, et une évaporation de celle-ci en été. Certains freine-vapeur à porosité variable s'adaptent même au taux d'humidité ambiant. Evidemment il est essentiel pour ce type de mise en œuvre que l'isolant choisi ne soit pas affecté par l'humidité dans sa résistance thermique comme dans sa durabilité.

1 Ensemble couverture/sous-couverture étanche à la vapeur d'eau
2 Isolant en laine de cellulose insufflée
3 Freine-vapeur
(film DBT, source: PRO - CLIMA)

En haut. Insufflation de laine de cellulose.
En bas. Pose de panneaux de laine de bois.

La pose de l'isolation par dessous peut s'avérer nécessaire quand il n'y a pas dépose de la couverture. Dans ce cas, un soin tout particulier doit être apporté à la continuité de l'isolant et à son comportement vis-à-vis de l'humidité.

En hiver, la chaleur issue du rayonnement solaire qui balaye le sol pendant le jour est stockée dans celui-ci pour être réémise quand il a disparu. Conception : J.-P. Oliva.

Principe de conception des sols

Pour la plupart des professionnels, les exigences thermiques concernant l'interface entre le terrain et l'espace habité sont secondaires. On cherche d'abord à assurer la portance de la maison et à isoler l'espace de vie des éventuelles remontées d'eau ou d'humidité.

Sur ce point encore, l'approche bioclimatique sera plus exigeante. Principalement parce que le sol est une « paroi » facile et économique à utiliser pour stocker les calories, les distribuer en saison froide ainsi que pour constituer un réservoir de fraîcheur en été.

Une première famille de solutions techniques rencontrées en architecture bioclimatique cherche à mettre à profit l'hyper-inertie du sol en augmentant les surfaces de contact entre l'espace habitable et celui-ci. On trouve dans ce cadre des constructions enterrées ou semi-enterrés (voir § 2.2, p. 41).

Une seconde approche plus conventionnelle propose trois types de solutions thermiques :
– on crée un volume d'inertie en contact avec l'espace habité et isolé du sol ;
– on isole totalement l'espace habité et chauffé du sol naturel ;
– on cherche un compromis entre isolation et inertie.

A. Création d'un volume d'inertie isolé du sol
(en neuf ou en réhabilitation)

Dans cette solution dite sur « terre-plein », on profite de la facilité de poser d'importantes masses de matériaux au sol pour créer, en contact avec l'espace de vie, des masses d'inertie plus ou moins importantes.
Dans ce cas, l'isolation se situe :
– sous la chape (inertie faible). C'est la situation obligée si l'on a un plancher chauffant standard ;
– sous l'ensemble dalle + chape (inertie moyenne). On retrouve notamment cette solution « moyenne » avec les planchers solaires directs (16) ;
– sous une quantité plus ou moins importante de matériaux lourds (inertie forte à très forte).

Cette dernière solution technique est très appréciée en architecture bioclimatique car ces masses à forte inertie, de faible coût, sont placées à l'endroit idéal pour réceptionner les calories gratuites nous arrivant par les baies vitrées. Elles peuvent aussi facilement servir à stocker les calories issues de l'air chauffé par un capteur à air ou par un chauffage classique. Ce type de solution permet facilement d'apporter une inertie très forte au bâtiment voire de gérer des stockages intersaisonniers (voir p. 84).
La création d'un volume d'inertie au sol a en général de bonnes performances.
  • Bonne résistance thermique pour la saison froide.
  • Résultats de bons à excellents pour le confort d'été, excepté pour l'isolation sous chape.

16. Les planchers solaires directs (ou PSD), avec une dalle d'environ 13 à 16 cm, proposent un compromis entre un plancher chauffant standar, qui a l'avantage de s'adapter très vite aux besoins thermiques des espaces habités, et une inertie forte du sol, qui a l'avantage de stocker naturellement beaucoup de chaleur.

• Qualité de gestion de l'hygrométrie et des transferts de vapeur d'eau de mauvaise à bonne selon qu'on utilise des films étanches conventionnels (type polyane) ou un ensemble de composants gérant les transferts de vapeur d'eau (type hérisson* aéré).

• Bonne durabilité des performances si les règles de l'art sont respectées dans le choix des isolants et de leur mise en œuvre.

• Bilan écologique de bon à excellent selon les matériaux utilisés.

Plancher chauffant ou inertie ?

Dans le cas où le sol de l'espace habité est utilisé pour la réalisation d'un plancher chauffant, il est impératif de poser sous la chape un complexe très isolant performant ($U < 0,66$ W/m².K). Mais cette option annule de fait le bénéfice de l'inertie du sol naturel. Profiter de cette inertie tout en gardant les avantages des parois chauffantes ne sera donc possible qu'avec :
– des murs enterrés en complément d'un plancher chauffant ;
– des murs chauffants en complément d'un sol à très forte inertie.

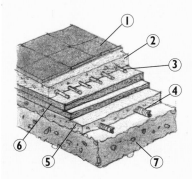

1	Terre cuite
2	Chappe de finition
3	Tubes pour le plancher chauffant
4	Passage des gaines
5	Chappe de compression
6	Couches croisées de liège
7	Dalle

Sol avec plancher chauffant à basse température.
Le choix de matériaux écologiques (à bilan environnemental élevé) est très limité dans ce type d'utilisation où les contraintes techniques sont fortes, notamment le comportement à l'humidité et la résistance à la compression (voir certification ACERMI).

En haut. Hérisson* (ou hérissonnage) terminé.
Au milieu. Pose du liège terminée.
En bas. Dalle coulée.
Deux couches de 4 cm de liège sont placées entre le hérisson* et la dalle. L'inertie du sol est donc moyenne pour ce projet et vient en complément de murs capteurs et de refend* lourds (voir p. 110). Maison Renaudin (Jura). Conception : J. P. Oliva–O. Teissier–ScopHabiTer.

B. Espace chauffé sans contact avec le sol
(en neuf et en réhabilitation)

C'est une solution que l'on rencontre avec les constructions sur pilotis ou sur vide sanitaire.

Construction sur pilotis

Le cas le plus fréquent de sols surélevés sur pilotis se trouve dans la construction à ossature bois.

La paroi inférieure de l'espace habité est alors gérée dans la même logique que les autres parois séparant l'espace chauffé de l'extérieur. Les techniques se rapprochent donc de celles utilisées dans les parois à ossature bois avec remplissage isolant (voir p. 96). Cette solution, dont les performances thermiques dépendent beaucoup du type des matériaux choisis et de la qualité de leur mise en œuvre, n'apportera pas d'inertie au sol du bâtiment. De fait, elle sera difficilement compatible avec la recherche de gains solaires gratuits et donc l'optimisation thermique que l'on recherche en architecture bioclimatique.

Construction sur vide sanitaire

Dans les systèmes de construction maçonnés, la technique du vide sanitaire consiste à interposer entre le volume habité et le sol un espace ventilé. Si les avantages de cette option constructive sont réels pour les professionnels (pose facile des branchements et évacuations, réalisation simplifiée des protections contre l'humidité…), la généralisation de cette solution produit des résultats thermiques médiocres :

– la construction ne profite pas de l'inertie du sol ;

– existence de nombreux ponts thermiques (en périphérie, aux traversées des murs de refend*, aux passages des canalisations…).

Les planchers séparés du sol (sur vide sanitaire ou pilotis) ont donc des bilans très variables.

- • Résistance thermique pour la saison froide de moyenne (sur vide sanitaire) à excellente (sur pilotis avec une isolation épaisse correctement réalisée).
- • Contribution au confort d'été de mauvaise à moyenne (sur vide sanitaire isolé sous dalle).
- • Qualité de gestion de l'hygrométrie et des transferts de vapeur d'eau de mauvaise à bonne selon qu'on utilise des isolants conventionnels dans des parois non perspirantes* ou un ensemble de composants gérant les transferts de vapeur d'eau (voir p. 89).
- • Durabilité des performances de mauvaise à bonne en fonction du type de remplissage et de la qualité de mise en œuvre.
- • Bilan écologique de mauvais à bon selon les matériaux utilisés mais surtout les performances réelles de la paroi et leur durabilité.

Pose de hourdis en terre cuite sur solives bois.

Cette technique répandue en Suisse et en Allemagne permet de réaliser des sols sur vide sanitaire avec une certaine inertie, que l'on peut renforcer avec une chape lourde et mieux conserver avec une isolation par-dessous (par exemple avec des plaques de liège ou de bois feutré). Les ponts thermiques sont annulés si le soubassement est en maçonnerie isolante.

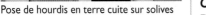

Isolation entre solives de sol en panneaux de laine de cellulose.

Selon le dimensionnement des solives, on pourra créer une légère inertie au-dessus avec un sol en carrelage par exemple.

C/ Recherche d'un compromis entre inertie et isolation
(en neuf ou en réhabilitation)

Cette troisième solution cherche à composer avec la très forte inertie du sol tout en limitant les déperditions thermiques en saison froide. Pratiquement, elle consiste à réaliser une isolation performante, mais seulement sur la périphérie de la maison.

- Résistance thermique moyenne pour la saison froide.
- Très bonnes performances pour le confort d'été (cette solution est souvent proposée en climat méditerranéen et/ou en association avec des maisons ossature bois).
- Qualité de gestion de l'hygrométrie et des transferts de vapeur d'eau de mauvaise à bonne selon qu'on utilise des films étanches conventionnels (type polyane) ou un ensemble de composants gérant les transferts de vapeur d'eau (type hérisson* ventilé).
- Bonne durabilité des performances si les règles de l'art sont respectées dans le choix des isolants et leur mise en œuvre.
- Bilan écologique de bon à excellent selon les matériaux utilisés.

Diagramme simplifié des échanges thermiques d'un bâtiment chauffé construit sur terre-plein avec le sol.
La chaleur provenant de la zone centrale de la dalle se dirige principalement vers le sous-sol (stockage), tandis que la chaleur émise sur la périphérie de la dalle suit plutôt un trajet qui la ramène vers la surface (déperditions).

Pose isolant.
Pose de panneaux de liège expansé côté intérieur du mur de soubassement.

Coulage d'une dalle en billes d'argile expansée.
Si l'utilisation de végétaux (bois ou autres fibres) est pertinente dans de nombreuses mises en œuvre, dans le cas de dalles isolantes en contact avec le sol, on préférera des matériaux minéraux (perlite, vermiculite, pouzzolane, argile expansée…).

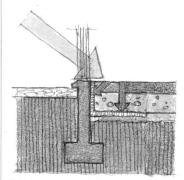

Solution pour une dalle sur terre-plein conciliant l'isolation (pour éviter par exemple qu'une partie des gains solaires ne reparte vers l'extérieur) et l'inertie du sous-sol.

3.1.3 Les parois et parements intérieurs

Les parois intérieures remplissent des fonctions multiples : outre leur contribution possible à la stabilité du bâtiment dans certains cas, elles assurent les séparations visuelles, acoustiques et thermiques entre les divers volumes de l'espace intérieur.

Cette fonction thermique peut être de séparer deux espaces chauffés différemment ou d'apporter de l'inertie au bâtiment. Par ailleurs, les matériaux de parement ont un rôle important dans le confort intérieur (voir le rôle de l'effusivité p. 71).

L'inertie dans les parois intérieures

Le rôle de l'inertie des parois intérieures est particulièrement important :
– lorsque l'on utilise pour les parois extérieures des systèmes ne permettant pas l'intégration de matériaux lourds (parois ossature bois, isolation sous plancher chauffant…) ;
– lorsque l'on cherche à optimiser les fonctions « solaire passif/chauffage/ventilation » en jouant sur le temps de restitution des apports ;
– lorsque, particulièrement en climats chauds, on mise sur la seule surventilation nocturne comme système de rafraîchissement.

Pour utiliser au mieux les masses qui stockent et réémettent les calories, il faut d'une part les placer près des sources de chaleur (soleil et systèmes de chauffage) ou de fraîcheur (courants d'air créés par la surventilation nocturne), et d'autre part augmenter le plus possible leur surface d'absorption et de réémission.

Ainsi, outre les murs d'enveloppe qui pour certains font profiter directement l'espace intérieur de leur inertie (isolation par l'extérieur, isolation répartie et murs capteurs), il est possible de créer des parois internes lourdes dans :
– les cloisons et autres murs de refend*, par l'utilisation de matériaux lourds type béton, briques pleines, terre crue, briques de terre cuite remplies de terre ou de sable… ;
– l'interface entre plafonds et planchers, par la réalisation de dalles lourdes en béton ou en bois béton, ou par des remplissages sur plafonds avec des matériaux lourds (terre crue, sable…).

Pour que ces parois puissent correctement remplir leur mission de stockage et de distribution de chaleur, leur rayonnement vers l'espace à tempérer ne doit pas être contrarié par un parement ou une finition isolante : la pose d'un habillage « chaud » (à faible effusivité), comme du tissu, du papier, du lambris ou de la moquette, est dans ce cas ouvertement contre-performante.

La peau extérieure (ossature bois remplissage bottes de paille) enveloppe le volume habitable et protège son inertie. Celle-ci est constituée par la dalle du rez-de-jardin (voir p. 107), le complexe plafond/plancher et les murs intérieurs (refends* et murs capteurs). Ceux-ci sont bâtis au moyen de briques creuses à bancher remplies de terre crue compactée. Maison Renaudin (Jura). Conception : J.-P. Oliva-O. Teissier-ScopHabiTer.

La faible inertie des parois extérieures d'une maison ossature bois peut être compensée par d'épais refends* intérieurs en blocs de terre crue compactée (BTC). Maison Langer (Vienne). Conception : A & A Langer, réalisation : S. Courgey et A. Langer.

Plancher provençal bois et plâtre.
La technique traditionnelle consistant à associer une forte épaisseur de plâtre à des éléments porteurs en bois de section triangulaire permet de construire des planchers à forte inertie et, qui plus est, décoratifs et peu sensibles au feu. Conception : J.-P. Oliva.

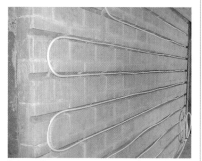

Brique de terre avec passages de canalisations d'eau.
Composer des murs chauffants en terre peut être facilité par l'achat de briques spécialement prévues à cet effet.

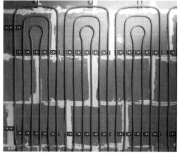

Cloison lourde chauffante entre deux pièces.
Les briques remplies de sable rayonnent la chaleur sur leurs deux faces.

Les matériaux de stockage à changement de phase* (ou à chaleur latente)

À côté des matériaux de stockage traditionnels qualifiés par leur capacité thermique se développe une famille de matériaux dits à « changement de phase » à base de sels (comme la chliarolithe) ou de cires, ayant la propriété de « fondre » à des températures relativement basses. Ce changement de phase (de l'état solide à l'état liquide par exemple) provoque une absorption importante de chaleur par unité de masse, chaleur qui se trouve de fait stockée jusqu'à l'inversion du cycle.

Ce type de « nouveautés », intéressantes par la contribution qu'elles peuvent apporter au confort d'hiver comme d'été, aidera sans doute à redécouvrir que de nombreux matériaux anciens apportent des résultats similaires. C'est le cas par exemple avec la terre crue qui peut se charger fortement en vapeur d'eau… qui se condense lorsque le mur est froid (en libérant de la chaleur) pour se réévaporer lorsque la température augmente (en absorbant alors de la chaleur, créant ainsi de la fraîcheur).

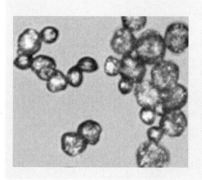

Matériau à changement de phase.
Certains plâtres ou plaques de plâtre intègrent des cires à changement de phase* dans des capsules de polymère microscopiques. Pendant la journée, le matériau « fond » et absorbe des calories sans se réchauffer, la nuit il « cristallise » et cède ces calories.

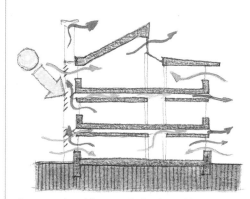

Les masses inertielles sont placées de manière logique vis-à-vis du système de ventilation afin que les flux d'air puissent venir les « lécher » ou non en fonction des missions qui leur sont attribuées.
Sur cette coupe, par exemple, les flux d'air froid passent entre le faux plafond et la dalle : ce sont les planchers qui durant les journées d'été dispensent la fraîcheur. Bâtiment BRE (R-U). Architectes : Feilden-Glegg.

Enduit en terre.
Les enduits en terre, en plus de contribuer au confort par l'hygroscopie forte du matériau, apportent une surface « feutrée » très chaude. Et ce, sans contrarier véritablement la contribution inertielle de la paroi qu'ils recouvrent.

Plancher chauffant.
Un plancher chauffant, en plus d'apporter un confort à moindre coût, permet à la masse de la dalle de s'adapter aux besoins : fraîche en été grâce à un matériau à faible effusivité (terre cuite, carrelage, béton ciré…), chaude en hiver car tempérée par le système de chauffage.

17. Sachant que la consommation de chauffage augmente de 7 à 14 % chaque fois que l'on augmente la température de l'air de 1 °C, l'investissement dans un parement à faible effusivité (qui prend quasi instantanément la température de l'air) est sans conteste un des meilleurs placements financiers possibles.
18. L'habillage avec du bois d'une paroi à forte inertie contrarie fortement le rayonnement de cette dernière du fait de l'air contenu derrière le bois et non du fait du matériau bois. Cela explique que quand le parement bois fait corps avec la masse, cette dernière peut « rayonner » et ainsi véhiculer du chaud ou du froid. C'est le cas par exemple avec des parois larges en bois massif qui peuvent être utilisées comme masse inertielle ou avec des parquets collés sur planchers chauffants.

L'effusivité thermique des parements

Sachant que la température des parois contribue autant que celle de l'air dans la sensation de confort (voir § 1.2, p. 29), le choix des parements intérieurs revêt une grande importance (17)… Mais, comment obtenir des parements frais pour l'été, chauds pour l'hiver, et qui ne contrarient pas le rayonnement des masses inertielles du bâtiment ?

La résolution de cette équation trouve des réponses diverses selon le climat et le type de bâtiment.

• En fonction de la priorité climatique (confort d'hiver ou d'été), il faut composer avec l'effusivité thermique des parements. Un matériau « froid », c'est-à-dire à forte effusivité (la pierre, la faïence…), sera recherché pour l'été. Un matériau « chaud », c'est-à-dire à faible effusivité (bois, liège, papier, tissus…), améliorera grandement, lui, le confort d'hiver.

Mais, sachant que de telles finitions « chaudes » contrarient le rayonnement des masses inertielles, il vaut mieux ne les utiliser que pour les parois dont on n'exploite pas l'inertie. Les anciens utilisaient souvent le compromis, également économique, des boiseries à hauteur d'épaule.

• Une complémentarité peut être trouvée avec le système de chauffage : en effet, les parements à forte effusivité diffusent du froid par rayonnement… sauf s'ils sont chauds. On a donc intérêt à associer le système de chauffage (solaire passif ou système d'appoint) à des masses qui peuvent servir en été pour rafraîchir les espaces. Un sol habillé de terre cuite par exemple, s'il est isolé par-dessous pour empêcher la conduction des calories, ne présente que des avantages : chaud en hiver et frais en été.

• Avec des parements changeant avec la saison. Cette possibilité est offerte par exemple avec des cloisons légères type cloisons japonaises ou des voilages que l'on installera en automne pour les déposer au printemps.

• Enfin, on peut composer sans compter avec le bois, qui, contrairement aux autres matériaux, apporte, en même temps qu'une effusivité faible (sa surface se réchauffe très vite si l'air est chaud) une capacité thermique réelle (qui lui permet de stocker la chaleur) (18).

Températion du béton

La « températion » du béton consiste à noyer des tubes à circulation d'eau directement dans les dalles pleines, sans isolation entre niveaux (doublage, faux plafond, parement chaud…). Le but est, en alimentant les tubes à très basses températures (28 à 30 °C l'hiver, 19 à 20 °C l'été) de tirer le meilleur parti possible de l'inertie du béton. Les dalles pleines mais aussi les murs banchés le cas échéant émettent par rayonnement l'hiver et absorbent les charges l'été… Des bâtiments équipés de telles parois parviennent à maintenir toute l'année un confort important avec une faible variation des températures intérieures.
Cette solution, simple et économique, s'impose dans de nombreux projets « basse énergie* », entre autres dans des bâtiments tertiaires en Suisse.

3.2 LES PAROIS VITRÉES (FENÊTRES ET AUTRES BAIES)

Les fonctions des baies vitrées sont multiples : elles transmettent la lumière, permettent les vues vers l'extérieur, offrent des possibilités d'aération… Du point de vue thermique, elles sont les organes de captage solaire les plus simples, les plus économiques et donc les plus répandus.

Pourtant, cet organe courant de nos bâtiments ne devient pas élément d'enveloppe performant par ses seules qualités intrinsèques. C'est en fonction du contexte de leur utilisation et de leurs synergies avec les autres composants du bâti que les baies vitrées permettront selon les cas de couvrir 20 à 80 % des besoins caloriques de nos habitations.

Mais les parois vitrées peuvent aussi constituer un des principaux points faibles de l'enveloppe thermique des bâtiments.

• Dans une construction conventionnelle où les baies sont disposées sans souci climatique, les déperditions thermiques par les vitrages représentent environ 25 à 35 % des déperditions totales (19).

• Plus les vitrages sont grands, plus s'accroissent les risques de surchauffes, en été pour les bâtiments à forte inertie, en toute saison pour des bâtiments sans masse thermique. Dans ce dernier cas, le bâtiment n'ayant pas la possibilité de stocker les calories, et donc de lisser dans le temps les apports solaires, cette énergie gratuite ne peut que très partiellement être utilisée.

À cette problématique purement thermique, s'ajoutent, dans certaines situations, deux points faibles, dont la solution peut entrer en contradiction avec la fonction thermique : les ponts acoustiques et les risques d'effraction.

La mise en œuvre des baies en tant que capteurs solaires devra donc tenir compte de l'ensemble des fonctions qui leur sont attribuées et des fragilités qui leur sont liées. Elle sera notamment toujours accompagnée des dispositifs de protection thermiques adéquats pour la saison froide comme pour la saison chaude.

3.2.1 Choix de l'orientation des baies vitrées

Les baies vitrées étant à la fois captrices et déperditrices de calories, il convient avant tout de tenir compte de leur bilan thermique (différence entre les gains solaires et les déperditions). Celui-ci dépend de plusieurs paramètres :

– la performance thermique du vitrage (U_g (20) et coefficient g, voir § 2.4.4, p. 72) et de l'ensemble de la baie (U_w, voir § 3.2.3, p. 116) ;

– l'orientation des façades sur lesquelles les baies vitrées se trouvent ;

– le climat (durée et intensité d'ensoleillement, différentiel des températures extérieures et intérieures, etc.) ;

– l'angle que le vitrage forme avec le rayonnement solaire ;

– la performance des éventuelles occultations (volets, voilages…).

19. Un m^2 de double vitrage de base laisse fuir, quand il n'est pas ensoleillé directement, dix fois plus de calories qu'un m^2 de mur bien isolé.

20. Lorsque l'on a affaire à des parois complexes, on pourra différencier plusieurs coefficients de transmission (thermique surfacique) U. Ce sera souvent le cas pour les baies vitrées où l'on pourra repérer de manière spécifique le U du vitrage (U_g pour « g » de glass), celui du cadre (U_f pour « f » de frame) et celui de la baie dans son entier (U_w pour « w » de window).

Le tableau ci-dessous présente les bilans énergétiques (gains – pertes) de 1 m² de fenêtre en tableau* sur une saison de chauffage en fonction de son orientation et du type de vitrage utilisé.

	Sud	Sud-est/sud-ouest	Est/ouest	Nord
Simple vitrage Uw = 4,95 W/m².K	– 75	– 86	– 137	– 203
Double vitrage Uw = 2,95 W/m².K	41	30	– 22	– 87
Double vitrage + volets Uw = 2,25 W/m².K	81	70	19	– 47
Double vitrage à isolation renforcée* (1) Uw = 1,8 W/m².K	107	96	45	– 21
Double vitrage à isolation renforcée* (1) + volets Uw = 1,5 W/m².K	125	114	62	– 4

Bilan de 1 m² de baie vitrée en fonction de leur type (vitrage, présence de volets…) et de leur orientation, en kWh/m² pour la saison de chauffe (Région Île-de-France, menuiseries en bois avec un coefficient de clair* (2) de 0,7).
1. Vitrage à isolation renforcée ou VIR, voir § 2.4.4.
2. Coefficient de clair* (ou de jour) : rapport entre la surface vitrée et la surface en tableau* (voir § 3.2.3, p. 117).
Source : *Guide de recommandations pour la conception de logements à hautes performances énergétiques en Île-de-France.*

Une orientation de sud-est à sud-ouest est théoriquement la meilleure pour bénéficier de la course solaire en hiver. mais elle suppose en été des protections conséquentes sur les façades qui s'écartent du sud. Architecte : R. Marlin.

Ces résultats montrent que :
– les simples vitrages comme les vitrages exposés au nord ont toujours un bilan thermique négatif, c'est-à-dire que sur la saison de chauffe ils laissent partir plus de calories à l'extérieur qu'ils n'en captent ;
– les bilans des autres solutions varient énormément en fonction du type de vitrage, de leur orientation et de l'éventuelle présence de volets ;
– avec une production de 375 kWh par saison de chauffe, une baie vitrée performante de 3 m² orientée plein sud produit autant d'énergie qu'un radiateur moyen (1 000 watts) fonctionnant durant 375 heures. (Ce type d'information fait quelquefois dire qu'une baie vitrée au sud remplace un radiateur alors que la même au nord nécessite un radiateur supplémentaire.)

À partir de ces données la logique générale sera :
– d'agrandir la proportion des vitrages sud (21) et de limiter les ouvertures sur la façade nord ;
– de choisir comme vitrage de base les doubles vitrages à isolation renforcée ou VIR (22) (vitrage à faible émissivité* avec gaz ayant un coefficient U compris entre 1,1 et 1,3 W/m².K, voir § 2.4.4, p. 74) ;
– d'installer des volets et/ou voilages (voir également p. 118 et suiv.).

21. Ces orientations sud optimisant les apports solaires ne doivent pas cependant amener à un héliocentrisme obsessionnel : les vitrages à performances énergétiques élevées disponibles aujourd'hui permettent de disposer des baies en fonction d'autres impératifs que thermiques sans dommages définitifs pour le bilan énergétique, à condition de respecter les précautions nécessaires : occultations nocturnes et protection contre les surchauffes.

22. Les projets de maisons « basse énergie » type MINERGIE® utilisent couramment des baies ayant des performances légèrement améliorées vis-à-vis des produits du marché français (Ug < 1,1 W/m².K au lieu de 1,3 environ ; Uw < 1,4 W/m².K au lieu de 2,0). Le léger surinvestissement que ces produits entraînent semble adapté au marché français, et aux gains thermiques que de telles baies engendrent.
Cela n'est pas le cas en revanche pour les baies qu'exige l'habitat « très basse énergie » (Ug de 0,5 W/m².K et Uw de 0,7 W/m².K). Dans ce cas, le surcoût d'investissement ne semble pas équilibrer encore les avantages induits.

3.2.2 Dimensionnement des baies vitrées

En passant du simple vitrage au double vitrage de base des années 1970, puis aux doubles vitrages performants actuels, l'industrie verrière offre au monde du bâtiment la seule véritable révolution technologique de ces quarante dernières années. De fait, si les parois vitrées restent le point faible de l'enveloppe des bâtiments du point de vue de leur résistance thermique, on sait, avec des performances multipliées par 4 à 6, qu'elles permettent désormais, dans de nombreux cas, de capter, durant la saison de chauffe, plus de calories qu'elles n'en laissent partir à l'extérieur (voir § 2.4.4, p. 72, et § 3.2.1, p. 113).

Cette évolution donne une grande liberté au concepteur et permet de réaliser facilement des bâtiments dont la majorité des apports thermiques proviendra du soleil. Néanmoins, ces apports gratuits ne pourront être utilisés que si les parois captant ce rayonnement ont une réelle capacité de stockage thermique (voir § 3.1.1, p. 80). Faute de quoi, les risques de surchauffes par temps ensoleillé, même en hiver, ne sont pas négligeables. Aux intersaisons et en été, si les protections solaires ne sont pas effectives, des parois vitrées trop nombreuses pourront apporter un inconfort ne trouvant de solution que par la mise en place d'appareils générateurs de froid (23).

Un dosage optimum entre surfaces vitrées et surfaces opaques est donc à trouver sur chaque bâtiment. Il nécessite une étude complète prenant en compte les données climatiques locales, les orientations précises du bâtiment, sa classe d'inertie, son mode d'occupation, le type de vitrage…
Toutefois, au stade des esquisses*, une première approche, établie à partir du bilan de bâtiments existants, permet de proposer un «pourcentage de vitrages sud» par rapport à la surface de plancher d'un logement. Elle permet d'estimer le taux de couverture des besoins de chauffage fourni par les apports solaires ainsi récupérés.

23. Le besoin d'un système de production de frigories (climatisation ou autre) exprime en premier lieu, sous nos climats, la preuve d'erreurs de conception notoires (vitrages trop nombreux, protections solaires inadaptées, inertie du bâtiment insuffisante, choix d'isolants non adaptés…). Avec l'évolution de la réglementation thermique française, de tels mauvais résultats pourront de plus en plus facilement être reprochés aux professionnels du bâtiment… Il est donc temps que ce secteur intègre sérieusement la problématique du confort d'été dès la conception des bâtiments.

Étude de dimensionnement du vitrage sud

	Proportion surface baie sud(b)/surface de plancher	Couverture des besoins de chauffage		
		Maison type standard (b)	Maison type «basse énergie» (b)	Maison type «très basse énergie» (b)
Zone climatique H1(a)	25 à 40 %	15 à 30 %	30 à 50 %	45 à 60 %
Zone climatique H2(a)	20 à 35 %	20 à 40 %	40 à 55 %	50 à 65 %
Zone climatique H3(a)	15 à 30 %	35 à 55 %	55 à 70 %	60 à 80 %

Estimations réalisées sur la base de baies performantes avec vitrage à isolation renforcée (Uw = 1,5 W/m².K).
(a) Zone climatique d'hiver, d'après réglementation thermique, voir carte p. 51.
(b) Voir encadré p. 38.

• La proportion possible de surface vitrée sud dépend principalement des choix de conception, de l'environnement du bâtiment et de sa classe d'inertie. En plus de ces éléments, la proportion des besoins de chauffage couverte (colonnes 3 à 5) dépendra fortement du comportement des occupants.
• Ce tableau ne fait référence qu'aux baies vitrées à captage direct. D'autres systèmes de captage existent et permettent, pour un bâtiment à classe d'inertie donnée, d'augmenter encore ces pourcentages sans risques de surchauffes (c'est la mission des murs capteurs, serres solaires et capteurs à air présentés au chapitre 4).

Des baies captrices à la façade captrice

Des exemples de plus en plus nombreux et probants (en Autriche, en Allemagne, en Suisse, en Scandinavie…) montrent que l'on peut parvenir à des habitats performants ou très performants. Mais, il faudra, en France, s'affranchir de la dictature esthétique du néorégionalisme qui impose trop souvent aux concepteurs la copie de formes anciennes inadaptées à nos modes de vie et surtout aux défis à relever face au dérèglement climatique.

Maison « basse énergie » en ossature bois près de Zurich.
La façade sud est intégralement vitrée (triple vitrage, menuiseries en sapin de Douglas, Uw = 1,0 W/m².K) avec des protections solaires pour l'été (toit débordant et brise-soleil qui préservent aussi l'intimité à l'étage sans nuire à la vue). Le ratio surface vitrée sud/surface de plancher est d'environ 40 %.
Les apports solaires sont stockés dans les planchers (béton et parquet de mélèze au rez-de-chaussée, ardoises à l'étage et partiellement dans les murs périphériques isolés en laine de cellulose). Le bilan global de ce bâtiment, jugé bon malgré une inertie moyenne, est dû aux baies particulièrement performantes et à une ventilation double flux avec récupération de chaleur très performante (voir chapitre 5, p. 188).
La consommation pour le chauffage de ce bâtiment est d'environ un tiers de la consommation d'un bâtiment standard en France (42,2 kWh/m²/an pour chauffage et eau chaude sanitaire). Architectes : Woodarc, H. Suter, Ebnat-Kappel, en collaboration avec Casa-Vita ingénieurs bois.

3.2.3 Optimisation des baies pour la thermique d'hiver

Huisseries

Une part non négligeable des déperditions thermiques par les baies provient des huisseries. Celle-ci se produit par conduction à travers les matériaux composant les dormants et les ouvrants, et par infiltration d'air entre ceux-ci.

Si d'un point de vue environnemental global le bois s'impose comme matériau de base pour les huisseries, il reste aussi le plus judicieux d'un point de vue thermique.

Réduction des déperditions possibles d'une baie par l'amélioration conjointe des vitrages et des huisseries.
On obtient la même amélioration (environ 20 %) en passant du double vitrage simple (DV) au vitrage à isolation renforcée (VIR) qu'en passant d'une huisserie en aluminium à rupture de pont thermique à une huisserie bois. Le gain est de 40 % si on cumule les deux.

	Coefficient de transmission Uf moyen de l'huisserie (en W/m².K)
Bois (pin, sapin…)	1,8 à 2,1
Bois (bouleau, chêne…)	2,1 à 2,8
PVC (1)	1,5 à 2,5
Aluminium ou acier sans coupure thermique*	7 à 8
Aluminium ou acier avec coupure thermique*	3,4 à 4,9

1. Pour une même baie et pour une résistance mécanique égale de l'huisserie, les menuiseries PVC doivent en général être plus larges que les menuiseries en bois et/ou comporter des renforts métalliques. Dans les deux cas ces points viennent contrarier les bonnes performances thermiques des profilés PVC de base.
Source : *Isolation thermique, performance énergétique des éléments opaques et transparents.*

Certifications

Les performances des vitrages, menuiseries et fenêtres font l'objet en France de diverses certifications.

• CEKAL®

Lorsque le coefficient U de déperdition surfacique du vitrage est inférieur à 2 W/m².K, le vitrage est marqué TR (thermique renforcée).

• ACOTHERM®

Certification des performances thermiques et acoustiques des menuiseries extérieures. La classe d'isolation thermique est notée par les indices Th4 à Th10, indiquant des coefficients de transmission Uw de 3,2 à moins de 1,6 W/m².K.

• NF/CSTBat® et NF/CTBA

Certification des performances AEV des menuiseries. A = perméabilité à l'air, E = perméabilité à l'eau, V = résistance au vent.

CEKAL® (www.cekal.com) ; ACOTHERM® (www.acotherm.fr) ; NF/CSTBat® (www.afnor.fr et www.cstb.fr) ; CTBA (www.ctba.fr).

Menuiserie bois/aluminium.
Les seules réticences à l'utilisation du bois pour les menuiseries proviennent de la nécessité d'un entretien régulier. En additionnant aux performances du bois la longévité d'une façade en aluminium, les baies bois/alu offrent un produit particulièrement séduisant.

Types de baies

La réduction des apports solaires par les menuiseries, usuellement comprise entre 15 et 40 %, démontre qu'il est beaucoup plus efficace, à surface de baies égale par façade, d'avoir les fenêtres les plus grandes possible :

– les ombres portées par les tableaux sont réduites ;

– avec la performance des vitrages actuels, ce sont les huisseries qui présentent le point faible au niveau thermique sur l'ensemble de la baie ;

– une surface de vitrage est moins chère que la même surface de menuiserie.

Coefficient de jour* de différentes baies et production de chaleur.

Production de chaleur en kWh/m² de baie par saison de chauffe	50	104	122	134	149	161
Coefficient de jour de chaque baie	45 %	63 %	69 %	73 %	78 %	82 %

On remarque une grande disparité d'un type de fenêtre à l'autre et l'on comprend l'importance de choisir des grands vitrages si le but est d'avoir une maison qui profite pleinement de l'énergie solaire.

D'après diverses sources dont MINERGIE® et le *Guide de recommandations pour la conception de logements à hautes performances énergétiques en Île-de-France.*

Les concepteurs spécialisés dans le bioclimatisme animent les façades en composant avec les formes et la nature des baies vitrées (ici fixes vitrés, portes-fenêtres et abattants).

Baies vitrées fixes et triple vitrage

Dans les nombreux cas où le fait de pouvoir ouvrir la baie n'est pas nécessaire, le choix de baies vitrées fixes au lieu d'ouvrants présente maints avantages : moindre coût d'achat, meilleures performances thermiques, gains solaires améliorés, étanchéité à l'air complète et durable… De plus, si le triple vitrage engendre des surcoûts, c'est principalement par les sections augmentées qu'il impose aux ouvrants. De fait, avec les prix et les performances actuels du triple vitrage, l'option « baies fixes avec triple vitrage » semble d'ores et déjà pertinente comme base pour l'ensemble des baies que l'on n'a pas expressément besoin d'ouvrir.

Fenêtre triple vitrage.
Les menuisiers français regroupés dans la structure Menuiserie 21 commencent à répondre à la demande de fenêtres triple vitrage.

Maison « basse énergie » à Bretigny-sur-Morens (Suisse).
La façade sud est constituée de grandes baies vitrées fixes, les seuls ouvrants étant les portes pleines. Ce choix permet d'assurer une parfaite étanchéité à l'air de la façade, de minimiser l'importance des cadres et d'éviter l'ouverture de lourdes portes coulissantes. Architecte : J.-L. et C.-H. Thibaud-Zingg SA.

Succession de baies vitrées fixes et de persiennes fixes devant des vantaux ouvrants.
Exemple de baies performantes, économiques et permettant le rafraîchissement du bâtiment par ventilation forte sans risques d'effraction (voir également § 5.3.4, p. 198).

Maison à Fontainebleau.
La position des baies au plus près du nu extérieur du mur annule l'ombre portée par les tableaux latéraux qui peut fortement réduire le gain solaire, surtout en cas de murs épais. C'est une solution parfaitement adaptée dans le cas d'isolation répartie ou par l'extérieur, et esthétiquement en phase avec les revêtements contemporains en bardage bois. Architecte : S. Ropponen-Atelier Brunel.

Dispositions pour améliorer le captage

Les ombres portées par les tableaux peuvent réduire considérablement l'ensoleillement des vitrages. On peut les diminuer :
– en augmentant la largeur des baies ;
– en rapprochant la baie du nu extérieur.

Dispositions pour favoriser le stockage

Les matériaux des parois réceptrices du rayonnement solaire en arrière des baies doivent être choisis pour leurs capacités d'absorption et de stockage. Ces sols et ces murs sont donc généralement réalisés avec des matériaux à forte capacité thermique, et si possible de couleur sombre (éviter les moquettes, le jute, le liège, les parquets autres que collés…, voir § 3.1.3, p. 110).
Dans le cas de parois réceptrices légères ou isolantes, on les préférera claires et lisses de façon à réfléchir le rayonnement vers les parois à plus forte inertie.

Les volets et les doubles rideaux

Le tableau p. 114 montre que l'utilisation de volets pleins de bonne qualité améliore le rendement des baies.

Les rideaux intérieurs, faits d'un tissu épais, de laine par exemple, sont également très efficaces pour la thermique d'hiver. La sensation de paroi froide ressentie à proximité des vitrages non ensoleillés en hiver peut être instantanément supprimée avec ces voilages par le geste simple de tirer un rideau. Le bien-être est instantanément ressenti, alors que l'on recourra moins spontanément à la fermeture des volets si celle-ci n'est pas mécanisée. De plus, les rideaux, éléments souvent choisis pour leur seule contribution esthétique, sont également un correcteur acoustique. L'association volets et rideaux permettra donc de répondre efficacement à toutes les situations, les volets extérieurs étant par ailleurs beaucoup plus efficaces pour le confort d'été que les occultations intérieures.

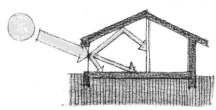

Bien que souvent choisis dans le seul but de limiter l'éblouissement et d'apporter une lumière plus homogène, les vitrages diffusants, en répartissant le rayonnement sur toutes les parois, améliorent le captage et le stockage général si les parois directement réceptrices ne sont pas à forte capacité thermique.

Volets roulants extérieurs en lames de pin massif.
La performance thermique des volets est donnée par les constructeurs. Mais attention à la qualité de pose, en particulier en cas de coffre encastré dans la maçonnerie : les ponts thermiques ainsi créés auxquels s'ajoute une étanchéité à l'air souvent chaotique peuvent annuler les gains thermiques apportés par le volet.

Les baies de toiture « à claire voie » ou « sheds » étirées longitudinalement permettent une bonne répartition du rayonnement solaire en hiver sur les parois de stockage, et ne laissent pas pénétrer le soleil en été.

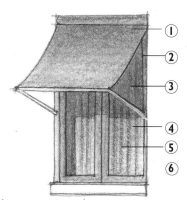

Éléments pouvant limiter la capacité de captage d'une baie vitrée.
Réduction des gains solaires
1 Stores : 0 à 100 %
2 Menuiseries : 15 à 65 %
3 Ombrage : 0 à 40 %
4 Rideaux : 0 à 30 %
5 Réflexion/absorption du vitrage : 10 à 60 %
6 Propreté : 0 à 40 %

Certaines réhabilitations lourdes dans le bâti ancien sont parfois l'occasion d'introduire des matériaux contemporains, comme le bardage bois, qui s'harmonisent avec les baies à grandes surfaces de vitrage. Architecte : J. Jeannet.

Fenêtre artisanale en mélèze positionnée sur la partie extérieure d'une façade en réhabilitation.
Malgré des avantages acoustiques, financiers et thermiques indéniables, augmentés encore dans le cas de la pose d'une isolation extérieure, placer des doubles fenêtres dans le plan des façades est, pour des raisons esthétiques, très rarement retenu en France.

S'il est rentré dans les esprits que changer les fenêtres fuyardes est un des premiers investissements à faire pour améliorer les performances thermiques des bâtiments anciens, il ne faut pas oublier que le système de ventilation doit obligatoirement être revu de concert… sous peine d'entraîner de graves désordres sur le bâti et de générer un air intérieur malsain (voir chapitre 5, p. 180).

Les baies vitrées en réhabilitation

Dans les fenêtres anciennes, les déperditions sont dues aussi bien aux pertes par conduction à travers les vitrages qu'aux infiltrations d'air par les menuiseries, souvent dégradées ou déformées par le temps.

Plusieurs solutions d'amélioration thermique sont envisageables selon l'état de l'existant, le niveau des travaux envisagés et les performances souhaitées (voir *L'Isolation écologique, conception, matériaux, mise en œuvre*).

Voici quelques solutions, de la moins performante à la plus performante.

• Les survitrages quand les menuiseries sont de bonne qualité. Cette opération, additionnée à la pose de joints, limitera, moyennant un faible investissement, une trop grande déperdition des baies.

• Le remplacement des ouvrants par des ouvrants à double vitrage sur dormants conservés.

• Le remplacement de l'ensemble par des fenêtres performantes.

• La meilleure solution thermique et surtout phonique en réhabilitation reste la double fenêtre : la deuxième fenêtre neuve équipée d'un vitrage faiblement émissif, voire phonique, est installée soit par l'intérieur si l'on veut conserver l'esthétique des façades, soit par l'extérieur si le choix se porte sur la conservation de l'esthétique intérieure des anciennes menuiseries et l'optimisation thermique.

Réhabilitation d'un hangar en habitation en région parisienne.
La structure métallique portant la toiture a été conservée dans son intégralité mais la façade a été décalée vers l'arrière afin de réduire la profondeur du bâtiment pour y optimiser les apports solaires. La structure bois permet de très larges percements de baies (portes et fenêtres) qui sont ici traités de la même façon que la serre bioclimatique. La structure métallique conservée en avant de la façade permet de faire pousser de la végétation qui protège des surchauffes en été. Architecte : E. Audoye.

3.2.4 Optimisation des baies pour le confort d'été

La fonction de capteur thermique des baies en hiver ne doit pas pénaliser le confort d'été. Les objectifs pour les jours ensoleillés sont de deux ordres : éviter les surchauffes et contrôler l'éblouissement (24).

Éviter les surchauffes

En complément d'une inertie et d'un système de ventilation adapté (voir § 3.1, p. 80, et chapitre 5, p. 179), il faut choisir un système permettant d'intercepter tout ou partie du rayonnement solaire avant qu'il ne réchauffe l'espace intérieur.

Pour ce faire, on se basera d'abord sur une étude de la course du soleil aux différentes saisons et de son angle d'incidence sur les différentes parties vitrées (voir diagrammes solaires et dessin, § 2.2.3, p. 44).

• Les vitrages orientés au sud seront faciles à protéger en été par des éléments architecturaux à effet de casquette.

• Vers l'est et l'ouest, directions où le soleil est plus bas en été (l'angle d'incidence est donc réduit pour des façades verticales) et où la réflexion du sol est intense, d'autres dispositifs seront nécessaires.

• Enfin, les fenêtres de toiture devront être protégées de manière très efficace sous peine de générer des surchauffes insupportables dans les combles.

Le facteur solaire

Le facteur solaire définit la proportion de rayonnement solaire traversant la paroi par rapport au rayonnement qui l'atteint (voir également p. 72).

Pour un confort d'été sans besoin de climatisation, la réglementation thermique propose cinq valeurs repères de facteurs solaires à atteindre par les baies selon leur orientation et la zone où se trouve le bâtiment. Pour ces cinq valeurs, allant de 0,10 (seulement 10 % de l'énergie arrivant sur la baie la traverse) à 0,65 (65 % la traverse), le tableau ci-dessous propose les solutions possibles d'utilisation de protection solaire.

Protection externe

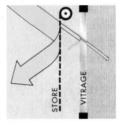

Protection interne

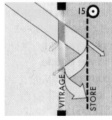

Efficacité comparée des occultations intérieures et extérieures d'un point de vue thermique.
Selon son emplacement, à l'extérieur ou à l'intérieur du vitrage, le même type de store permet à la baie d'atteindre un facteur solaire de 0,45 ou de 0,15.

Facteur solaire atteint suivant les différents types de protections solaires.

Solutions possibles	Facteur solaire recherché et adéquation					Observations
	0,10	0,15	0,25	0,45	0,65	
Fermetures extérieures	oui*	oui	oui	oui	oui	* selon teinte et isolation
Stores extérieurs	certains cas (1)	oui*	oui	oui	oui	* selon toile ou lames
Stores incorporés au vitrage	non	certains cas (1)	oui*	oui	oui	* selon toile ou lames
Stores intérieurs	non	non	certains cas (1)	oui*	oui	* selon toile ou lames

1. Le facteur solaire de la baie dépend également du vitrage, de la menuiserie, de la position de la baie dans l'épaisseur du mur… Dans les cas intermédiaires il est nécessaire de prendre en compte ces paramètres pour justifier du respect de l'exigence réglementaire.
Source : Réglementation thermique, *Guide de la protection solaire.*

24. Un ensoleillement excessif occasionne une grande gêne pour le travail. Ce phénomène est surtout sensible quand le soleil est bas sur l'horizon, le matin et le soir, pour les baies orientées à l'est ou à l'ouest, et au sud en hiver. La luminosité pourra être contrôlée indifféremment par une occultation intérieure ou extérieure. Le choix dépendra donc souvent de la priorité donnée ou non également à la protection contre les surchauffes. Sur ce point, voir le tome V du *Guide de l'architecture bioclimatique : Construire avec l'éclairage naturel et artificiel.*

Les fenêtres de toit

Excepté avec des toits à fortes pentes, les fenêtres de toit ou autres lanterneaux apportent peu de gains thermiques en hiver. Par contre, du fait de l'angle d'incidence qu'ils ont avec le rayonnement solaire (voir § 2.4.1, p. 63), ils contribuent très fortement aux surchauffes d'été. Pour les limiter, des protections solaires extérieures seront alors obligatoires (1).

Avant de prendre la décision de poser des baies en toiture et de déterminer leur emplacement et leur surface, il convient d'estimer la pertinence thermique, sur l'ensemble de l'année, des options possibles (fenêtre de toit ou lucarne ? De petite ou de grande surface ? Sur pan sud, ouest… ? …).

Ainsi, on pourra remarquer que :

– le surinvestissement dans une lucarne (qui rend les fenêtres de l'espace sous combles verticales et non plus obliques) peut se justifier par les gains solaires supplémentaires reçus en hiver et le confort amélioré en été ;

– une fenêtre de toit munie d'un vitrage performant et d'une occultation extérieure peut être plus intéressante sur l'année si elle est sur le versant nord de la toiture plutôt que sur le pan sud.

1. Dans certains cas, la pose de fenêtre de toit est même interdite par la RT.

Maison « basse énergie » en Autriche.
Le principe de la loggia peut s'appliquer à chaque baie ou, comme ici, à l'ensemble de la façade sud.

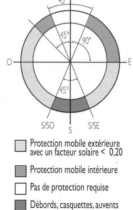

Types de protections solaires adaptées selon les orientations.

Dans des bâtiments très ouverts au soleil sur la façade sud et ayant peu d'inertie, il est courant de souffrir de surchauffes dès les premières journées ensoleillées de janvier. Dans ce cas, des dispositifs de protections mobiles suppléent aux protections horizontales fixes qui ne sont efficientes qu'en été.

- ☐ Protection mobile extérieure avec un facteur solaire < 0,20
- ☐ Protection mobile intérieure
- ☐ Pas de protection requise
- ☐ Débords, casquettes, auvents

Le toit débordant et le retrait de l'étage inférieur sont des dispositions constructives de contrôle solaire à effet de casquette facile à réaliser en construction à structure bois. Architecte et constructeur : Ossabois.

Les principales familles de protections solaires sont :
– les masques architecturaux fixes ;
– les protections mobiles ;
– les protections et masques végétaux.

Les pare-soleil extérieurs fixes

Ces masques architecturaux sont conçus en fonction de la course solaire pour être efficaces en été et ne pas contrarier l'arrivée du rayonnement solaire en hiver. Ils se répartissent en trois familles :

– les masques horizontaux (à effet de casquette) comme les avancées de toiture, les balcons, porches, auvents… ;

– les masques fixes verticaux, ou « flancs » (redents*, plans verticaux placés à côté de la surface réceptrice) ;

– la « loggia » qui combine les pare-soleil horizontaux et verticaux (c'est sensiblement la situation que l'on a en réhabilitation avec des murs larges et des fenêtres décentrées côté intérieur).

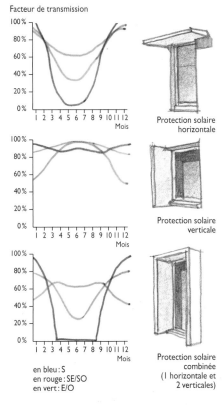

Facteur de transmission

Protection solaire horizontale

Protection solaire verticale

Protection solaire combinée (1 horizontale et 2 verticales)

en bleu : S
en rouge : SE/SO
en vert : E/O

Efficacité de différents systèmes de protection solaire fixes, en fonction de la géométrie du dispositif, de l'orientation de la façade, de la période de l'année.

1. Les protections horizontales sont efficaces en été en façades sud et sud-est/sud-ouest. En hiver, en fonction de leurs dimensions, elles contrarieront un peu ou pas du tout l'arrivée du rayonnement solaire (voir encadré p. 124).

2. Les masques verticaux ont peu d'efficacité en été et contrarient, en hiver, l'apport solaire en façades est et ouest. De ce fait, ils ne semblent pas conseillables.

3. Les masques combinant protection horizontale et verticale sont très performants l'été en façade sud. Mais ils limitent fortement l'entrée du soleil d'hiver, particulièrement en façades est et ouest… Les concevoir démontables semble préférable.

Source : Conception thermique de l'habitat pour la région PACA.

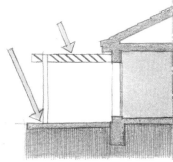

Pergola à lames orientées.

Dans les climats à forts risques de surchauffes en été, les protections solaires devront aussi mettre l'habitat à l'abri du rayonnement réfléchi et du réchauffement des sols en avant des baies. La pergola à lames orientées est un bon système pour protéger du rayonnement d'été en limitant un minimum celui d'hiver.

Habitat collectif à Fribourg-en-Brisgau (Allemagne).

Les auvents peuvent être constitués de capteurs photovoltaïques en prolongement du plan de la toiture ou en avant des balcons.

Maison à énergie positive (produit sur l'année plus d'énergie qu'elle n'en consomme) en habitat individuel en bande à Fribourg-en-Brisgau (Allemagne).

La protection solaire des baies de l'étage est réalisée par la centrale photovoltaïque, celle des baies du rez-de-jardin par le balcon de l'étage.

Brise-soleil en pergola.
Architecte : R. Marlin.

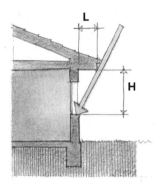

Méthode de calcul d'un auvent horizontal

• Méthode de calcul simplifiée

La formule qui permet de calculer la profondeur de la protection solaire est :

$$L = \frac{H \text{ (hauteur entre l'allège* et le débord)}}{\text{facteur d'ombrage}}$$

Facteur d'ombrage pour méthode de calcul

Orientation	Latitude			
	42° (Ajaccio)	45° (Bordeaux)	48° (Orléans)	51° (Dunkerque)
SE ou SO	1,20	1,10	1,05	0,95
Sud	2,40	2,00	1,85	1,60

Exemple : pour une latitude de 48° nord (Rennes, Mulhouse) et pour une porte-fenêtre classique orientée au sud et une hauteur (casquette/bas de baie) de 2,60 m, la profondeur de la protection solaire L est de 2,60/1,85 soit 1,40 m.

• À partir du diagramme solaire

Méthode de calcul plus fine, elle permettra de répondre de manière précise, pour chaque lieu, à des exigences spécifiques.

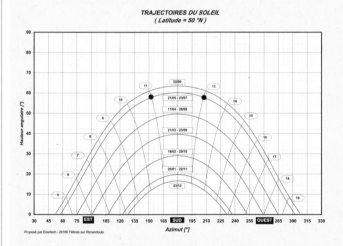

Calcul de la profondeur d'une casquette en façade sud afin qu'elle protège totalement du rayonnement solaire en juin et juillet, entre 13 et 15 heures (heures légales). Lieu : Amiens (50° nord). À ces heures (11 et 13 heures solaires), la hauteur du soleil est de 58° (voir diagramme). Il suffit de rapporter cet angle sur la coupe de la baie pour obtenir le débord souhaité. (voir schéma ci-contre)

Ce même schéma permet de visualiser aisément les surfaces intérieures qui recevront le rayonnement solaire en hiver en fonction du débord choisi.

D'après L'Habitat bioclimatique, catalogue des techniques : de la conception à la réalisation.

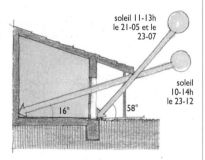

soleil 11-13h le 21-05 et le 23-07

soleil 10-14h le 23-12

16°   58°

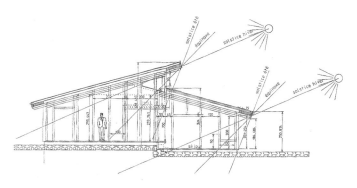

Maison dans les Hautes-Alpes.
Les débords de toiture parfaitement calculés pour le confort d'hiver et d'été apportent à la construction une partie de son intérêt esthétique. Architecte : E. Boissel.

Les protections solaires mobiles

Les protections mobiles sont d'une grande variété possible, en fonction des objectifs à atteindre et des options architecturales : volets pleins ou persiennes, à ouvertures traditionnelles, roulants, coulissants, suspendus…

Les stores intérieurs sont moins efficaces que les occultations extérieures, mais quand celles-ci n'ont pas été prévues à la conception ou sont impossibles, leur apport reste néanmoins sensible, surtout s'ils peuvent en position fermée être plaqués à la surface du verre pour limiter la convection de l'air chaud.

Il existe une vaste gamme de toiles et de mécanismes de protection. La couleur claire à l'extérieur renvoie le maximum de rayonnement solaire. Le choix du système (banne à enrouler, store bateau, store vénitien, à projection à l'italienne, ou à la suisse (markisolette), et celui d'une éventuelle motorisation dépendent de l'efficacité, de l'esthétique, de la facilité de déploiement et de réglage, et du prix.

Projet de reconstruction d'une maison à Digne-les-Bains (Alpes-de-Haute-Provence).
La façade sud (à droite) est protégée par le débord de toiture et par la végétation, mais à l'ouest des occultations mobiles sont nécessaires : volets ouvrants à la française, grand volet coulissant permettant de capter le soleil d'ouest en hiver et de s'en protéger à la saison chaude. Conception : J.-P. Oliva/ScopHabiTer.

Logement social dans le Land du Vorarlberg en Autriche.
Les volets coulissants sont constitués de panneaux photovoltaïques produisant chacun 240 watts.

Les panneaux de coulissants en bois peuvent occulter à volonté tout ou partie des baies et animent al façade. Architecte : C. Keller.

Les brise-soleil peuvent se régler facilement au moyen de curseurs en fonction de la lumière ou de l'intimité désirée.

Maison dans la Drôme.
Le débord de toiture protège du rayonnement direct. La terrasse est abritée du rayonnement réfléchi par une pergola recouverte d'une canisse en attendant la croissance de la vigne vierge. Conception : J.-P. Oliva/HabiTer.

Maison « basse énergie » en Suisse.
Les très grandes baies vitrées de la façade sud s'adaptent aux variations du rayonnement solaire selon les heures et les saisons au moyen de stores extérieurs à lames orientables. Ceux-ci peuvent être entièrement relevés ou partiellement baissés pour doser le rayonnement. En position fermée, ils constituent une isolation supplémentaire. Architecte J.-L. et C.-H. Thibaud-Zingg SA.

Les protections et masques végétaux

Chaque fois que cela sera possible, l'utilisation de la végétation environnante permettra de moduler les apports solaires en fonction des saisons. Qu'ils soient attenants au bâtiment comme les treilles ou pergolas végétalisées, ou plus lointains comme les arbres de haute tige à feuillage caduc, l'intérêt de ces dispositifs naturels est que leur rythme végétatif annuel accompagne les besoins du bâtiment. Leur ombre portée est rafraîchissante en été, et l'absence de feuilles en hiver permet au rayonnement solaire d'atteindre la façade. Le choix des essences et des orientations pour les arbres est important : dimension du masque, date de chute des feuilles, ombre portée par la charpente de l'arbre en hiver (coefficient de bois*), qui peut varier énormément d'une essence à l'autre.

L'espace supplémentaire de vie que procurent à la « belle saison » les extérieurs végétalisés, s'il n'est pas quantifiable en termes d'économies d'énergie, participe grandement au plaisir de vivre avec la nature.

Exemple de boisement ou de plantation favorable.
L'emplacement de la maison, à mi-pente sur ce terrain orienté au sud-est, est protégé à l'ouest du soleil d'été bas sur l'horizon. Les arbres au sud-est et sud-ouest, plus bas et à feuilles caduques, n'interceptent pas le soleil d'hiver.

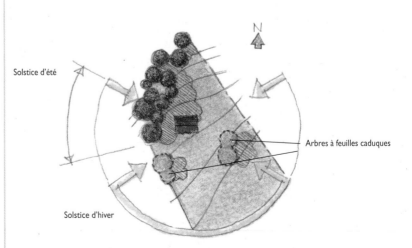

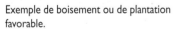

La végétation peut couvrir tout ou partie de la façade.
Dans ce cas, à son rôle de casquette au-dessus des baies s'ajoute celui de rafraîchissement de l'ensemble du mur, estimé à une différence de 10 à 15 °C. Ici, un ampélopsis sur une façade de Ventabren (Bouches-du-Rhône).

Pergola au printemps.
Au printemps, la vigne commence tout juste sa végétation et, de juin à octobre, elle couvrira entièrement la tonnelle. Pour cette fonction, l'essence choisie est un porte-greffe stérile très vigoureux qui a l'avantage de ne pas produire de fruits et donc de ne pas attirer les insectes, et que l'on peut tailler entièrement à l'automne. Maison Leth (Drôme).

La végétation permet de créer des « doubles façades » à porosité variable en fonction des saisons, adaptées aussi bien à la gestion du rayonnement solaire qu'à l'intimité des espaces de vie.
Architecte : C. Hauvette.

L'été, les feuillages assurent la protection solaire.

La végétation environnante protège complètement cette façade ouest d'une petite maison de l'Hérault et maintient jusqu'en plein été un lieu de vie extérieur confortable. Conception : J.-P. Oliva.

Les protections végétales au sud ombragent les façades mais également filtrent les poussières, protègent des vents chauds, oxygènent l'air et le rafraîchissent par évapotranspiration.

Le traitement des sols environnants

Le traitement des sols environnant la maison revêt aussi une importance non négligeable pour éviter le rayonnement réfléchi. Leur végétalisation permet à la fois de réduire l'albédo* pendant la journée, et de limiter leur réchauffement par l'évapotranspiration de l'herbe. Cela réduit leur rayonnement et leur réchauffement pendant le jour et facilite le rafraîchissement nocturne.

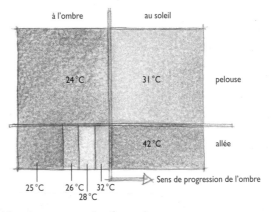

Températures mesurées d'une pelouse et d'une allée en gravier au cours d'une journée d'été.
Au soleil, la température de la pelouse s'élève beaucoup moins que celle de l'allée, et redescend instantanément dès qu'elle passe à l'ombre, ce qui demande plusieurs heures à l'allée de gravier.

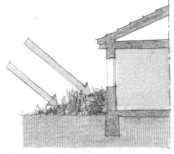

Outre le fait qu'ils peuvent apporter au bâtiment une masse d'inertie supplémentaire, le profilage et la végétalisation du sol devant des façades où le soleil est bas en été, comme les façades ouest, permettent de réduire la réflexion vers les baies.

Terrasse en caillebotis de bois.
L'habitude de recouvrir les terrasses de carrelage est souvent catastrophique pour le confort d'été à cause de la réverbération vers les baies, mais surtout pour l'accumulation de calories.
Les terrasses en bois ne présentent aucun de ces inconvénients : elles stockent très peu de calories et, sans traitement, elles deviennent grises et ne causent aucune réverbération. Centre Nature d'eaux à Châteuneuf-sur-Isère. Conception : J.-P. Oliva.

CHAPITRE 4
Techniques bioclimatiques spécifiques

Les dispositifs techniques présentés dans ce chapitre ne sont pas systématiquement utilisés dans l'architecture bioclimatique, qui peut obtenir de très bons résultats thermiques été-hiver en ne composant qu'avec les outils classiques comme la baie vitrée plein sud, l'inertie, la super-isolation et une ventilation optimisée (voir exemple p. 116, maison MINERGIE®).

Pourtant certains de ces dispositifs, ou plusieurs simultanément, sont employés dans maints projets en neuf ou en réhabilitation. Solutions simples et économes adaptées à une très grande diversité de conceptions architecturales, elles permettent d'améliorer encore la performance thermique des bâtiments.

Les murs capteurs, les serres solaires, les capteurs à air et les puits canadiens sont quatre systèmes qui permettent d'optimiser deux objectifs ;
– une valorisation maximale de l'énergie dispensée par le soleil ;
– une utilisation fine de l'inertie qui permet de déphaser l'arrivée de ces calories gratuites dans l'espace à chauffer.

Ainsi, avec les solutions techniques présentées dans ce chapitre, il sera possible de profiter pleinement de l'énergie solaire sans prendre le risque d'inconforts dus à des surchauffes, ce qui est souvent le cas, dès les premiers jours ensoleillés de janvier, avec des bâtiments comportant trop de baies vitrées… et pas suffisamment d'inertie.

4.1 LES MURS CAPTEURS ACCUMULATEURS

Le mur capteur accumulateur est un dispositif de captage solaire constitué d'un vitrage placé devant une paroi en maçonnerie lourde, et séparé de celle-ci par une lame d'air de quelques centimètres.

Lorsque le rayonnement solaire traverse le vitrage, la masse en arrière de la lame d'air s'échauffe. Cette chaleur migre par conduction à travers le mur, pour être diffusée par rayonnement vers l'intérieur de l'habitation avec un temps de déphasage calculé.

Avec des vitrages dont les coûts diminuent pour des performances sans cesse croissantes, la réalisation de murs capteurs peut désormais aisément se développer. Elle permet en particulier d'optimiser la mission captrice traditionnelle de la façade sud avec une plus grande souplesse architecturale et une meilleure précision thermique. En effet, un mur sud intégralement transparent,

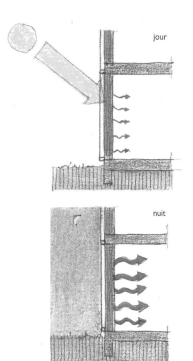

Principe du mur capteur accumulateur.

Simple, économique, le mur capteur est un élément supplémentaire permettant d'organiser et de rythmer les façades. Architecte : R. Marlin, construction bioclimatique (Sigoyer, Hautes-Alpes).

outre qu'il ne favorise pas l'intimité, ne permet une restitution différée des calories sans surchauffes qu'accompagné d'équipements très ajustés. Avec la masse thermique et le déphasage de restitution de chaleur qu'apportent les murs capteurs, concevoir une façade sud entièrement captrice devient désormais plus facile.

4.1.1 Conception et dimensionnement des murs capteurs

L'efficacité d'un mur capteur accumulateur dépend de son orientation, de son épaisseur, du matériau qui le compose, de la couleur et de la rugosité de sa surface exposée au soleil, ainsi que de l'efficacité de sa baie vitrée.

Orientation

En l'absence de masques solaires (voir p. 60), l'orientation théorique optimale est le sud géographique. Mais, principalement en réhabilitation, on peut être amené à s'en écarter sensiblement.

Usuellement, on estime qu'un écart de 20° à 30° par rapport au sud ne réduit que de quelques pourcentages les apports solaires d'un jour moyen d'hiver (voir le tableau sur l'angle d'incidence p. 64).

Surface

Le mur capteur accumulateur n'est jamais le seul dispositif capteur d'un habitat solaire passif ; il vient en complément de fenêtres, voire de serres bioclimatiques. Son dimensionnement devra donc tenir compte de la présence de ces autres surfaces captrices.

En règle générale, pour les climats tempérés que nous avons en France, si l'on voulait obtenir par les seuls murs capteurs une température intérieure de 21 °C environ sur 24 heures à partir d'une journée ensoleillée de janvier, il faudrait approximativement 0,30 à 0,60 m² de mur capteur par m² de surface habitable.

Il n'en reste pas moins que, même si on ne peut que rarement demander à un mur capteur de fournir à lui seul la quasi-totalité des apports solaires passifs du bâtiment, il constitue, s'il est bien conçu, un dispositif précieux pour profiter du flux thermique arrivant sur la façade sud et pour le restituer avec plusieurs heures de déphasage.

Maison bioclimatique à Venterol (Drôme). Mur capteur accumulateur.
Les trois modes de captage solaire sont ici associés sur la façade sud – serre solaire (à gauche) et grandes baies à captage direct encadrant un mur capteur. Le débord de toiture est calculé pour une ombre portée tombant juste au pied des vitrages en été, protégeant ainsi les baies vitrées comme le mur capteur. Conception : J.-P. Oliva-HabiTer.

Comparatif des gains de différents types de murs capteurs dans un lotissement des Ardennes (en kWh par m² de mur par saison de chauffe).

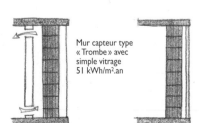

Mur capteur type « Trombe » avec simple vitrage 51 kWh/m².an

Mur capteur avec double vitrage peu émissif 76 kWh/m².an

Mur capteur avec isolant transparent de 5 cm 118 kWh/m².an

Repères pour un pré-dimensionnement des murs capteurs accumulateurs

	Couverture des besoins de chauffage par une surface de mur capteurs accumulateurs représentant 20% de la surface de plancher		
	Maison type standard (b)	Maison type «basse énergie» (b)	Maison type «très basse énergie» (b)
Zone climatique H1 (a)	10 à 15%	15 à 30%	25 à 40%
Zone climatique H2 (a)	15 à 20%	25 à 35%	35 à 40%
Zone climatique H3 (a)	25 à 30%	40 à 50%	50 à 65%

Estimations réalisées sur la base de baies performantes avec vitrage à isolation renforcée et occultation nocturne (Uw = 1,5 W/m².K).

(a) Zone climatique d'hiver, d'après réglementation thermique, voir carte p. 51.
(b) Voir encadré p. 38.

Résidence pour personnes âgées à Bourneville (Royaume-Uni).
Les façades sud sont entièrement équipées de capteurs directs (baies) et de murs capteurs. Les économies en chauffage par rapport au standard britannique sont de 51%. Architectes : DC Associates.

• Ce tableau permet de réaliser, lors de la phase d'esquisse* d'un projet, des dimensionnements sommaires. Assez vite ils devront être confirmés par des calculs thermiques complets qui viendront, en fonction des spécificités réelles des murs, confirmer, augmenter ou diminuer les performances données.
• La performance des «murs Trombe» et des «murs double peau» présentés p. 136 et p. 138 dépasse généralement de 20 à 30% celle des murs capteurs accumulateurs de base estimés dans ce tableau. Néanmoins, la réalité de ces performances améliorées dépendra grandement de la gestion (plus ou moins fine qui sera faite, au quotidien, de ces murs spécifiques (problématique similaire aux serres, voir encadré p. 145.)
• La surface de captage choisie pour base de ce tableau représente 20% de la surface de plancher. Dans la réalité, cette surface peut bien entendu être inférieure ou supérieure en fonction des choix réalisés. Néanmoins, le concepteur doit tenir compte du fait que, s'il augmente les surface de captage, il augmente la performance totale mais le rendement au m², lui, diminue.

Épaisseur et matériaux

L'épaisseur optimale du mur dépend de la capacité thermique et de la diffusivité du matériau employé (voir § 2.4.3 p. 68 et annexe p. 224).
Une forte capacité thermique produira des murs capables d'emmagasiner de grandes quantités de chaleur. Une faible diffusivité entraînera un déphasage important entre le moment où le soleil rayonne et celui où les calories sont diffusées dans l'espace intérieur.

Maison passive à Giessen (Allemagne).
La façade sud de cette maison de 190 m² de plancher est entièrement vitrée : 60% en baies vitrées et 40% en murs capteurs (soit 28 m² ou 14,7% de la surface de plancher). Les murs capteurs sont constitués de panneaux d'argile et copeaux de bois et revêtus à l'extérieur d'un isolant transparent entre deux lames de verre. Ce dispositif, associé à une isolation et des baies performantes, à un puits canadien et à une VMC double flux avec récupération de chaleur, limite la consommation de chauffage à 10,2 kWh/m²/an (soit 11 fois moins qu'un bâtiment neuf français conforme à la réglementation en cours, voir également § 2.2.1 encadré p. 38).
Architectes : A. Lubenow et C. Peters.

En pratique, l'épaisseur optimale pour un matériau donné est comprise entre certaines limites :

Matériau	Masse volumique (kg/m³)	Épaisseur recommandée	Chaleur stockée (en Wh/m².K)
Brique de terre crue	1 800	20 à 30 cm	160 à 240
Brique de terre cuite pleine	1 900	25 à 35 cm	130 à 190
Béton	2 300	30 à 45 cm	190 à 290
Eau	1 000	15 cm ou plus	174

Compactage de terre argileuse pour réalisation d'un mur capteur accumulateur.
Une manière simple de réaliser des murs capteurs utilisant les performances de la terre crue consiste à remplir des briques à bancher de terre argileuse récupérée lors du terrassement.

Mur capteur à eau.
Cette option, souvent développée par les expérimentateurs des années 1970, n'a pas eu de réelle descendance à cause des problèmes de mise en œuvre et de maintenance. Pourtant, à égalité de surface captrice, un mur d'eau présente un bilan quotidien supérieur à celui d'un mur en maçonnerie (forte capacité thermique de l'eau + échanges à l'intérieur des masses se faisant par conduction mais aussi par convection). Son second intérêt réside dans la possibilité qu'il offre de réaliser des façades accumulatrices translucides.
Façade de la chambre d'agriculture des Alpes-Maritimes. Architecte : D. Petry-Amiel, thermicien : R. Celaire.

Dans le cas d'une façade sud entièrement vitrée, le fait de composer avec des baies vitrées qui chauffent instantanément l'espace intérieur ainsi qu'avec des murs capteurs à restitution étalée permet une régularisation des températures sur la journée et une récupération augmentée de l'énergie gratuite du soleil sans risque de surchauffes.

La chaleur radiante dispensée par la face interne du mur capteur est un facteur de confort, mais elle procure aussi la satisfaction intime de goûter aux bienfaits du soleil alors qu'il est déjà couché, en ces nuits les plus longues de l'année.

Composer avec le déphasage

On recherche usuellement un déphasage jour/nuit afin que les rayons solaires qui atteignent la façade en journée se transmettent à l'intérieur sous forme de chaleur à partir du début de soirée (déphasage de 8 à 10 heures).

Mais il est tout à fait possible d'affiner ce déphasage. De le réduire par exemple pour les pièces sud-est qui n'ont plus de soleil direct depuis le milieu de l'après-midi, ou, au contraire, de l'augmenter pour les pièces sud-ouest qui ont pu profiter des derniers rayons solaires de la journée.

Cette approche générale pourra s'adapter aux rythmes prévus des futurs habitants ; par exemple pour distribuer la chaleur dans un salon-séjour où l'on se retrouve en hiver à partir de 18 ou 19 heures.

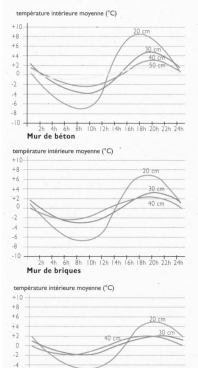

Températures intérieures de l'air avec différents murs capteurs.
Ces courbes indiquent la variation de température de l'air en fonction du type et de l'épaisseur de différents murs capteurs munis de doubles vitrages pour une journée ensoleillée de janvier.
• Un mur de béton de 30 cm d'épaisseur fournira un minimum d'apports vers 9 heures du matin et un maximum vers 19 h 30.
• Un mur en terre crue de même épaisseur atteindra un maximum et un minimum à peu près aux mêmes heures, mais les amplitudes seront plus faibles. Pour diminuer l'amplitude ou décaler le maximum d'apports thermiques, il faudra augmenter l'épaisseur du mur.
Source : *Le Guide de l'énergie solaire passive.*

Afin de composer finement avec les possibilités que nous offrent les murs capteurs, l'utilisation du diagramme ci-dessous permet de connaître l'épaisseur qu'il faudra d'un matériau donné pour un temps de déphasage défini et/ou pour une quantité de chaleur stockée.

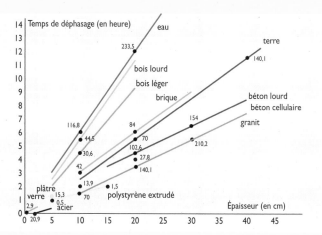

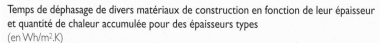

Temps de déphasage de divers matériaux de construction en fonction de leur épaisseur et quantité de chaleur accumulée pour des épaisseurs types
(en $Wh/m^2.K$)

• Pour un mur en briques de 20 cm, le déphasage entre le moment où le rayonnement arrive sur le mur et le moment où la chaleur parvient dans l'espace habité sera de 6 heures. La quantité de chaleur accumulée dans ce mur sera alors de 84 $Wh/m^2.K$.

• Pour avoir un déphasage de 8 heures avec un mur en terre crue, ce dernier devra faire 27 cm d'épaisseur. La chaleur qu'un tel mur pourra accumuler sera de 105 $Wh/m^2.K$. Simulations réalisées pour une paroi orientée au sud, pour un coefficient d'absorption de 0,7, d'après E. Gratia.

Couleur et rugosité du mur

La capacité du mur à absorber le rayonnement croît en proportion du coefficient d'absorption de sa face externe qui dépend de sa couleur et de son état de surface.

Une paroi de couleur noire avec un coefficient d'absorption de 0,95 est un des meilleurs absorbeurs. Mais d'autres teintes sombres donnent des résultats satisfaisants. Entre 0,85 et 0,90 : bleu foncé, vert sombre. Le brun sombre reste acceptable (0,79). Des murs capteurs dont la face externe est constituée d'ardoises gris bleu à gris foncé en parfaite continuité avec la masse de la maçonnerie ont un excellent résultat (coefficient de 0,87 à 0,90). Voir également § 2.4.2, p. 68.

On peut également améliorer la capacité d'absorption de la surface exposée au soleil en augmentant sa rugosité, et donc sa surface d'absorption (par exemple avec des enduits striés, ou des matériaux de parement à redents*…). Cette solution permet d'améliorer la performance des murs capteurs sans imposer systématiquement de grandes surfaces sombres à la façade.

Maison avec mur capteur en terre crue.
Les murs capteurs permettent d'optimiser le rendement thermique des façades sud, même si les vues n'y sont pas souhaitées. Architecte : B. Laignelot.

Mur capteur en terre cuite.
La brique solaire, mise au point par J.-P. Moya, architecte et ingénieur thermicien, permet d'augmenter la performance de captage sans imposer une surface sombre à la façade.

Murs capteurs en parpaings remplis de béton à Sigoyer (Hautes-Alpes).
Spécialiste de l'habitat bioclimatique et maître d'œuvre, R. Marlin estime qu'avec un double vitrage à faible émissivité*, le coût de construction d'un mur capteur est similaire à celui d'une paroi courante avec isolant, contre-cloison à l'intérieur et enduit à l'extérieur, et que le gain thermique permet d'économiser de 30 à 50 % sur la facture de chauffage. Architecte : R. Marlin.

Mur capteur accumulateur en briques de terre crue maçonnées, maçonné en allège* et formant claustra*.
Maison Clémot-Haquette. Architecte : J.-M. Haquette.

Vue intérieure.
Avec les vitrages performants actuels, les concepteurs osent plus facilement se libérer de la recherche d'optimisation des murs capteurs. Par exemple, on ne s'impose plus forcément des couleurs sombres ou des parois totalement opaques.

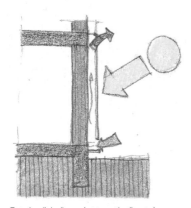

Entrée d'air (basse) et sortie (haute) permettant une surventilation de l'espace entre vitrage et mur accumulateur durant la saison chaude.

Nature et qualité du vitrage

La qualité thermique du vitrage extérieur influe fortement sur le bilan apports/déperditions du mur capteur. D'une manière générale, plus les températures sont basses la nuit (climats continentaux ou montagneux), plus on gagne à utiliser des doubles vitrages performants, voire des triples vitrages ou des isolations transparentes (encadré page suivante).

Dans les climats océaniques ou méditerranéens, les gains apportés par des vitrages performants seront moins sensibles. Mais les différences de prix avec le double vitrage basique se réduisant fortement, le choix qui s'impose désormais pour les vitrages des murs capteurs est celui du double vitrage à isolation renforcé (voir p. 74).

Choix des menuiseries

Les critères pour le choix des menuiseries des murs capteurs (matériau, grandeur des carreaux…) sont les mêmes que ceux retenus pour les menuiseries des baies vitrées présentés au § 3.2, p. 116.

Murs capteurs et confort d'été

Les murs capteurs étant installés sur les façades sud, ils sont facilement protégés du rayonnement solaire en été par :
– l'angle d'incidence ;
– les protections solaires de type « casquette » ;
– des entrées et des sorties d'air spécifiques.

Vitrage de mur capteur en oscillo-battant.
Afin de permettre un nettoyage de la face intérieure du vitrage d'un mur capteur, certains font le choix de les proposer en ouvrants. La position en « oscillo-battant » permettra alors une ouverture pour les journées d'été (on réduit la surchauffe) ou les nuits (on rafraîchit la masse).

Petit mur capteur en bois cordé.
Cette technique de construction alternative présente de gros défauts d'étanchéité à l'air mais, derrière un vitrage, elle peut constituer un mur capteur intéressant.

Les isolants transparents

Malgré de gros progrès réalisés ces dernières années, les vitrages restent les points faibles dans l'isolation des enveloppes. Des recherches menées dans les pays d'Europe du Nord ont abouti à la mise au point de véritables isolants transparents laissant à la fois passer le flux lumineux responsable de l'effet de serre, et assurant des niveaux d'isolation se rapprochant de ceux des parois opaques. Ces isolants dits « transparents » mais qui sont en fait translucides, d'une épaisseur de 20 mm à plus de 200 mm, présentent diverses structures géométriques en verre, en produits de synthèse comme les polycarbonates ou même en carton. Ils sont utilisés de plusieurs manières :

– en remplacement des vitrages lorsqu'une vue directe n'est pas souhaitée ou pour se protéger du rayonnement direct du soleil en conservant la fonction de captage thermique ;

– en façade sud à la place ou en complément du vitrage pour optimiser le rendement des murs capteurs.

Selon les types de structure, les matériaux et les épaisseurs, les coefficients d'isolation U vont de 1,5 à 0,7 W/m².K.

Isolant transparent en carton recyclé.
Ces plaques isolantes sont constituées de lamelles de carton collées pour constituer des alvéoles de 5 mm de côté. Les panneaux de 4 à 20 cm d'épaisseur sont placés entre un simple vitrage et un mur accumulateur. En été, l'angle d'incidence du rayonnement solaire sur le vitrage évite les surchauffes.

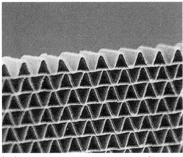

Façade captrice revêtue d'un isolant transparent en carton.

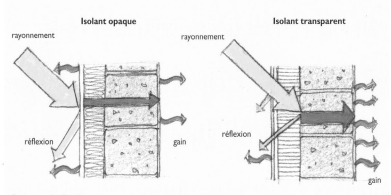

Principe de l'isolation transparente.
L'isolant transparent non seulement s'oppose à la fuite des calories vers l'extérieur comme l'isolant opaque, mais il permet en outre au rayonnement solaire de se diriger vers l'intérieur, où il dispense alors ses calories.

Pour plus de renseignements sur les isolants transparents : www.umwelt-wand.de

Isolant transparent alvéolaire.

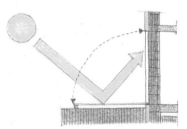

Une amélioration possible d'un mur capteur consiste à remplacer le volet roulant extérieur par un panneau isolant basculant revêtu sur sa face interne d'une surface réfléchissante. Ce système augmente à la fois le rayonnement reçu, limite les déperditions nocturnes et empêche les surchauffes en été.

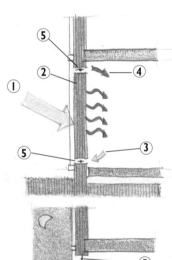

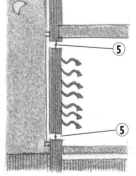

Principe de fonctionnement du mur Trombe (jour/nuit en saison froide).
1 Rayonnement solaire
2 Mur en maçonnerie lourde
3 Air frais
4 Air chaud
5 Clapet fermé à la demande

Optimisation des murs capteurs

• Réduction des déperditions thermiques

Les murs capteurs, malgré des vitrages performants, réémettent pendant la nuit vers l'extérieur une partie de la chaleur stockée. Dans les climats à nuits froides on gagne à les munir de volets roulants extérieurs. Le bilan en sera amélioré de 15 à 25 %, selon l'amplitude des températures jour/nuit.

• Amélioration du captage

La nature du sol en avant du mur peut être mise à profit pour réfléchir une partie du rayonnement direct (voir § 2.4, p. 66). Il est également possible de poser des réflecteurs mobiles intégrés à la structure qui, outre une augmentation du rendement, apportent une possibilité de modulation en fonction des besoins. Selon l'heure et la saison, ces équipements seront réflecteurs, protections solaires ou volets contribuant à l'isolation thermique nocturne. On estime usuellement qu'avec la double mission volets et réflecteurs, ces équipements améliorent la performance de la baie d'environ 40 %.

4.1.2 Aperçu de murs capteurs spécifiques

Outre les murs capteurs de base présentés au paragraphe précédent, la famille des murs capteurs est riche des nombreuses variantes dont les « murs Trombe », les « parois mixtes » ou « double peau », et, nouveau venu, le « mur capteur en bois ».

Le mur Trombe

Le mur Trombe est un mur capteur qui comporte, dans sa partie basse et dans sa partie haute, des orifices de communication entre l'espace de vie et la lame d'air comprise entre vitrage et surface réceptrice.

Contrairement aux murs capteurs accumulateurs de base, le transfert thermique vers l'intérieur peut s'effectuer de deux façons :
– pendant la période d'ensoleillement de la façade, les orifices ménagés dans le mur rendent possible la distribution de la chaleur par thermocirculation : l'air intérieur entre par des orifices du bas du mur, se réchauffe au contact de la paroi (qui peut être portée à 65 °C). Ce faisant, il s'élève, et retourne dans le volume habitable par les orifices supérieurs ;
– lorsque les besoins de chauffage instantané n'ont plus lieu d'être ou lorsque le soleil ne chauffe plus la paroi, les orifices bas ou haut sont refermés. La chaleur accumulée par le mur se transmet alors plusieurs heures après par rayonnement dans l'espace habitable… Le mur Trombe fonctionne alors comme un mur capteur de base.

Façade sud et coupe de principe de la maison Kelbaugh (1975), New Jersey.

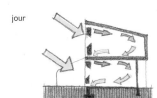

jour

nuit

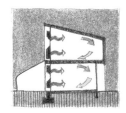

Façade sud-est de la première maison Trombe (1962).

Un des premiers murs capteurs accumulateurs fut réalisé avec des orifices hauts et bas. Mis au point en 1962 par l'ingénieur Félix Trombe (et l'architecte Jacques Michel) dans sa maison à Odeillo (Pyrénées-Orientales), ce mur capteur spécifique prendra le nom de son créateur. Dans ce projet, la quasi-totalité de la façade sud est constituée d'un double vitrage recouvrant une paroi de béton de 30 cm peinte en noir.

Les études et les mesures effectuées sur les deux premières maisons expérimentales utilisant le procédé trombe ont montré que l'énergie solaire utilisée fournissait de 70 % (maison Trombe) à 85 % (maison Kelbaugh) des besoins de chauffage sans aucune assistance mécanique. Aujourd'hui, avec des vitrages deux à trois fois plus performants, de tels résultats sont possibles sur des projets moins typés, avec des surfaces captrices plus restreintes et plus variées.

Malgré ses bons résultats, le mur Trombe original présentait plusieurs inconvénients :

– la thermocirculation est aléatoire. Si l'on oublie de fermer les orifices en l'absence de soleil, le système de thermocirculation peut s'inverser pendant la nuit et l'habitat au final perdre plus de calories qu'il n'en gagne ;

– ces premiers systèmes privilégient la convection, plus instantanée, mais moins confortable que le rayonnement ;

– ce chauffage par convection crée de fait un brassage de poussières dont certaines iront dans la lame d'air entre vitrage et mur, endroit difficile à nettoyer ;

– la recherche du rendement maximal grâce à des surfaces noires ou très sombres a engendré un courant de fonctionnalisme thermique à l'expression esthétique parfois discutable.

Certains de ces inconvénients disparaissent par la mise en place de filtres anti-poussière et de clapets anti-retour ou de ventilateurs qui, lorsqu'ils sont couplés à des capteurs thermiques, permettent une automatisation complète ou partielle du système.

Hameau « Les basses Fouassières » à Angers.

Ces 27 maisons isolées ou groupées présentent 90 % de vitrages au sud dont 20 % de murs Trombe qui chauffent les pièces attenantes. Dans cette opération réalisée en 1982, les apports solaires réduisent de 31 % les besoins de chauffage. Le surcoût des équipements solaires passifs est de 9 % (dont 2 % pour les murs Trombe). Architectes : C. Parant, J.-R. Mazaud, A. Enard.

Maison à Briançon (Hautes-Alpes).

Construite en 1974 sur une forte pente, cette maison de 140 m² habitables présente 47 m² de murs Trombe en façade sud disposés en cinq panneaux indépendants. Les murs Trombe sont constitués de béton banché de 40 cm, d'une lame d'air de 10 cm et d'un double vitrage. Architecte : C. Mellet.

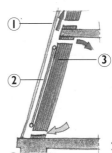

1 Double vitrage
2 Radiateur à eau
3 Mur Trombe

Maison à Odeillo (Cerdagne).
Cette maison de 200 m² habitables située à 1 600 m d'altitude est équipée sur sa façade sud de 54 m² de murs Trombe répartis en plusieurs groupes de tailles et de dispositions différentes selon les espaces attenants à chauffer. La partie centrale inclinée à 70° (voir coupe) fonctionne principalement par convection directe, le mur étant couvert d'un capteur à eau. Ce circuit d'eau fournit l'eau chaude sanitaire et alimente un grand radiateur situé sur la paroi nord de la grande pièce de jour. Ce système présente en outre le double avantage de réduire les surchauffes en été et d'empêcher le gel du circuit d'eau en hiver. Concepteur : J.-F. Tricaud.

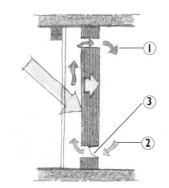
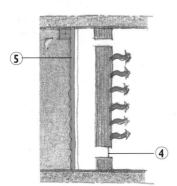

Le propriétaire a amélioré le fonctionnement des murs Trombe en installant des volets roulants à l'extérieur pour la nuit et l'été, et des petits volets basculants dans les orifices bas. Ces clapets se ferment automatiquement dès que la convection provoquée par l'échauffement de la lame d'air s'arrête. Une butée anti-retour empêche l'inversion de la convection pendant la nuit.

1 Air chaud
2 Air froid
3. Clapet ouvert
4 Clapet fermé
5 Volet roulant

Maison à L'Isle-sur-Sorgues (Vaucluse).
Cette maison combine de grandes baies au sud, des murs Trombe et une serre centrale servant de sas d'entrée. Une treille recouverte d'une vigne ombrage toute la façade sud en été. Architecte : J.-L. Izard.

Vu de l'intérieur, le mur capteur (au centre, entre la baie à gauche et la serre à droite) n'est plus un obstacle à la lumière et à la vue. Mais sa fonction structurelle s'augmente d'un rayonnement chaud très apprécié en soirée.

Le mur rayonnant mixte, ou mur « double peau »

Comparé à un mur capteur accumulateur basique, le mur mixte ou « double peau » n'est pas opaque sur toute sa surface puisqu'il comporte des fenêtres ou même des portes communiquant avec l'extérieur. Ces communications, créées pour le passage de la lumière, de l'air ou des personnes, se font par deux ouvrants : l'un dans le percement de la paroi captrice, l'autre à l'extérieur dans le plan du vitrage qui recouvre la façade.

En saison froide, le fonctionnement de la paroi est au choix des habitants :
– pendant les moments d'ensoleillement, la baie intérieure peut être ouverte pour un réchauffement accéléré de l'espace intérieur, ou fermée pour un stockage des calories dans la maçonnerie en prévision d'une restitution différée ;

Mur capteur type « double peau ».
Orienté sud-sud-est (30°), il est composé d'un mur en pierre de 60 cm d'épaisseur et d'une surface vitrée de 35m². Protection solaire par l'avancée de toit pour la partie haute et par un store amovible pour le rez-de-chaussée. Maison d'habitation à Fouchécourt (Haute-Saône).

Mur capteur formant trumeau* entre une serre (à gauche) et une baie à captage direct (à droite).
Les doubles vitrages coulissants extérieurs recouvrent la totalité de la façade sud et assurent une bonne isolation en période froide. De plus, ils permettent toutes les communications extérieur/intérieur souhaitables : passages physiques, lumière, ventilation. Conception : J.-P. Oliva-HabiTer.

Le principe de la double peau est de plus en plus repris comme base de conception, principalement pour des bâtiments tertiaires. Les concepteurs parlent alors de « boîte dans la boîte ». Dans cette approche, cet espace intermédiaire est mis à profit pour installer les équipements techniques, de la végétation apportant du frais en été…

– la nuit en hiver, les deux fenêtres fermées sont équivalentes à un triple ou à un quadruple vitrage, que l'on peut au besoin renforcer avec des rideaux ou des volets.

En saison chaude, c'est la partie extérieure de la double fenêtre qui reste entrouverte le jour pour permettre l'évacuation de la chaleur de la lame d'air. La nuit, les deux fenêtres ouvertes permettent de créer une ventilation naturelle traversante grâce à l'ouverture de fenêtres ou de bouches d'air en façade nord (voir § 5.3.4, p. 198).

Les avantages de ce système sont multiples :
– les gains directs ou différés sont modulables au gré des besoins. Les manipulations sont simples, logiques et en prise directe avec le vécu thermique quotidien ;
– les façades sud ne sont pas forcément aveugles et on peut y ménager toutes les vues, prises de lumière et passages souhaités.

Maison en Autriche.
La paroi externe permet de protéger l'espace habité de l'espace extérieur par deux parois à fonctions complémentaires. Cette approche représente une exploitation poussée de la notion d'espace tampon chère à l'architecture bioclimatique.

Hiver

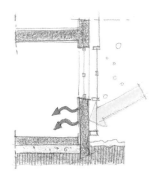

Été

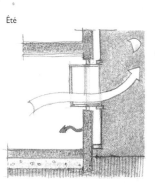

Fonctionnement d'un mur capteur mixte (ou façade « double peau »).
À droite : fonctionnement en journée d'hiver.
À gauche : fonctionnement durant les nuits d'été.

Mur capteur en réhabilitation.
Le transfert par convection est ici privilégié en partie centrale.

Mur capteur et baies vitrées à apport direct dans une réhabilitation de bergerie à Saussines (Gard).
Architecte : F. Confino.

Réhabilitation des écuries du parc de la Deûle à Houplin-Ancoisne (Nord).
Dans un bâti ancien d'un certain caractère, on préférera souvent aux murs capteurs la serre où la galerie-serre, qui, outre un rendement thermique équivalent, offre de nouvelles fonctionnalités aux espaces (voir § 4.2, p. 146). Architecte : J. Houyez.

Murs capteurs sur murs anciens traditionnels

L'épaisseur des murs traditionnels (50 à 60 cm, voire plus) soumis au rayonnement solaire leur confère naturellement une fonction captrice. Mais ce captage direct, sans effet de serre, procure des apports très limités, avec de faibles amplitudes et des fréquences de restitution étalées en général sur plusieurs jours. Seule une faible proportion de ces apports transite finalement vers l'intérieur et le bilan sur la saison de chauffe de ces murs est généralement négatif.

Ces performances très limitées quant à la récupération des calories solaires peuvent être largement améliorées si l'on y appose un vitrage, voire un isolant transparent par l'extérieur.
Néanmoins, l'efficacité de ces adjonctions, est soumise à plusieurs conditions :
– La possibilité de limiter les ponts thermiques structurels, toujours importants dans ce type de paroi, lesquels peuvent annuler tout le gain espéré sur une petite surface d'équipement.
– La nature et la cohésion entre eux des éléments de la paroi qui peuvent réduire la conduction.
– La modification de l'équilibre hygrothermique des murs, (voir § 3.1, p. 89) dont l'évaporation sera limitée au parement intérieur.
En pratique, on a souvent intérêt à faire fonctionner ces murs sur le modèle des murs mixtes à « double peau », associant convection et conduction, ce qui réduit l'impact des inconvénients précédents.

Murs capteurs sur murs conventionnels

Si l'adjonction de vitrages sur des murs anciens n'est pas toujours facile à mettre en œuvre, elle est souvent plus aisée sur le patrimoine contemporain. De plus, beaucoup de ces murs en béton, en parpaings de ciment ou en briques, très déperditifs, ont tout à gagner d'une nouvelle vêture extérieure.

La pose de vitrages pour transformer la façade sud en mur capteur, outre le gain de chaleur issu du rayonnement solaire, permet de supprimer les ponts thermiques. Si on ajoute une isolation par l'extérieur sur les autres façades et que les balcons sont intégrés dans ce manteau pour devenir, selon l'orientation, des serres solaires ou de simples espaces tampons, ces constructions très déperditives peuvent devenir, avec une ventilation performante, de véritables bâtiments « basse énergie » (voir encadré p. 217).

Réhabilitation de la cité Mazorel à Crest (Drôme).

La réhabilitation de ces collectifs a consisté à associer en façades sud des serres en avant des séjours et des murs capteurs devant les pièces aveugles (chambres). Ces derniers sont de deux types : l'un est réalisé par un simple vitrage (voir schéma) et le second par la pose d'un isolant transparent. Côté intérieur, ils permettent une circulation d'air par thermocirculation entre le mur et un doublage en briques.

Dans les deux systèmes, les surchauffes possibles en été sont limitées par des brise-soleil statiques horizontaux et par la possibilité de fermer les orifices de ventilation par l'intérieur. Architecte : S. Jauré.

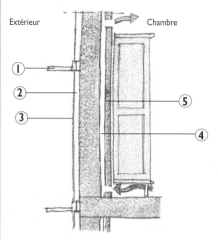

1 Pare-soleil
2 Vide d'air
3 Simple vitrage
4 Lame d'air
5 Doublage en briques

Vers des murs capteurs en bois ?

Intégrées dans des programmes en cours cherchant à faire reconnaître les performances thermiques dynamiques du matériau bois, des recherches récentes en Suisse, en Allemagne et en Autriche ont abouti à la mise au point de murs capteurs dans lesquels des panneaux de bois remplacent les éléments lourds en maçonnerie.

Dans le système suisse Lucido®, le rayonnement solaire est capté en arrière du vitrage par un panneau de bois massif profondément rainuré agissant comme les ailettes d'un radiateur. La chaleur transmise par conduction au panneau est ralentie dans sa progression vers l'intérieur par un panneau isolant en argile et cellulose à forte diffusivité (temps de déphasage de 4 à 12 heures). La nuit, l'ensemble lame d'air/bois/isolant réduit au minimum les déperditions alors que du côté intérieur la paroi dispense la chaleur accumulée pendant la journée. La performance isolante de ces murs additionnée à leurs capacités de captage, y compris celle du rayonnement diffus, leur permet de présenter un bilan positif sur les quatre façades..

Si le coefficient U mesurant les déperditions théoriques de la paroi est de 0,31 W/m².K, son bilan réel est tout autre, car le mur, comme une fenêtre, n'est pas uniquement déperditif, mais également capteur. Pour quantifier ce bilan (déperditions diminuées des gains solaires), il a été établi un « équivalent U » indiquant quel coefficient de transmission devrait avoir un mur opaque non capteur pour offrir un bilan thermique équivalent : cet « équivalent U » est de 0,19 W/m².K pour une paroi orientée au nord, et de 0,07 W/m².K si elle est orientée au sud !

En été, les risques de surchauffes sont évités par plusieurs phénomènes :
– l'angle d'incidence important qui diminue l'intensité du rayonnement solaire (voir tableau p. 64) ;
– seules les extrémités des lamelles se réchauffent. Avec le fond des rainures maintenu à l'ombre se produit un mouvement de convection qui évacue l'air

Façade de murs capteur en bois d'une maison-test Lucido® à Winterthur (Suisse).

Le suivi thermique sur deux années de chauffage fait apparaître des besoins inférieurs de 70 à 80 % par rapport à une maison au standard suisse actuel.

Ci-dessous : détails du mur capteur en bois.

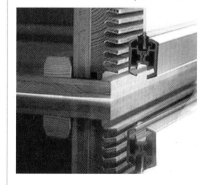

Mur capteur en bois.

chaud. Les réchauffements éventuels sont absorbés par l'isolant à forte capacité thermique, si bien qu'il n'est pas nécessaire avec ce système d'ombrager les façades.

Enfin, la surface d'absorption des lamelles étant très grande, le coefficient d'absorption induit par la couleur de la surface devient secondaire, si bien que le bois peut être laissé dans sa teinte naturelle ou bien peint, selon l'esthétique recherchée.

Les toitures-bassins, murs capteurs horizontaux ?

Plusieurs expériences ont été faites, notamment aux États-Unis, pour installer la masse thermique rayonnante au-dessus du plafond de l'espace habité. Cette option libère la façade sud et « rentabilise » thermiquement le versant de toiture sud. Le matériau stockeur utilisé dans ce cas est l'eau qui présente le meilleur rapport poids/capacité thermique.

Maison aux États-Unis associant les gains directs par les grandes baies de la façade sud et les gains indirects par une toiture-bassin d'environ 7 500 litres contenus dans des enveloppes plastique. Architecte : Acorn Structures.

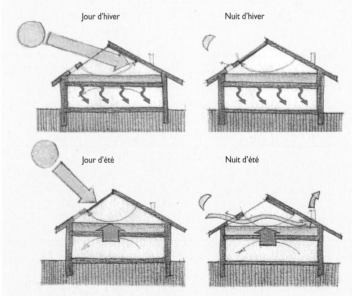

Fonctionnement d'une « toiture-bassin ».
• Le jour en hiver, volets ouverts, le lit d'eau se réchauffe par effet de serre et sa chaleur rayonne vers l'intérieur. La nuit, ce rayonnement se poursuit et les déperditions sont limitées par la fermeture des volets isolants.
• En été, les volets fermés évitent le réchauffement de l'eau pendant la journée. La nuit, l'aération permet de refroidir cette masse vers laquelle rayonnent les calories excédentaires de l'espace habité.

4.2 LES SERRES BIOCLIMATIQUES

Les serres bioclimatiques, également appelées « serres solaires », ont un statut à part parmi les outils de captage du rayonnement solaire qui les fait parfois qualifier de « casse-tête thermiques ». Cela tient aux multiples configurations possibles et à leurs fonctions. En plus d'un rendement qui peut couvrir 20 à 40 % des besoins de chauffage de la maison, elles contribuent au rafraîchissement en été, mais sont aussi des espaces tampons à certains moments, et des espaces à vivre, très agréables, à d'autres moments. La qualité de leur conception est donc capitale pour qu'elles ne produisent pas les effets inverses à ceux recherchés : peu ou pas de gains en hiver, et des surchauffes en été.

4.2.1 Principe de fonctionnement

Une serre bioclimatique fonctionne comme un mur capteur de type « double peau » dont la lame d'air serait suffisamment large pour être habitable.

• En hiver, dès que le soleil frappe le vitrage, l'air réchauffé dans la serre peut pénétrer dans l'habitat par l'ouverture des baies de la paroi mitoyenne. Ce premier réchauffement, au choix des habitants, se double d'un réchauffement par conduction : les parties maçonnées de la paroi du fond s'échauffent et

---

Serres, vérandas, oriels ou bow-windows ?

Une certaine confusion demeure quant à la définition des espaces vitrés adjacents à un logement. Les définitions données par le Petit Robert pour ces éléments de construction sont les suivantes.

• **Serre** *(du verbe serrer). Construction vitrée, parfois chauffée artificiellement, où l'on met les plantes pour les protéger du froid pendant l'hiver.*
Les serres chauffées artificiellement, et donc au bilan thermique forcément négatif, ne sont pas celles qui nous intéressent ici.
• **Véranda**. *Du portugais* varanda, *qui désigne une construction à base de perches. Galerie légère en bois, vitrée et adossée à une maison.*
Le terme véranda est souvent employé en lieu et place de celui de serre. Nous lui préférons cependant ce dernier puisqu'il a l'avantage de contenir le principe de son fonctionnement, l'effet de serre, et réservons le terme de véranda aux espaces accolés sans l'accompagnement d'une approche thermique globale.
• **Oriel.** *Fenêtre faisant saillie sur un mur de façade. C'est le nom français pour bow-window ou* bay-window *(fenêtre en saillie).*
Les oriels ou *bow-windows* font partie intégrante de l'enveloppe du logement. Ces configurations, du point de vue thermique, relèvent donc du gain direct, de la même façon qu'une fenêtre ou une baie vitrée.

La serre bioclimatique ou serre solaire est un volume vitré capteur. Séparée du logement proprement dit par une paroi, elle peut au choix communiquer avec lui par des fenêtres, portes-fenêtres, vitrages coulissants, etc. La serre bioclimatique est un espace tampon occultable. C'est un espace chauffant et non chauffable.

Jour d'hiver

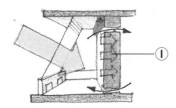

Nuit d'hiver

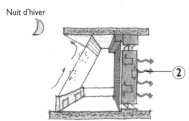

Jour d'été

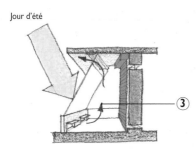

Nuit d'été

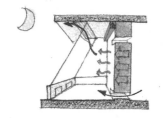

Principe de fonctionnement d'une serre.
1 Conduction
2 Rayonnement
3 Convection
•En ce qui concerne la position et la pertinence d'un volet, voir p. 157.
• Les communications entre serre et espace chauffé, matérialisées ici par des orifices spéciaux type mur trombe, sont communément des fenêtres ou des portes-fenêtres.

retransmettent lentement leurs calories sur son autre face. Simultanément, le sol de la serre absorbe lui aussi une partie du rayonnement solaire.

Le soir, quand les apports solaires ont cessé, on veille à fermer toutes les communications entre la serre et l'espace habitable de façon que celui-ci ne se refroidisse pas.

La nuit, les calories accumulées dans le mur intermédiaire durant la journée rayonnent vers l'intérieur. Et dans la serre, les calories accumulées dans la dalle et une partie de celles accumulées dans le mur du fond rayonnent vers cet espace tampon, limitant ainsi la baisse des températures dans celui-ci.

• En été, le rayonnement solaire qui traverse le vitrage de la serre est limité du fait, notamment, de son angle d'incidence (voir § 2.4.1, p. 63 et 2.4.2, p. 67). Le réchauffement de l'air qui se produit cependant dans la serre permet une ventilation naturelle grâce à des ouvertures spécifiques pratiquées en bas et en haut (voir § 4.2.4, p. 158). Avec un dispositif de protection solaire (store, casquette, végétation…), la serre restera agréable même durant ces journées les plus chaudes de l'année. Toutefois, les communications entre la serre et le reste de l'habitation devront rester fermées afin de ne pas produire dans la maison un renouvellement d'air important qui la réchaufferait.

Durant les nuits d'été, les grilles de ventilation de la serre et les ouvertures entre serre et habitat laisseront passer généreusement l'air et permettront une ventilation propice au rafraîchissement du bâtiment (voir § 5.3.4, p. 198).

• Lors des intersaisons, le fonctionnement de la serre sera plus souple. Et, selon l'ensoleillement, les besoins internes et le souhait de vivre dans cet espace, son fonctionnement empruntera parfois à la logique d'été, parfois à celle d'hiver.

• Enfin, la serre bioclimatique sera mise à profit à différentes périodes de l'année pour améliorer l'efficacité du système de ventilation :
préchauffage de l'air en période froide ;
contribution à la surventilation nocturne en été.
(Voir à ces propos le § 4.2.4, p. 158 et le chapitre 5, p. 202).

Performance d'une serre et comportement des habitants

La performance d'une serre bioclimatique dépend de nombreux paramètres ; le plus important est le comportement des habitants. En effet, si la serre est utilisée sans attentions particulières, c'est-à-dire si l'ouverture de ses portes et de ses fenêtres se fait sans tenir compte de la température et des besoins de l'espace habité, elle s'apparente à une pièce inconfortable sans intérêts thermiques particuliers.

Au lieu d'être un espace tampon dont le rôle est d'amortir l'amplitude des températures extérieures et de capter les calories du rayonnement solaire, elle sera froide en hiver (plutôt que fraîche, voir chaude durant les journée ensoleillées) et chaude en été (plutôt que tempérée).

Le comportement des habitants a la même importance dans le cas de serres solaires que dans le cas d'un mur accumulateur type « double peau » (ou d'un du mur Trombe sans automatisme). Si la disponibilité ou la motivation des occupants ne permettent pas un fonctionnement satisfaisant de ces équipements, la solution sera d'automatiser l'ouverture de certaines baies (voir système adapté § 5.2.1, p. 184).

Evolution des températures dans un logement équipé d'une serre bioclimatique sur la journée du 18 juin 2003.
Suivi de 9 appartements avec serre bioclimatique.
Au cours de la journée la plus chaude relevée pendant la campagne de mesures, l'amplitude des variations de température n'est que de 2 °C dans le séjour avec un maximum à 29 °C alors que la température extérieure atteint 35 °C. Dans la serre, la fermeture des fenêtres en début d'après-midi permet d'y stopper la montée des températures

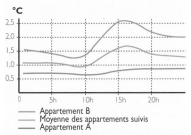

Différence moyenne de température dans un séjour durant l'hiver 2002 entre les journées avec ou sans soleil.
Suivi de 9 appartements avec serre bioclimatique.
• En bleu : moyenne établie sur l'ensemble des appartements suivis.
• En rouge : appartement A, où l'utilisation de la serre a été peu adaptée. Les fenêtres entre la serre et l'extérieur sont souvent ouvertes et celles entre la serre et le séjour généralement fermées.
• En vert : appartement B, où l'utilisation de la serre a été plus suivie. L'ouverture des fenêtres est adaptée aux besoins quatre fois sur cinq (fermées entre la serre et l'extérieur excepté les jours chauds, et ouvertes entre la serre et l'espace intérieur lorsque la température de la serre est supérieure à celle du séjour).
On remarque que l'appartement A ne profite quasiment pas de l'ensoleillement contrairement à l'appartement B. La différence est en moyenne de 1,5 °C ce qui représente une incidence sur la consommation de chauffage de l'ordre de 15 % environ.

Serre-entrée-espace additionnel au séjour.
Le grand vitrage coulissant (au premier plan) permet selon les heures et les besoins de faire communiquer les espaces ou de les séparer. Maison Gonnet. Conception : J.-P. Oliva.

Serre-bureau-chambre d'appoint à la belle saison (partie haute de la serre précédente).
Le large débord de toiture évite toute surchauffe en été. Les ouvrants permettent en outre une bonne ventilation verticale entre le rez-de-chaussée et l'étage.

Serre et salle de bain.
La serre communique très largement avec la salle de bain par un panneau coulissant translucide qui peut être ouvert ou fermé pour préserver température et intimité. Maison Leth.

4.2.2 Conception de la serre comme espace habitable

Une serre bioclimatique a d'abord une fonction thermique : elle constitue un espace tampon entre intérieur et extérieur, elle produit des calories le jour en hiver, et elle concourt à la ventilation du bâtiment en été. Elle peut être conçue dans ces seuls objectifs, mais dans ce cas, l'espace qu'elle constitue est un espace habitable perdu cher à construire qui peut avantageusement être remplacé par la simple lame d'air d'un mur capteur. Aussi a-t-elle toujours une fonction d'usage dans l'organisation des espaces habités, qui peut être très variée selon les particularités de chaque projet, la seule constante étant qu'elle n'est pas en permanence habitable.

Que l'on soit en neuf ou en réhabilitation, les fonctions d'usage les plus courantes d'une serre bioclimatique sont :
– espace additionnel aux pièces principales : salon, salle à manger, cuisine… ;
– pièce d'appoint indépendante : jardin d'hiver, espace de jeu, forçage des semis au printemps pour le jardin potager… ;
– espace de transition ou de communication : sas d'entrée, distribution entre deux parties relativement indépendantes du logement, raccordement entre corps de bâtiments différents, communication entre pièces (galerie-serre) ou entre étages (escaliers-serres)…

Les fonctions d'usage d'une même serre peuvent être multiples et évoluer dans le temps, sur un rythme quotidien et annuel. Elles impliquent des dimensions spécifiques du point de vue architectural qui parfois peuvent amener à écarter les formes les plus performantes thermiquement au profit d'une meilleure habitabilité.

Galerie-serre pour un espace de communication et de circulation.
Conception : Alain Klein, Inventerre.

Serre-jardin.
La partie vitrée de la toiture de la serre permet une insolation directe du sol accumulateur et préchauffe l'eau d'aquariums contenant des poissons de rivières chaudes. La partie supérieure, revêtue de panneaux photovoltaïques semi-transparents, tamise la lumière pour les plantes fragiles et fournit l'énergie d'appoint. Ferme autonome en énergie (Vercors).

La conception de la serre est donc toujours la recherche du meilleur compromis entre sa performance thermique, son aspect esthétique, son habitabilité, son confort, sa réalisation technique et son coût.

Le confort de la serre bioclimatique

La possibilité d'étendre la durée d'utilisation de la serre dépend des solutions mises en place pour y maintenir des conditions de confort. Le concepteur doit composer avec différents paramètres.

La luminosité

La lumière directe pénétrant dans la serre et atteignant le sol et les parois lourdes est évidemment la plus efficace pour un rendement thermique optimisé. Cependant, on peut préférer une lumière diffuse, pour des activités de travail ou pour abriter certaines plantes. Si le souhait est de réduire la luminosité, la possibilité est offerte de poser des occultations intérieures mobiles ou d'utiliser des vitrages techniques (dépolis, réfléchissants, photochromes, à couches sélectives). Mais dans ce dernier cas, il faudra veiller à choisir des solutions qui ne limitent pas trop le rendement de la serre.

Le régime de température

Si l'amplitude des températures dans une serre est plus élevée que dans les espaces habitables permanents, cette sensation est atténuée par le confort ressenti grâce au rayonnement des parois à inertie (voir température résultante, chapitre 1, p. 29). On peut ainsi demeurer dans une serre en hiver plusieurs heures après la disparition du soleil à condition d'atténuer le rayonnement froid des vitrages par une protection intérieure. En dehors de la période froide, en composant avec les protections solaires et les mouvements d'air, la serre est un espace habitable permanent.

Le degré d'humidité

Lorsque la température de l'air s'élève rapidement dans la serre, une sensation d'inconfort peut apparaître si cet air reste trop sec. La présence de plantes ou d'une fontaine permet d'améliorer cette situation, mais cette évaporation réduit également l'échauffement de l'air… Il faudra donc composer avec ces solutions différemment selon les saisons.

Serre-espace de jeux.
La serre est un espace très attractif, même sans ensoleillement direct, dès que les températures extérieures sont basses. Immeuble Am Linden wälde, Fribourg. Architecte : R. Dish.

Serre-corridor au Danemark.
La verrière est constituée de panneaux photovoltaïques semi-transparents qui tamisent la lumière et produisent de l'électricité. Folkecenter for Recevable Energy.

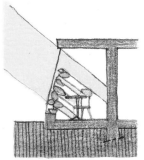

La présence de végétaux ou de mobilier peut contrarier le chargement des masses inertielles d'une serre.

4.2.3 Typologie et dimensionnement des serres

Une serre correctement conçue et orientée doit assurer une partie du chauffage du bâtiment. Mais la quantité de chaleur fournie dépend de nombreux paramètres. Certains sont communs à tous les systèmes de captage solaire (latitude, climat, ensoleillement, orientation…) et d'autres sont plus spécifiques aux seules serres (masse et position du stockage thermique, profondeur et type d'utilisation, configuration de la serre…).

L'orientation

L'orientation d'une serre s'aborde comme celle d'un mur capteur et, si l'on cherche à s'approcher idéalement au maximum du plein sud, il faut savoir qu'un léger écart vers l'est ou vers l'ouest ne contrarie que modérément la performance de captage (- 5 % pour un écart de 20°, - 20 % pour un écart de 40°).

L'orientation de la serre doit aussi tenir compte de l'ensemble des données microclimatiques locales, notamment des vents dominants en hiver, des brumes matinales et des masques solaires. Ainsi, un écart par rapport à l'azimut (voir p. 64) pour développer le maximum de parois vitrées vers les orientations favorables en hiver permettra souvent de compenser les réductions dues à l'écart avec l'angle théorique optimal. Mais dans le cas d'une orientation sud-ouest, le problème des surchauffes en été doit être précisément résolu.

L'inclinaison du vitrage et le profil de la serre

Au solstice d'hiver, à midi, le vitrage d'une serre orientée plein sud capte le maximum de rayonnement solaire quand l'angle d'incidence avec le soleil est nul (voir § 2.4.1, p. 63).

Mais, dans les heures qui précèdent et suivent midi, le soleil est plus bas sur l'horizon, et donc c'est une moyenne qu'il convient de prendre en compte. En pratique, on se sert de la formule : « latitude + 35° ». Par exemple, pour une ville comme Grenoble (latitude 45°), l'inclinaison optimale serait de 45 + 35 = 80°, soit très proche de la verticale (90°).

Or, à 10°, l'angle d'incidence a peu d'effets sur la transmission du rayonnement à travers une surface vitrée. Dans la plupart des cas, on pourra donc opter pour un vitrage vertical, qui sera plus facile à mettre en œuvre, presque aussi performant en hiver, et bien meilleur en été, car l'angle d'incidence sera plus grand.

L'inclinaison du vitrage peut cependant s'avérer bénéfique dans les régions où la composante diffuse du rayonnement total est importante, et vient principalement de la voûte céleste sur sa partie sud. La combinaison courante toit vitré incliné + parois verticales offre par exemple le meilleur rendement pour les climats océaniques (voir encadré page suivante).

Une face vitrée vers l'est ou un léger décalage permettra d'améliorer les apports matinaux sans pénaliser notoirement le confort d'été et la performance d'hiver.

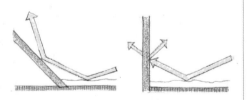

Un autre avantage d'une surface verticale est qu'elle transmet mieux le rayonnement réfléchi par le sol devant elle en hiver (jusqu'à 40 % d'énergie captée supplémentaire).

Typologie des serres selon la zone géographique

1 Zones tempérées à faible ensoleillement :
– forte présence de rayonnement diffus de la voûte céleste ;
– faibles amplitudes thermiques.
La serre pourra offrir une surface vitrée en mur et en toiture.

2 Zones tempérées à fort ensoleillement :
– mêmes caractéristiques que la zone 1, mais plus fort rayonnement estival et températures plus élevées.
Protection d'été par un toit au moins en partie opaque.

3 Zones continentales ou montagneuses :
– climat contrasté à dominante froide ;
– rayonnement direct important, fortes amplitudes thermiques.
Intégration de la serre au bâtiment, réduction des parois vitrées aux parois sud, et protection solaire d'été.

4 Zones méditerranéennes :
– climat contrasté à dominante chaude ;
– rayonnement direct important, fortes températures estivales.
Parois captrices verticales, protection solaire d'été accentuée.

Les zones intermédiaires correspondent soit à des transitions imprécises entre régions de climats voisins, soit à des zones particulières (environs de Paris, de Lyon…). Voir « Le microclimat urbain » p. 60.

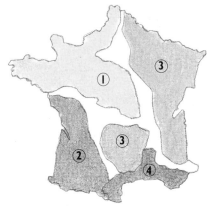

Répartition des principales zones climatiques influant sur le comportement des serres.

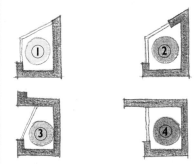

Profil des serres selon la zone géographique.

L'intégration de la serre à l'espace habité

Que l'on soit en construction neuve ou en réhabilitation, la serre bioclimatique est un espace dont la fonction thermique prépondérante se conjugue avec les autres fonctions de l'espace habité. Elle devient donc souvent un élément architectural central et structurant du projet.

Par ailleurs, vu l'importance des faces vitrées qui ouvrent la maison, et donc son intimité, vers l'extérieur, la relation serre-espace habité tient compte de l'environnement de la construction : elle ne sera pas conçue de la même façon dans un site urbain, une zone pavillonnaire ou à la campagne…

La « traditionnelle » serre rapportée en appendice sur la façade sud, outre qu'elle est rarement satisfaisante sur le plan esthétique, est également peu efficace du point de vue thermique. En effet, si la serre doit capter le maximum de rayonnement solaire en hiver, elle doit également limiter au maximum les déperditions dans cette période et faciliter la transmission des calories vers l'espace intérieur. Le meilleur résultat, pour une surface captrice orientée au sud, sera obtenu en diminuant le plus possible les autres surfaces vitrées de la serre et en augmentant les surfaces de contact avec l'habitat.

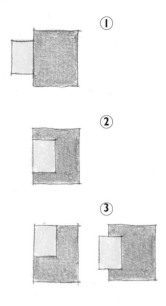

1 **Serre en applique (ou accolée ou en épi).**
Type de serre le moins performant au niveau thermique pour l'été comme pour l'hiver :
– trop de déperditions de l'espace serre ;
– manque de surfaces d'échanges avec l'espace intérieur.

2 **Serre encastrée.**
Type de serre le plus performant :
– façade de captage optimisée (l'ensemble de la surface en contact avec l'extérieur est captrice plein sud) ;
– surfaces de contact serre/espace habité maximales ;
– coût limité (une seule façade « technique », pas de saillie sur le bâtiment…).

3 **Serre en angle ou semi-encastrée.**
Moyenne entre les solutions 1 et 2.

On estime usuellement que pour une surface de vitrage « équivalent sud » identique, la performance thermique d'une serre encastrée est :
– près de deux fois supérieure à celle d'une serre en angle ou semi-encastrée (1) ;
– près de trois fois supérieure à celle d'une serre accolée (1).

Le dimensionnement des serres

La quantité d'énergie captée par une serre dépend d'abord de la surface et de l'orientation de ses parois vitrées. Le rendement de cette énergie captée est d'autre part indissociable de la capacité des parois de la serre à absorber cette chaleur et à la restituer à l'espace habité.

Enfin, un dernier élément important influe sur le rendement global ; il s'agit de la faculté des habitants à gérer l'ouverture des communications entre la serre et l'espace habité et entre la serre et l'extérieur (voir encadré p. 145).

Afin d'approcher une méthode simplifiée de dimensionnement de la surface vitrée, de la surface et de l'épaisseur des murs accumulateurs, la base sera celle proposée pour les murs capteurs (voir § 4.1.1, p. 130).

Pour affiner la détermination des surfaces vitrées, les paramètres suivants viendront ensuite en soustraction :
– incidences dues à une orientation ou à une configuration qui ne sont pas optimales ;
– profondeur de la serre qui réduit le réchauffement du mur à inertie ;
– déperditions thermiques de la serre durant les périodes froides.

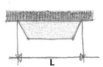

La surface de vitrage « équivalent sud » correspond à la projection de la surface captrice de la serre sur une surface verticale orientée plein sud.
Vitrage équivalent sud = L x H

1. Dans les cas où une serre encastrée n'est pas envisageable, on peut améliorer le rendement d'une serre en augmentant la proportion de sa surface vitrée sud par rapport aux autres orientations. Une autre amélioration pour les serres semi-encastrées et en applique consiste à rendre opaque et à isoler tout ou partie de leurs faces latérales.

Repères pour un pré-dimensionnement des serres bioclimatiques

	Couverture des besoins de chauffage par une serre encastrée (surface des vitrages équivalent sud représentant 20 % de la surface de plancher)		
	Maison type standard (b)	Maison type « basse énergie » (b)	Maison type « très basse énergie » (b)
Zone climatique H1 (a)	5 à 10 %	10 à 25 %	15 à 35 %
Zone climatique H2 (a)	7 à 15 %	15 à 30 %	20 à 45 %
Zone climatique H3 (a)	12 à 25 %	20 à 45 %	30 à 60 %

Estimations réalisées avec une serre de profondeur moyenne (entre 1,50 et 2,50 m), équipée de baies performantes avec vitrage à isolation renforcée (VIR) et occultations nocturnes entre serre et espace intérieur.

(a) Zone climatique d'hiver, d'après réglementation thermique, voir carte p. 51.
(b) Voir encadré p. 38.

• La variation importante des données de ce tableau dépend à chaque fois de la profondeur de la serre, de la dimension exacte des surfaces en contact avec l'extérieur, de la dimension et de la nature des parois mitoyennes, et du comportement des habitants.

• À caractéristiques identiques (profondeur, comportement des habitants…), la performance des serres encastrées donnée dans ce tableau est :
– minorée d'environ 50 % pour une serre en angle ou semi encastrée ;
– minorée d'environ 66 % pour une serre en applique ;
– majorée d'environ 40 % pour une serre activée (voir p. 159).

• La surface « équivalent sud » choisie pour la base de ce tableau de dimensionnement est de 20 % de la surface plancher. Dans la réalité, cette surface peut bien entendu être inférieure ou supérieure en fonction des choix réalisés pour un projet. Néanmoins, le concepteur doit tenir compte du fait que, s'il augmente les surface de captage, il augmente la performance totale mais le rendement au m^2, lui, diminue.

Pour approcher le rendement réel d'une serre, les principales surfaces à prendre en compte sont celles des parois mitoyennes entre la serre et l'habitat recevant le soleil en période froide.

Plus la serre sera profonde plus son intérêt pour le chauffage de l'espace habité sera dépendant de la récupération instantanée des calories. Ceci se fera par l'ouverture des fenêtres entre la serre et l'espace habité ou grâce à un équipement de type « serre activée » (voir p. 159).

4.2.4 Réalisation de serres performantes

Relation entre la serre et l'extérieur

Choix des surfaces captrices

Il existe deux familles de matériaux transparents susceptibles d'être utilisés pour les parois extérieures d'une serre : les produits verriers et les produits synthétiques.

• Dans le cas d'utilisation de produits verriers, le choix du type de vitrage se fait sur les mêmes bases que pour les murs capteurs. Vu le coût aujourd'hui peu élevé du double vitrage performant, cette solution peut se généraliser (voir § 4.1.1, p. 134).

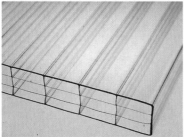

Polycarbonate.

Comme les polycarbonates, le Plexiglas® se présente en diverses versions dont certaines concilient un bon coefficient thermique, une résistance mécanique importante pour un poids très limité. Néanmoins, on aura tout intérêt à choisir des produits à facteur solaire équivalent aux vitrages et à vérifier leur tenue dans le temps.

Serre-rotonde en ossature bois.
Architecte : D Alasseur.

Enfin, une attention particulière doit être portée au cas des vitrages inclinés (paroi ou toiture) pour lesquels la solution est souvent l'utilisation de vitrages renforcés type verres armés ou trempés.

Il existe par ailleurs des vitrages « retardateurs » pour dissuader les tentations d'effraction occasionnelles, mais il est plus facile de sécuriser les communications entre la serre et l'espace habitable, soit par un vitrage adapté soit par un volet apportant en plus un renfort d'isolation.

• Les produits de synthèse sont de deux types :
– les films souples en polyéthylène, PVC… mais ils pèchent par une durée de vie optique (persistance de la transparence) et mécanique très limitée . En outre le PVC a un très mauvais bilan environnemental.
– les plastiques rigides type Plexiglas® ou Altuglas® ou les polycarbonates. Avec un vieillissement plus lent et une meilleure résistance mécanique que les précédents, on peut dans certains cas les préférer au verre. Mais il leur est souvent reproché leur manque de transparence.

Choix des structures et des menuiseries

Cinq types de structures sont possibles, présentant chacune des avantages et des inconvénients.

• Les structures en bois

Si le bois, peu conducteur, est un excellent matériau pour les menuiseries des baies, cet avantage pèsera moins dans le cas des serres, espaces non habités aux moments les plus froids.

S'il est choisi, entre autres pour ses qualités environnementales, on préférera du bois contrecollé permettant la réalisation d'ossatures fines et stables.

Enfin, sauf à choisir un bois naturellement durable et à accepter de le voir prendre une teinte grise, ce matériau doit être entretenu régulièrement à l'extérieur pour évoluer sans encombre avec les années.

• Les structures en acier

L'acier est le matériau traditionnel des serres depuis le XIXᵉ siècle. La résistance mécanique et la finesse des profilés autorisent de grandes surfaces de vitrages avec le meilleur coefficient de clair*. La relative mauvaise résistance thermique de l'acier ($\lambda = 56$ W/m.K) est en partie compensée par les faibles sections requises pour l'ossature de la serre comme pour la réalisation des baies.

Comme le bois, l'acier nécessite une protection anti-corrosion ou un traitement de galvanisation avant montage. Mais le rythme de cet entretien, assez espacé, est rarement retenu comme critère de choix.

L'étanchéité à l'air des ouvrants, surtout quand il s'agit de coulissants, laisse à désirer, car les fabricants de profilés, qui ont abandonné le « marché » des verrières aux fabricants d'aluminium, n'ont malheureusement pas investi dans ce domaine.

• Les structures en PVC

L'absence d'entretien, une performance thermique plutôt bonne et un coût limité jouent en faveur de ce matériau. Mais l'obligation d'avoir des profils larges, le mauvais vieillissement de la plupart des profilés et surtout le bilan écologique de l'industrie du PVC disqualifient ce matériau.

• Les structures en aluminium

Les principales qualités de ce matériau, qui est depuis 20 ans le matériau dominant dans la construction des serres, sont l'absence d'entretien et le fait que les fabricants aient mis sur le marché des gammes de profilés adaptées à ces utilisations. Mais l'épaisseur des profilés et les médiocres performances thermiques de l'aluminium malgré la présence de rupteurs thermiques rendent ce matériau moins attrayant. De plus, si en théorie ce matériau très gourmand en énergie à la fabrication peut être recyclé quasi indéfiniment, la réalité de terrain est tout autre : il faudrait pouvoir aisément séparer les multiples composants des baies (colles, joints divers…) et surtout avoir des profilés ayant un traitement de surface compatible avec les filières de recyclage.

Les structures en acier, relativement fines, interceptent très peu le rayonnement solaire.

• Les structures composites

Quelques fabricants développent des systèmes composites mettant à profit les qualités intrinsèques de chaque matériau : le bois pour ses qualités mécaniques, thermiques, écologiques, et esthétiques à l'intérieur, l'aluminium pour son inaltérabilité à l'extérieur.

Ces systèmes résolvent également les problèmes de dilatation entre les ossatures et les vitrages. Pour les ouvrants, et notamment les coulissants, des profilés en aluminium encastrables dans les ouvrants en bois assurent une bonne étanchéité à l'air.

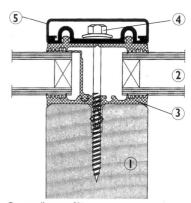

Coupe d'un profilé.
Le profilé aluminium est réduit à sa fonction la plus pertinente : la protection extérieure et la fixation des vitrages. La rupture du pont thermique et la dilatation des éléments sont assurées par le joint souple compressible. Système Stabalux.
1 Structure bois intérieure
2 Double vitrage à isolation renforcée
3 Joints souples compressibles
4 Profilé aluminium et vis de fixation
5 Profilé d'habillage aluminium

Amélioration du captage par la réflexion

La nature des sols en hiver en avant de la serre, à supposer qu'ils puissent être ombragés en été, peut être mise à profit en fonction de son albédo* pour réfléchir une partie du rayonnement direct (voir p. 66). Des réflecteurs mobiles intégrés à la structure de la serre peuvent avoir de multiples avantages.

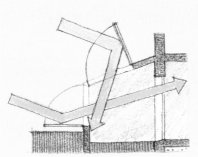

Fonctionnement de volets réflecteurs multifonctionnels.
• Hiver, le jour, volets ouverts : augmentation du captage.
• Hiver, la nuit, volets fermés : isolation.
• Été, le jour, volet bas fermé, volet haut entrouvert : pare-soleil.
• Été, la nuit, volets ouverts ou entrouverts selon besoins pour le rafraîchissement par surventilation du bâtiment.

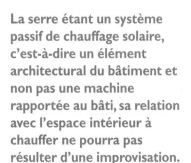

La serre étant un système passif de chauffage solaire, c'est-à-dire un élément architectural du bâtiment et non pas une machine rapportée au bâti, sa relation avec l'espace intérieur à chauffer ne pourra pas résulter d'une improvisation.

Mur mityen en briques de terre en construction. Conception : A. et A. Langer.

2. Les transferts de calories entre serre et espace intérieur pourront nécessiter l'utilisation d'un ventilateur dans le cas d'une « serre activée » (voir p. 159) et lorsqu'on utilise la serre pour le préchauffage de l'air intérieur (voir p. 156).

Isolation de la serre

Lorsque la serre a des parois autres que captrices en contact avec l'extérieur, on a intérêt à les opacifier et à les isoler pour un bon rendement thermique et un confort d'usage.

La conception de cette isolation différera selon le type de serre : une isolation par l'extérieur favorise l'inertie de la serre aux dépens de l'espace habitable en limitant son refroidissement la nuit, une isolation par l'intérieur favorise la convection de l'air vers l'espace habitable.

Pour ce qui est des sols et des parties de toitures opaques, on choisira une isolation similaire à celle des espaces habitables (voir « Choix de la classe d'inertie de la serre », ci-dessous).

Relations de la serre avec l'intérieur

Les modes de transfert de la chaleur de l'espace serre vers l'espace habitat sont généralement passifs (2), c'est-à-dire sans assistance mécanique. Ils reposent :
– sur le rayonnement solaire direct à travers les parties vitrées de la paroi en fond de serre ;
– sur le rayonnement différé de la chaleur stockée dans les parois mitoyennes lourdes ;
– sur la convection naturelle occasionnée par l'ouverture des baies du mur mitoyen.

De plus, le choix de mettre à l'intérieur de la serre des masses inertielles plus ou moins importantes viendra augmenter ou diminuer ces transferts dans le temps.

Choix de la classe d'inertie de la serre

Un des choix préalables à faire lors de la conception d'une serre bioclimatique sera celui de l'importance de l'inertie. Car, si les surfaces non vitrées de la paroi mitoyenne doivent être systématiquement en matériaux lourds (voir page suivante), la gestion des autres masses inertielles potentielles s'adaptera au type de serre souhaité.

• Une serre bioclimatique « légère » aura comme priorité le chauffage de l'espace de vie. Son inertie sera alors limitée et l'ensemble des parements sera géré pour privilégier le rayonnement sur la paroi mitoyenne :
– l'isolation du sol sera posée juste sous la chape ;
– le parement de finition du sol sera à faible pouvoir d'absorption (sol clair, relativement lisse…) ;
– l'isolation des éventuels murs extérieurs non capteurs sera intérieure et finie d'un parement réfléchissant.

• Si la priorité est au contraire de prolonger l'habitabilité de la serre, ou de limiter son amplitude thermique pour, par exemple, une utilisation en jardin d'hiver, on cherchera à lui adjoindre une inertie forte. Ce choix, fait au détriment de la contribution au chauffage de la maison, générera :
– la mise en place de l'isolant du sol sous la dalle, voire sous le hérissonnage* (voir p. 107) ;

– le choix d'un sol à fort coefficient d'absorption (sol sombre, mat…) ;
– une isolation extérieure pour les éventuels murs extérieurs non capteurs.
On pourra encore augmenter cette inertie par la mise en place d'accumulateurs annexes qui stockent les calories pendant la journée (par exemple avec des containers d'eau).

Conception des parois mitoyennes

Plusieurs configurations sont possibles et sont généralement utilisées en association.

• Paroi mitoyenne en maçonnerie lourde : cette paroi assure la double fonction de stockage et de distribution (comme dans le mur capteur). Elle amortit les apports de température et déphase leur restitution dans le temps. Pour un bon fonctionnement de cette paroi, elle doit être exposée suffisamment longtemps au rayonnement direct du soleil. Pour son dimensionnement (épaisseur, matériaux, couleur et texture de la surface), voir le paragraphe « Les murs capteurs », p. 131.

• Paroi mitoyenne vitrée : sur le plan de l'habitabilité, cette partie de la paroi permet la communication visuelle avec la serre, et la pénétration de la lumière naturelle quand elle est fermée. Son ouverture permet l'agrandissement de l'espace habité aux moments où l'ambiance thermique de la serre est confortable.

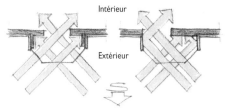

Deux exemples de traitement des parois latérales opaques d'une serre.
À gauche. Les faces internes réalisées en matériaux accumulateurs et isolées par l'extérieur améliorent l'inertie de la serre et limitent les baisses de température pendant la nuit.
À droite. La face interne de la paroi ouest est traitée comme un réflecteur et renvoie vers l'espace intérieur le rayonnement matinal ; celle de la paroi est renforce l'accumulation du mur à inertie pendant l'après-midi.

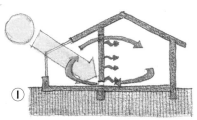

① Paroi opaque en maçonnerie lourde

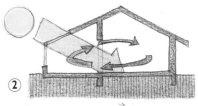

② Paroi mixte en maçonnerie lourde et grande surface vitrée

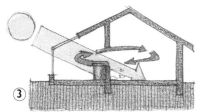

③ Paroi mixte maçonnerie lourde et vitrage limité, avec masse de stockage supplémentaire

Diverses possibilités de parois mitoyennes.
1. Paroi opaque en maçonnerie lourde : choix du déphasage de l'apport solaire pour un rayonnement arrivant en soirée ou durant la nuit dans les espaces de vie. Cette serre, qui fonctionne comme un mur capteur, peut, avec des orifices hauts et bas, avoir une configuration de mur Trombe. Avec une isolation nocturne côté serre on conserve le maximum de calories pour l'espace habité. Les vues et la lumière naturelle sont sacrifiées.
2. Paroi mixte en maçonnerie lourde et grande surface vitrée : choix prioritaire de la convection de jour si la baie est ouverte et d'un rayonnement de nuit moins important vers l'espace habité. La vue et la lumière naturelle sont favorisées.
3. Paroi mixte maçonnerie lourde et vitrage limité : choix de la convection de jour (lorsque les fenêtres sont ouvertes) et d'un rayonnement limité la nuit. Les vues et la lumière naturelle sont partiellement conservées. On peut poser des masses de stockage supplémentaires (comme des containers d'eau, en rouge sur le dessin) si l'on veut donner la priorité à la température de la serre plutôt qu'au chauffage par rayonnement de l'espace habité.

La position ouverte, semi-ouverte ou fermée du panneau vitré coulissant permet de réguler la température et la ventilation selon les heures et les saisons et de moduler l'espace habitable. Conception : J.-P. Oliva-HabiTer.

Mur mitoyen en terre crue.

La combinaison des parois opaques et vitrées est fonction de multiples paramètres tenant autant aux conditions d'usage de l'espace serre qu'à sa fonction thermique pure. Cet équilibre, propre à chaque projet, est le résultat de multiples compromis. Il en explique la très grande diversité.

Distribution de la chaleur vers l'espace intérieur

La distribution de la chaleur captée par une serre bioclimatique se fait de différentes façons :
– directement par les baies vitrées (repère 1) ;
– en différé par rayonnement dans les volumes situés immédiatement en arrière de la serre (comme avec les murs capteurs) (repère 2) ;
– par convection naturelle ou « passive » quand les ouvrants de la paroi mitoyenne (baies ou orifices spécifiques) sont ouverts (repère 3) ;
– et par convection « activée » lorsque l'installation de ventilation du bâtiment a été conçue en utilisant la serre comme système de préchauffage de l'air entrant (voir schémas p. 195 et p. 196).

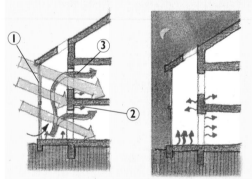

Distribution de la chaleur par une serre couvrant deux étages en hiver.

Dans un bâtiment, un équilibre est généralement trouvé entre les quatre systèmes de distribution de chaleur. Il représente alors une véritable contribution pour l'obtention du confort thermique.

En plus d'être producteur d'énergie en hiver et espace tampon habitable une grande partie de l'année, la serre permet les nuits d'été de créer un mouvement d'air rafraîchissant dans le bâtiment (voir également § 5, p. 199).

Lorsque l'on peut construire une serre sur plusieurs niveaux, pour une surface de captage identique, les coûts d'investissement sont moindres et l'efficacité énergétique supérieure. De plus, l'utilisation de la serre pour la ventilation du bâtiment est alors plus aisée.

Une isolation par l'intérieur avec des stores textiles (à faible effusivité) prolonge le temps d'utilisation de la serre le soir en réduisant le rayonnement froid du verre.

Isolations mobiles

Les déperditions dues à la grande surface de vitrage extérieur de la serre pendant les nuits d'hiver peuvent amoindrir grandement son bilan thermique. Si dans les climats doux on peut se contenter, dans la paroi mitoyenne, d'ouvrants à double vitrage performant (équivalents à un triple ou à un quadruple vitrage avec la verrière externe), il peut être intéressant dans les climats plus rudes d'installer des systèmes d'isolation mobiles. L'emplacement de cette isolation dépendra de la position de la serre dans le projet, de sa forme, et de l'usage qui est fait de l'espace serre.

L'isolation mobile des parois vitrées pourra être constituée de volets roulants, de rideaux épais, d'isolants minces à base d'aluminium ou de panneaux coulissants. Elle sera d'autant plus efficace qu'elle sera étanche à l'air.
L'isolation des parois verticales sera plus facile à mettre en œuvre et à manipuler quotidiennement.

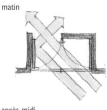

matin

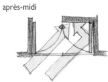

après-midi

nuit

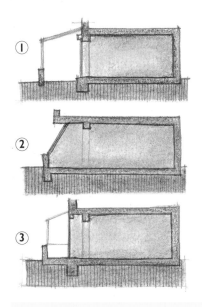

1 Isolation mobile contre la paroi mitoyenne. La serre n'est pas habitable la nuit et sa température peut y baisser fortement. Les pertes de la paroi mitoyenne vers la serre sont très faibles.
2 Isolation mobile derrière le vitrage extérieur. La serre est conservée dans l'espace principal et sa température baisse peu la nuit. La paroi mitoyenne restitue une part de ses calories vers la serre (et donc moins vers l'intérieur) et celle-ci bénéficie aussi du rayonnement du sol.
3 Isolation mobile intermédiaire. La partie interne de la serre reste incluse dans l'espace principal et bénéficie des restitutions de la paroi mitoyenne.

matin

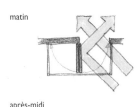

après-midi

nuit

Automatisation des protections mobiles

Dans l'habitat, la manipulation quotidienne des occultations de la serre fait partie du vécu thermique avec l'environnement et doit être aussi simple et logique que l'action de fermer des volets ou d'ouvrir une fenêtre. Mais dans certains cas (occupation intermittente par exemple), il peut être avantageux d'automatiser les ouvertures et les fermetures de ces différentes «peaux» thermiques (voir également les fenêtres automatiques p. 184).
Un certain nombre de dispositifs, déjà anciens, parfois appelés «écomatismes», permettent de manœuvrer ces occultations sans recours à une énergie extérieure. Ils sont basés sur les propriétés de dilatation et de condensation de certains gaz.

Exemples d'isolations mobiles polyvalentes. Les isolations mobiles prévues pour la nuit peuvent également servir à moduler les apports solaires pendant le jour, par exemple en privilégiant la réflexion vers l'intérieur le matin, et l'accumulation de la paroi mitoyenne lourde l'après-midi…

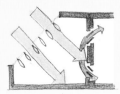
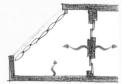

Principe du Skylid®.
Quand la température extérieure dépasse une certaine valeur, la dilatation du gaz dans le mécanisme associé aux stores provoque leur ouverture par basculement. Le même principe fonctionne pour les ouvertures entre la serre et l'espace habité. Le mouvement inverse se produit dès que la température redescend au-dessous de la valeur fixée. Le store de la serre a la double fonction d'isolant la nuit et de pare-soleil l'été.

Skylid® en kit commercialisé.

Serre et ventilation

La ventilation de la serre est normalement prévue en association avec celle de l'espace habitable, la serre étant tantôt le lieu de préchauffage de l'air entrant, tantôt le lieu d'évacuation de l'air vicié. Mais la température de la serre n'est pas toujours compatible avec le confort intérieur de l'espace habité. Il est alors nécessaire, durant certaines périodes, de fermer toutes les communications entre ces deux espaces et de gérer la ventilation de chacun de manière indépendante.

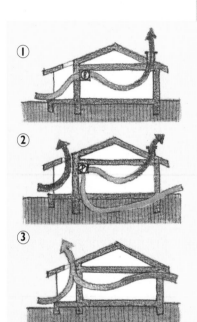

Principe de ventilation

1. **Fonctionnement en période de chauffe.** L'air neuf transite par la serre où il est préchauffé. Il est ensuite insufflé dans l'espace intérieur par le système de ventilation de la maison (ventilation double flux ou ventilation par insufflation, voir chapitre 5, p. 188 et p. 190).
2. **Période estivale avec risque de surchauffes.** Toutes les communications entre la serre et l'espace de vie sont fermées.

    La ventilation de la serre doit être très importante (de 5 à 10 volumes par heure) pour que sa température reste proche de la température extérieure : ainsi, la serre reste un espace habitable et, surtout, protège la maison des surchauffes. Cette ventilation se fera naturellement, par tirage thermique, grâce à des orifices spécifiques.

    La ventilation de l'espace habité devra être faible pour ne pas réchauffer le bâtiment (environ 0,1 à 0,5 volume par heure). Elle se fera par le système de ventilation principal de la maison, avec un air neuf entrant qui ne sera pas passé préalablement par la serre (1).
3. **Nuits d'été.** Le bâtiment entier est surventilé de façon à ce que sa structure soit tempérée par la fraîcheur de l'air extérieur. Le système de ventilation de la maison laisse place alors à une ventilation naturelle traversante partant de la façade nord jusqu'à la serre, qui fait office alors de « cheminée thermique ».

1. Le couplage d'une serre et d'un puits canadien est possible. Il permettra en hiver de tempérer la serre (flèches orange). En été, l'air du puits évitera la serre pour alimenter en direct le système de ventilation de la maison (flèches roses).

Serre en réhabilitation avec aérations hautes en façade.
Architecte : A. Gerber.

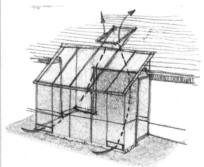

Ventilation par convection naturelle ou « tirage thermique ».
Une serre doit comporter des entrées et des sorties d'air sous forme de bouches spécifiques ou de simples ouvrants. Le tirage se fait par convection naturelle : les entrées d'air étant placées en partie basse, les sorties en partie haute.

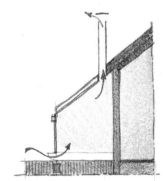

Si les sorties d'air hautes d'une serre sont généralement constituées d'ouvrants (vasistas, fenêtres de toit…), on peut également :
– poser des sorties motorisées spécialement prévues pour l'aération de serres ;
– installer un conduit d'évacuation qui fera office de « cheminée thermique » (voir également p. 201).

Les serres à stockage activé

Dans le cas de bâtiments où l'espace à chauffer n'est pas contigu avec celui de la serre, ou pour augmenter le rendement de la serre (par une capacité de stockage supérieure), on peut choisir de déplacer en totalité ou en partie la paroi accumulatrice. L'air chaud du haut de la serre est propulsé par des ventilateurs dans un stockage thermique, généralement en galets, auquel il cède ses calories avant de retourner vers la serre pour y être à nouveau réchauffé.

Réalisation d'un système hypocauste.
Apporter une inertie saisonnière à un bâtiment peut se résumer à :
– la pose de l'isolant du sol non pas sous la chape mais sous le hérisson* ;
– la réalisation d'un hérisson épais (50 à 60 cm minimum) ;
– l'installation d'un système de circulation d'air.
Dans l'exemple ci-dessus, ce sont 120 tonnes de galets qui permettent de stocker, du chaud en hiver, du frais en été.
Conception : A. et A. Langer.

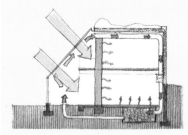

La paroi mitoyenne conserve sa capacité accumulatrice mais un deuxième stockage rayonnant est disposé sous le sol.
Constitué de 18 m³ de galets, il procure un confort optimal sans faire appel à la convection. Ce système mixte actif-passif permet d'assurer 80 % du chauffage et la totalité du rafraîchissement estival (fonctionnement normal du circuit les nuits d'été, inversion du circuit en journée). Maison Balcomb au Nouveau-Mexique. Architectes-thermiciens : Nichols et Barkman, 1975.

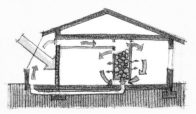

Principe de fonctionnement d'une serre à stockage activé.
Ici, la paroi mitoyenne n'est pas accumulatrice, mais isolée et revêtue d'un corps sombre. L'intégralité du rayonnement capté est ainsi consacrée au réchauffement de l'air. Celui-ci est amené vers un stockage en galets au cœur de l'habitation. La restitution peut alors s'effectuer en partie par convection (si on a prévu des orifices), en partie par rayonnement.

Le fonctionnement de ces serres se rapproche de celui des capteurs à air présenté au § 4.3.
Pour la réalisation du stockage, voir ce même chapitre, p. 167-168.

4.2.5. Les serres dans un bâtiment en réhabilitation

Les projets de réhabilitation* de bâtiments anciens sont souvent l'occasion d'une réorganisation des espaces habités en même temps que d'une amélioration des conditions de confort, notamment thermique. Dans de nombreux cas, la création d'une serre peut répondre à ces deux objectifs. Sa configuration ne pourra que rarement être optimisée comme dans une construction bioclimatique neuve, mais la variété des bâtis apportera souvent des solutions inventives et originales.

Réhabilitation et agrandissement d'un pavillon à Saint-Nazaire.
Le pavillon initial très haut (4 niveaux), difficilement chauffable et insuffisant en surface habitable, a été « enveloppé » par une extension en ossature bois comportant une grande serre au sud et à l'est.
Architecte : D. Alasseur.

Maison réhabilitée avec serre dans les Corbières.
La serre joue ici le rôle de capteur à air, dont les gains s'ajoutent aux gains directs de la façade sud entièrement vitrée (celle-ci, en ruine, n'a pas été reconstruite en pierre, à l'inverse des autres murs, qui, avec les dalles, assurent l'inertie).
Un cylindre métallique contenant 5 m³ d'eau chauffée à la fois par l'air de la serre et le rayonnement direct complète ce stockage. Architecte : M. Gerber.

L'adjonction d'une serre peut permettre d'ouvrir au soleil une façade jusque là borgne tout en l'intégrant dans le bâti traditionnel. (Passenans, Jura).

Réhabilitation d'un immeuble à Copenhague (avant, après).
La totalité de la façade sud a été doublée d'une « seconde peau » vitrée qui agrandit l'espace habitable, sert d'espace tampon, mais surtout réchauffe les parois lourdes situées en arrière et préchauffe l'air entrant. La diminution des besoins de chauffage par rapport à l'immeuble initial est de 35 %. Architecte : F. Stein.

Bilan thermique d'une réhabilitation avec serre

Cette maison a fait l'objet d'un suivi thermique par son propriétaire et concepteur. Cette étude, réalisée sur plusieurs années, démontre l'importance de l'inertie dans la gestion des apports solaires.

Les murs extérieurs (60 à 70 cm) sont isolés par l'intérieur à l'exception du mur sud qui est doublé d'une serre de 45 m² de vitrage. Les planchers sont en béton, sauf celui du troisième niveau qui est en bois et isolé au-dessus du plafond. L'inertie est considérée comme très forte.

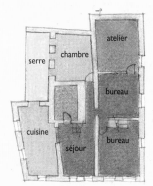

Plan du rez-de-chaussée

Plan du premier étage

Réhabilitation d'une maison dans la Drôme.
La création d'une serre sur une grande partie de la façade sud a permis d'améliorer très sensiblement le captage solaire. De plus, elle permet une circulation plus rationnelle entre les pièces, qui souvent dans l'habitat traditionnel sont enclavées (la serre-galerie à l'étage remplace avantageusement un couloir). Grâce à l'inertie présentée par les murs en pierre en arrière de la serre, celle-ci est habitable quasiment toute l'année.
Concepteur et thermicien : O. Sidler.

Confort d'hiver

Une première série de données nous montre que l'inertie permet d'atténuer énormément la variation des températures. Et que, lors de journées ensoleillées, une serre solaire peut recharger cette masse thermique. •••

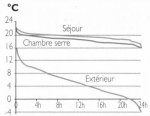

Fréquences cumulées des températures durant le mois de janvier.
La température extérieure varie de - 4 à + 15 °C, mais les températures intérieures sont très stables. Celle de la chambre en arrière de la serre est particulièrement intéressante puisque cette pièce n'est pratiquement pas chauffée. Malgré cela, sa température ne varie qu'entre 16 et 22 °C.

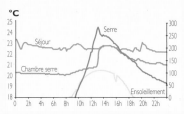

Ensoleillement et températures pour le 15 mars, par une journée très ensoleillée.
La température croît rapidement dans la serre de 9 à 13 heures mais ne dépasse pas 24,5 °C grâce à sa forte inertie, puis elle décroît lentement. La température dans la chambre sur serre non chauffée monte dès qu'on ouvre la fenêtre de communication mais ne dépasse pas 23 °C. En soirée, on constate l'effet du stockage de chaleur dû à l'inertie : après cette journée ensoleillée, la température dans cette pièce est de 21,2 °C à minuit, contre 20,4 °C la veille à la même heure. Malgré le faible ensoleillement lors des jours qui ont suivi, la température dans cette pièce restera supérieure à 20,5 °C pendant 3 jours.

Maison avant les travaux.

Galerie-serre du premier étage.

Confort d'été

Le suivi thermique effectué sur cette maison à forte inertie démontre également le grand intérêt de la serre pour le confort d'été avec des températures intérieures qui restent très tempérées, même dans la serre exposée plein sud.

Températures relevées le 24 juillet 1998 au cours de la journée baptisée alors « canicule du siècle » par les médias.

Durant la nuit, 3 fenêtres de 1,25 m² chacune étaient ouvertes entre la serre et l'extérieur.

On observe que :
– la température extérieure varie entre 19 °C en fin de nuit et 37 °C en milieu d'après-midi ;
– dans le même temps, la température dans la serre varie entre 22 °C et 27 °C (au moment où il fait 37 °C à l'extérieur !) ;
– la température dans le séjour, pièce donnant sur la serre, est d'une stabilité quasi absolue : 25 °C toute la nuit et 26 °C en fin de journée.

Températures moyennes sur l'ensemble du mois de juillet 1999.

Le caractère régulateur induit par la forte inertie est patent : la température extérieure varie de 12 à 40 °C, alors que la température du séjour ne fluctue qu'entre 21 et 26 °C et celle de la serre de 20 à 28 °C.

4.3 LES CAPTEURS À AIR

Comme nous l'avons vu aux paragraphes précédents, certaines serres activées ou murs capteurs (Trombe…) fonctionnent comme des capteurs à air, c'est-à-dire qu'ils sont majoritairement utilisés pour réchauffer directement l'air intérieur ou des masses d'inertie intermédiaires.

Mais si une serre suppose un espace habitable et un mur capteur l'existence d'une masse thermique derrière la vitre, on désigne plus spécifiquement sous le terme de « capteur à air » un dispositif de type caisson permettant de chauffer une lame d'air relativement mince et sans inertie.

Cette option qui permet de valoriser de manière instantanée le rayonnement solaire répond donc aux mêmes fonctions thermiques que le captage direct par les baies vitrées (§ 3.2, p. 113). Cependant le capteur à air est particulièrement pertinent :

– pour réchauffer directement des pièces non contiguës aux façades ensoleillées, ou des bâtiments sans façade sud, ou à façade sud non solarisable ;

– pour alimenter un volume d'inertie en contact direct avec les volumes à chauffer ;

– pour équiper une véritable installation de chauffage par air pulsé.

4.3.1 Principes et dimensionnement des capteurs à air

Un capteur à air est un dispositif généralement assez sommaire : l'air suit un parcours entre un vitrage et un absorbeur (capteur) au cours duquel il est réchauffé avant d'être introduit par thermosiphon, ou plus généralement pulsé par un ventilateur pour être utilisé dans l'espace habité.

La performance d'un capteur à air dépend :

– de son orientation et de son inclinaison ;

– de l'isolation du caisson (type de vitrage et isolant) ;

– du pouvoir d'absorption de la surface réceptionnant le rayonnement solaire ;

– de l'adéquation entre la vitesse de l'air dans le capteur avec la température d'utilisation souhaitée.

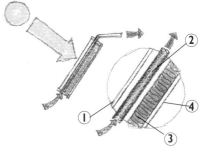

Un capteur à air se résume la plupart du temps à un « panneau caisson ».
Il peut être intégré ou non au bâtiment (dans le mur sud ou le pan de toiture exposé au soleil).
1 Vitrage
2 Absorbeur (ou surface réceptrice) où transite l'air
3 Isolant thermique
4 Fond de coffre

La frontière entre solaire passif et solaire actif (voir dessin § 2.1, p. 35) disparaît avec les capteurs à air. Mais, l'intégration de ces dispositifs sont à penser dès la phase de conception de l'enveloppe et justifie leur présence dans les techniques bioclimatiques spécifiques de la conception.
Un autre point différencie cette technologie de celle des autres systèmes solaires actifs : en utilisant l'air et non l'eau pour véhiculer les calories, ils sont généralement intégrés comme complément des systèmes d'optimisation du bâti ou de ventilation alors que les systèmes à eau sont eux directement raccordés aux systèmes de chauffage. Mais la limite n'est pas franche et un ensemble de capteurs à air pour chauffage à air pulsé sera réellement une installation de chauffage alors qu'un plancher solaire direct ou un système de stockage intersaisonnier à eau sera lui très proche des autres installations bioclimatiques composant avec la très forte inertie du sol (maisons enterrées ou semi enterrées, puits canadiens ou stockage galets en complément de capteurs à air).

Capteur à eau pour plancher solaire direct.
Comme les capteurs à air, les capteurs à eau permettent de faire profiter des calories solaires des bâtiments peu ouverts au soleil.

Capteur à air en façade sud de logements sociaux à Marostica (Italie, 46° de latitude Nord).

L'air préchauffé en façade circule par thermosiphon dans les plafonds qui réémettent la chaleur par rayonnement. Architectes A. de Luca, M. Mamoli, R. Marzotto, G. Scudo, P. Stella.

Isolation et type de vitrage

Vu le faible coût actuel des vitrages et des matériaux d'isolation, le choix de base est :

– un double vitrage type VIR (vitrage à isolation renforcée, voir 2.4.4, p. 72) ;

– un isolant à forte résistance thermique R de environ 1,50 m².K/W minimum (soit environ 6 cm d'un isolant standard voir § 2.4.3, p. 70).

Selon l'exposition et la situation du capteur, un vitrage renforcé type verre armé ou trempé peut être utile.

Enfin, que ce soit pour une performance de chauffe ou pour ne pas souiller l'air de particules d'isolant, l'étanchéité à l'air du caisson et surtout de l'absorbeur doit être réelle et durable.

Orientation

Les capteurs à air étant généralement utilisés comme préchauffage durant la saison froide, la meilleure orientation en l'absence de masques est le plein sud avec un angle d'incidence le plus faible possible (voir § 2.4.1 p. 64). L'inclinaison (théorique) optimale en France est de l'ordre de 60°.

Néanmoins, dans les régions enneigées ou lorsque le sol devant le capteur est spécialement réfléchissant, on peux disposer les capteurs verticalement. En revanche, dans les régions souvent couvertes en hiver (nuages, brouillard...) un angle de 45° avec l'horizon est plus favorable pour capter le rayonnement diffus et profiter de l'installation en intersaison.

Pouvoir d'absorption de la surface réceptrice

Le meilleur rendement est obtenu avec une surface sombre et mate. Et, si la couleur noire (95 % d'absorption) est souvent choisie, on peut, pour des raisons esthétiques, faire un choix autre (voir § 2.4.2, p. 68).

Pour augmenter encore le rendement (ou récupérer une éventuelle perte de rendement due à une couleur moins performante), un traitement sélectif de la surface en usine est possible.

Dimensionnement des surfaces de captage

Le dimensionnement des capteurs à air dépend de leur orientation, de leur conception mais aussi et surtout de l'exploitation que l'on souhaite en faire.

• Pour un simple préchauffage de l'air, on adaptera la surface du capteur aux débits de renouvellement d'air hygiéniques nécessaires durant la période de chauffe (voir § 5.3.1, p. 192).

• Pour une utilisation en stockage intersaisonnier ou comme base de chauffage, la surface de capteur dépend du choix entre la pertinence économique, et l'autonomie énergétique. Selon la région, on compte pour les approches de dimensionnements 1 m² de capteurs pour 7 à 15 m² de surface de plancher.

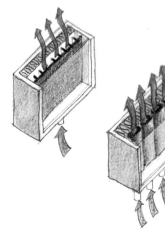

Repères pour un pré-dimensionnement de capteurs à air

	Couverture moyenne des besoins de chauffage par une surface de capteurs à air représentant 20 % de la surface de plancher		
	Maison type standard (b)	Maison type « basse énergie » (b)	Maison type « très basse énergie » (b)
Zone climatique H1 (a)	12 à 20 %	25 à 35 %	40 à 50 %
Zone climatique H2 (a)	15 à 25 %	30 à 45 %	40 à 60 %
Zone climatique H3 (a)	30 à 40 %	50 à 60 %	60 à 75 %

Estimations réalisées avec des caissons type, isolés avec 6 cm d'isolant (R = 1,5 m²K/W), avec double vitrage (VIR). Capteurs orientés plein sud avec une pente de 60°..

(a) Zone climatique d'hiver, d'après réglementation thermique, voir carte p. 51.
(b) Voir encadré p. 38.

• Ce tableau permet de réaliser les dimensionnements sommaires qui accompagnent la réalisation des premiers croquis de conception. Si, pour un captage exclusivement réservé au chauffage de masses d'inertie, une évaluation approximative suffit, dans les autres cas la surface des capteurs doit être très précisément dimensionnée. Le système risquerait d'entrer en concurrence directe avec le captage par les baies vitrées et d'entraîner des surchauffes inutiles ou de susciter des mouvements d'air perceptibles préjudiciables au confort.

• La surface de captage choisie pour le tableau de dimensionnement est de 20 % de la surface plancher. Dans la réalité, cette surface peut bien entendu être inférieure ou supérieure en fonction des choix réalisés pour le projet.

Deux types de capteurs plans à air.
Le flux d'air circulant dans l'absorbeur (de préférence en métal à forte effusivité) est cloisonné et ralenti pour augmenter sa température. Les capteurs à air, ne présentant pas la même complexité que les capteurs à eau (risques de corrosion, de gel, etc.), sont relativement faciles à fabriquer, y compris en autoconstruction.

Capteurs à air en toiture dans un lotissement HLM à Mouzon (Ardennes).
17 m² de capteurs à air munis d'une isolation transparente préchauffent l'air entrant. Architecte : J. Michel.

Maison bioclimatique en Haute-Saône.
Ouverture maximale au soleil des surfaces sud : les parois verticales sont entièrement vitrées, la toiture intégralement recouverte de capteurs (Maison Marschal).

Afin de ne pas salir le capteur à air et d'assurer un air intérieur de qualité, des filtres doivent être installés avant le capteur et avant introduction de l'air dans l'espace de vie.

4.3.2 Captage pour chauffage direct de l'espace habité

Pour ne pas nuire au confort thermique, cette utilisation des capteurs à air doit être précisément dimensionnée afin de :
– ne pas entraîner de mouvements d'air perceptibles ;
– proposer un ensemble de gaines et bouches d'entrée et d'extraction d'air assurant une distribution homogène dans les volumes que l'on souhaite chauffer ;
– comporter un ensemble d'automatismes (sondes reliées aux ventilateurs…) afin de ne pas contribuer à la surchauffe des bâtiments.

Dans ce type d'utilisation des capteurs à air, trois choix sont possibles.
• Dimensionner l'installation pour un simple préchauffage de l'air entrant. Cette solution, facile à mettre en œuvre, consiste à positionner quelques m² de capteurs à air entre la prise d'air du système de ventilation (3) et les arrivées dans les pièces du bâtiment.
• Dimensionner la surface des capteurs afin que ce système apporte la majorité des besoins de chauffage les jours de soleil. Cette solution, qui n'apporte pas le confort d'un chauffage par rayonnement peut néanmoins être très pertinente d'un point de vue économique et environnemental. De nombreuses installations de ce type ont été expérimentées dans les années 70 (4).
• Considérer le capteur à air comme un chauffage de base permettant de tempérer une pièce (ou une serre) les jours de soleil. Cette solution sommaire permet de faire profiter des calories solaires une zone éloignée de la façade sud.

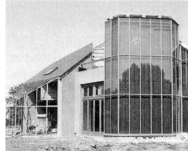

Maison de 180 m² habitables près de Tarbes, dotée de 90 m² de capteurs à air.
L'air chaud en hiver est aspiré en partie supérieure puis insufflé dans les différentes pièces.
En été, l'air est directement évacué vers l'extérieur.
Architecte : J.-P. Pagnoux, groupe coopérative architecture et urbanisme.

Un capteur à air permet de faire profiter des calories gratuites du soleil des logements sans façades exposées.
Lorsqu'il est intégré comme préchauffage du système de ventilation il peut avantageusement compléter un puits canadien. Ceci permet de régénérer la température du sol les jours ensoleillés et d'assurer une température de l'air plus élevée qu'avec un puits canadien seul. L'air entrant est par ailleurs beaucoup moins dépendant des aléas climatiques qu'avec de simples capteurs à air (moins chaud les jours ensoleillés et tempéré même les jours sans soleil). Voir également « Les puits canadiens », p. 171.

3. Les systèmes de ventilation adaptés à un tel équipement sont les VMC (ventilation mécanique contrôlée) double flux et les VMI (ventilation mécanique par Insufflation), voir chapitre 5.
4. Voir l'ouvrage *Maisons solaires, premiers bilans* où neuf réalisations différentes sont décrites et détaillées avec leur bilan.

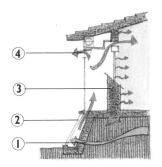

Maison Charmeau à Castanet-Tolosan.
L'air entrant dans la serre est préchauffé par les panneaux situés en dessous de celle-ci. En saison de chauffe, l'air de la serre est insufflé dans l'espace habité.

I Entrée d'air frais
2 Capteur solaire à air
3 Mur capteur
4 Ventilation d'été

Capteur à air sur un des sept groupes de maisons « Energy Park » près d'Amsterdam.
Le pan de toiture sud est entièrement constitué d'un capteur qui préchauffe l'air entrant en saison froide et ventile la sous-toiture en été. Cette formule d'intégration à la fois esthétique et économique (puisqu'elle constitue en même temps la couverture), économise dans ce cas 35 % des besoins en chauffage. Architecte : Tauber.

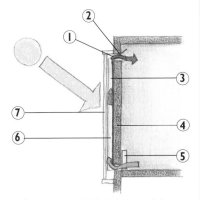

Capteur à air en kit.
Plusieurs types de capteurs à air sont disponibles en kit sur le marché. Ils s'adaptent aisément sur les bâtiments existants et permettent de faire profiter des calories solaires :
– des pièces exposées au soleil sans percer de nouvelles ouvertures ;
– des pièces non exposées moyennant quelques mètres de gaines.

I Arrivée d'air chaud
2 Volet
3 Tubes d'air
4 Mur
5 Ventilateur
6 Surface absorbante
7 Polycarbonate

4.3.3 Captage pour chauffage de masses de matériaux

Dans ce système, l'air réchauffé échange ses calories avec un stockage à iner-tie situé sous ou dans le bâtiment. La chaleur ainsi stockée est dispensée ensuite, avec un temps de déphasage plus ou moins long, dans l'espace inté-rieur.

Dans le cas de bâtiments dont la façade sud profite généreusement du soleil, cette chaleur réémise par rayonnement vient en complément et non en concurrence des gains solaires instantanés des baies vitrées. Elle peut même, avec une masse à très forte inertie (ou « inertie saisonnière », voir § 3.1.1, p. 84), venir en complément de murs capteurs et de serres bioclimatiques. Composer avec ces trois types d'inertie et ces quatre systèmes de captage est alors l'utilisation la plus pertinente que l'on puisse faire du rayonnement solaire qui arrive sur un bâtiment (5).

Atelier « Jura Énergie Solaire ».
En parallèle à 60 m² de capteurs à air, un stock inter saisonnier est réalisé grâce à la pose d'une isolation verticale enterrée de 2,20 mètres sur le pourtour du bâtiment et de gaines apportant l'air chaud à cette masse de plus de 600 tonnes. Cette installation permet à l'atelier de 200m² d'être autonome en chauffage sur l'année.
Conception : Jean-Pierre Bresson (JES).

Principe d'un stockage inter saisonnier combiné à des capteurs à air

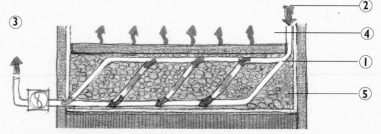

Schéma de principe d'un système de stockage semi passif

1 Masse de stockage en galets de 3/6cm de diamètre (certaines installations ont utilisées des briques pleines en quinconce, des bouteilles remplies d'eau…)
2 Arrivée de l'air chaud en provenance des capteurs à air (éventuellement mur capteurs ou serres activées)
3 Sortie de l'air après échanges de calories
4 Dalle lourde
5 Isolation du lit de stockage (insensible à l'humidité et aux tassements)

Dimensionnement et fonctionnement :
• Une quantité de 1 m³ de galets par m² de vitrage sud sert de base pour les premiers dimensionnements.
• La longueur du flux d'air à travers les galets est optimale entre 1 et 3 mètres mais l'échange de chaleur air/galets peut également se faire par l'intermédiaire d'une canalisation étanche à l'air qui serpente dans la partie inférieure de la masse des galets.
• La circulation de l'air est déclenchée par un thermostat placé dans le capteur. A partir d'une température d'environ 25 °C le ventilateur, à grand débit pour absorber les pertes de charge*, se mettra en route.
• Pour éviter que ce système contribue à une éventuelle surchauffe en été, il n'est plus enclenché dès le milieu du printemps. Par contre, en guise de rafraîchissement, il peut de nouveau être mise en route durant les nuits estivales.

Présentation des principes, photos et schémas d'installation : voir également notes sur l'inertie (§ 3.1.1, p. 80, § 3.1.2, p. 106), et les serres activées (p. 159).

5. Une autre possibilité relativement sommaire d'avoir des stockages intersaisonniers et donc de générer des bâtiments profitant de manière très optimisée des calories gratuites du soleil consiste à faire appel non plus à des capteurs à air mais des capteurs à eau couplés à une réserve d'eau de plusieurs m³. Cette solution, ainsi que celles qui utilisent des sels et autres matériaux à changement de phase* (voir p. 111) permet de réaliser des bâtiments passifs (ou « très basse énergie ») c'est-à-dire n'ayant quasiment plus besoins de chauffage (voir encadré p. 38). Ces installations, parce qu'elles font partie des systèmes solaires actifs, qu'elles font appel à une technologie proche de celle du chauffage et qu'elles imposent peu d'adaptations du bâtiment lors de la conception seront présentées dans un ouvrage ultérieur présentant les systèmes actifs de chauffage et de rafraîchissement.

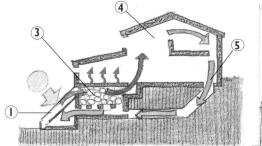

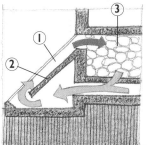

Système mixte entre inertie et chauffage de l'air.

Maison sur une pente chauffée par un capteur à air fonctionnant uniquement par thermosiphon (possible grâce à l'importance du dénivelé). La restitution des calories dans l'espace habité est déphasée par le passage de l'air chauffé à travers un lit de galets. Le système est déconnecté en été. Architectes et ingénieurs : Zomeworks.

1 Capteur à air
2 Isolant
3 Masse de galets stockant la chaleur
4 Passage de l'air dans l'espace habité
5 Retour de l'air vers le capteur après refroidissement

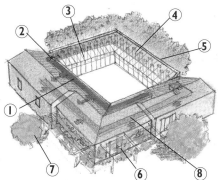

Maison sur la Côte d'Azur.

Cette réalisation est significative d'une adaptation des principes du bioclimatisme à des règlements d'urbanisme imposant l'emploi de formes néorégionalistes. La maison est organisée en L sur ses façades sud-est et sud-ouest, ses deux autres façades étant constituées par une serre-galerie. Invisible de l'extérieur, elle forme un patio abrité du vent. Les parois non captrices de cet immense capteur à air sont équipées d'un système de stockage à chaleur latente (chliarolithe, voir p. 111) permettant un stockage de calories sur plusieurs mois. Architecte : L. Gire, thermicien : J.-J. Henri, stockage : Groupe d'écothermique solaire du CNRS à Nice.

1 Gaine d'arrivée d'air
2 Récupération pompe à chaleur
3 Serre/capteur à air
4 Stockage chaleur latente
5 Façades NE et NO partiellement enterrées
6 Treille
7 Arbres à feuilles caduques
8 Gaine de prise d'air

Cinq maisons individuelles groupées à Vannes : la chaleur captée par les façades sud est stockée dans le plancher et des parois internes en terre crue. L'appoint est assuré par une cheminée à foyer fermé. Architecte : D. Lasne, thermicien : L. Jollet.

Bâtiment du CEFIM (centre de formation) à Perpignan.
Architecte : Y. Jautard
Thermicien: S. Usunier (Solarte)

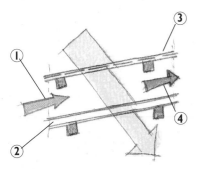

Capteur à air pour le CEFIM.
Exemple particulièrement intéressant d'intégration à l'architecture des outils bioclimatiques passifs et activés. La toiture entière est un capteur à air multifonctionnel : couverture, isolation, captage par effet de serre, éclairage zénithal, production photovoltaïque, et production d'air chaud dirigé vers un stockage intersaisonnier situé dans le sous-sol.
1 Arrivée d'air froid
2 Double vitrage
3 Module photovoltaïque
4 Extraction de chaleur

Les panneaux photovoltaïques laissant partiellement passer la lumière permettent aussi bien de tamiser celle-ci pour des lieux de travail(ici Office de tourisme d'Alès) que pour constituer des parois captrices.
Architecte: J.-F. Rougé.
Thermicien: Solarte

Du stockage intersaisonnier aux constructions à énergie positive

L'idée de pouvoir stocker les calories produites pendant la saison chaude pour les utiliser l'hiver et, réciproquement, de se servir de la même masse ayant été refroidie en hiver pour rafraîchir en été, est séduisante. Elle peut être mise en œuvre au moyen de capteurs à air et d'un très important volume de stockage parfaitement isolé, sur le principe général de la figure (voir p. 168).

Dans l'habitat individuel, le coût de ce dispositif de grande ampleur n'est cependant envisageable que si des travaux d'implantation particuliers sont déjà nécessaires et peuvent en assurer une partie des infrastructures (implantation sur une pente par exemple).

Dans les projets de plus grande ampleur, ils peuvent s'avérer très pertinents, comme dans celui ci-dessous, qui combine plusieurs dispositifs solaires passifs et actifs pouraboutir à un bâtiment produisant plus d'énergie qu'il n'en consomme.

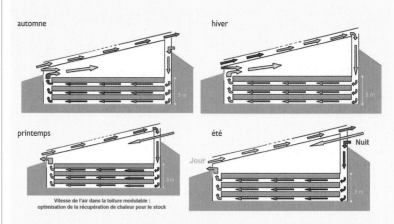

Fonctionnement du projet CEFIM (centre de formation) à Perpignan.
Le bâtiment, largement enterré, bénéficie de l'inertie du sol.
La toiture multifonctionnelle de 800 m^2 recouverte de modules photovoltaïques discontinus est un immense capteur à air à débit modulable qui :
– réchauffe un stockage de 3 m d'épaisseur sous le bâtiment ;
– évacue l'air chaud en été ;
– produit de l'électricité ;
– éclaire simultanément l'espace intérieur.
Fonctionnement annuel
• Automne : chargement de la masse inertielle par la toiture.
• Hiver : utilisation des calories emmagasinées dans le sol qui, en appoint des productions internes (chaleur émanant des utilisateurs et des appareils de bureautique), suffira à maintenir le bâtiment à 19 °C tout l'hiver.
• Printemps : déchargement du stock la nuit.
• Été : rafraîchissement le jour.

4.4 LES PUITS CANADIENS

À la différence des murs capteurs, serres solaires et capteurs à air qui sont des systèmes permettant de valoriser le rayonnement solaire direct qui atteint un bâtiment, les « puits canadiens » utilisent l'énergie « géosolaire », c'est-à-dire l'énergie solaire emmagasinée dans les couches superficielles de la croûte terrestre.

Un puits canadien est un échangeur thermique constitué de canalisations enterrées dans lesquelles l'air transite avant d'arriver dans la maison. Au cours de ce passage sous terre, l'air se réchauffe ou se rafraîchit, selon la saison.

Le principal avantage de cette ressource thermique que constitue le sol tient à sa régularité : à 2 m sous terre, les variations de températures sont faibles d'une saison à l'autre, nulles entre le jour et la nuit… et ne dépendent pas du temps qu'il fait dehors (voir schéma § 2.2, p. 42).

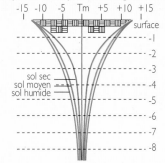

Amplitude de température en degrés Celsius

Courbes d'amplitudes des températures dans le sol en fonction de la profondeur et de l'état d'humidité de celui-ci.

Le régime permanent (variation annuelle inférieure à 1 °C) est atteint à – 5 mètres (sol sec), - 7,5 mètres (sol moyen) et – 9 mètres pour un sol humide.

Tm représente la température moyenne annuelle au niveau du sol.

Exemple : pour un lieu dont la température moyenne annuelle au sol (tm) est de 10 °C, la température à 2 m de profondeur oscillera sur l'année entre + 5 °C et +15 °C pour un sol d'humidité moyenne au lieu de – 2 °C à +22 °C au niveau du sol.

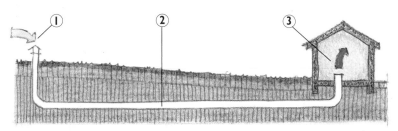

Schéma de principe d'un puits canadien.
La terre tempère l'air passant dans la canalisation. Le système de ventilation de la maison aspire l'air du puits et le distribue dans l'espace intérieur.
1 Entrée d'air (froid ou chaud suivant la saison
2 Canalisation enterrée
3 Distribution dans la maison par le système de ventilation

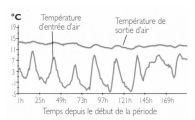

Exemple de températures d'entrée et de sortie de l'air sur une semaine de décembre.
La température de l'air qui arrive dans le bâtiment (sortie du puits) oscille entre 13 et 15 °C. Elle est supérieure de 4 à 15 °C à celle de l'air extérieur (entrée du puits).

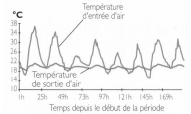

Exemple de températures d'entrée et de sortie de l'air sur une semaine de juillet.
La température de l'air à la sortie du puits oscille entre 19 et 21 °C alors que l'air extérieur sur cette période atteint en journée couramment 30 °C.

6. Comme pour tout sujet « à la mode », les communications sur les puits canadiens prolifèrent actuellement. Ces informations sont quelquefois contradictoires. Les données de ce chapitre reposent d'une part sur les expériences et échanges entre professionnels, et d'autre part sur des travaux de recherche ayant pour but de faire le point sur le sujet, notamment :
– *Rafraîchissement par géocooling : bases pour un manuel de dimensionnement*, université de Genève (2005) ;
– « Contrat puits provençal ADEME/FRME », expérimentation INSA Toulouse, 1993.
La majorité des courbes et données présentées dans ce chapitre sont issues d'expérimentations réalisées dans cette dernière étude. Sauf indication contraire, elles proviennent du suivi d'un puits canadien composé de canalisations de 37 m de longueur, tube de 16 cm de diamètre, profondeur moyenne du conduit de 2,20 m.

Puits canadien, puits provençal, puits iranien ou australien ?

Dans de nombreuses cultures, en climats chauds comme en climats froids, on s'est servi de l'inertie du sol pour obtenir, à l'intérieur des bâtiments, des températures moins sujettes aux variations d'amplitude extérieures. Dans certains cas le rayonnement a été privilégié en enterrant plus ou moins profondément les habitats (voir encadré § 2.2.2, p. 41 et suiv.). Dans d'autres cas, en privilégiant la convection, on a confié cette fonction à l'air entrant.

Dans les climats à dominante chaude et sèche, l'air capté à l'extérieur est soumis à un double rafraîchissement : en perdant ses calories au contact du sous-sol et en évaporant de l'eau (processus de changement de phase qui consomme des calories). Les Iraniens, comme les Provençaux, rompus aux techniques de captage et de transport d'eau par des galeries souterraines, ont très vite perçu l'intérêt d'utiliser cet air doublement rafraîchi pour le confort de leurs habitats. Il semble que ce soient les civilisations du Moyen-Orient qui aient développé les premières des constructions spécifiques à seule vocation de « climatisation ».

Dans les climats à dominante froide, comme celui du Canada, c'est l'objectif du préchauffage de l'air entrant durant la saison froide qui est prioritaire.

L'origine de l'appellation « puits canadien » reste encore à éclaircir, d'autant plus que le terme de « puits », s'il coïncide avec la vocation aquifère des installations des pays chauds, semble impropre dans ce cas… Nous nous conformons néanmoins dans cet ouvrage à l'appellation la plus usitée en France, celle de « puits canadien ».

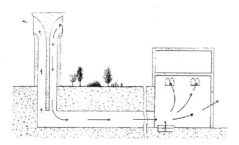

« Tour à vent iranienne ».
L'entrée d'air est orientée au vent. Les nuits sans vent, la tour réchauffée est une cheminée thermique qui crée un courant d'air rafraîchissant dans l'habitation.

« Tunnel à air frais » de Bill Mollison.
Le pionnier australien de la permaculture* propose pour le rafraîchissement un puits à gravité dans lequel l'air descend en se refroidissant (et en devenant plus lourd). La condensation est récupérée dans un bac à charbon de bois et peut être réévaporée.

4.1 Éléments pour la conception d'un puits canadien (7)

La configuration d'un puits canadien varie en fonction de nombreux paramètres (nature du sol, type de terrain, type de bâtiment…) mais elle dépend d'abord des objectifs qui lui sont assignés : préchauffage en hiver avec rafraîchissement éventuel en été ou seulement rafraîchissement en été.

Configuration du puits canadien

La configuration habituelle d'un puits canadien se résume souvent en une simple canalisation rectiligne enterrée.

En construction neuve, on profite au maximum des travaux de terrassement que nécessitent les divers branchements pour réaliser un puits canadien à moindres frais en plaçant la canalisation sous les tranchées d'adduction (eau, électricité…).

En réhabilitation, en l'absence de nécessité de travaux de terrassement, la pertinence d'investir dans la réalisation d'un puits canadien dépendra grandement de la configuration du terrain et de la nature du sol. Par exemple, la réalisation d'une tranchée dans un sol rocheux risque d'être trop coûteuse pour ce type d'équipement.

Nature du sous-sol

Excepté les sols trop durs qui rendent les coûts de terrassement prohibitifs, et les sols constitués de remblais (cailloux, gravats…), les autres caractéristiques physiques des sols n'ont qu'une incidence secondaire sur les performances du système. En effet, si les facteurs améliorant la conduction du sol (humidité, densité, granulométrie fine…) augmentent la qualité du transfert de calories entre le sol et le conduit, ils augmentent aussi les transferts de chaleur entre la surface du sol et le sous-sol (ils transmettent plus mais sont plus dépendants des températures extérieures).

Néanmoins, si le choix est possible, les sols constitués d'éléments de granulométrie fine type limon sont préférables aux sols constitués de sable voire de gravats.

En revanche, la texture et la granulométrie du matériau entourant la canalisation ont un rôle déterminant (voir encadré p. 174).

Profondeur des conduits

En théorie, c'est au-delà de 5 m de profondeur que l'on peut capter des températures ne variant presque plus autour des moyennes annuelles. Même si atteindre de telles profondeurs est techniquement possible, la complexité des travaux et leur coût ne sont justifiés qu'exceptionnellement au regard du gain thermique attendu.

Pour des installations utilisées seulement en rafraîchissement, nous n'avons besoin, sous nos climats, que d'une inertie de quelques jours, le sol pouvant être régulièrement rafraîchi par une utilisation du puits durant les nuits fraîches. La profondeur optimale des conduits oscille alors entre 70 et 90 cm. En

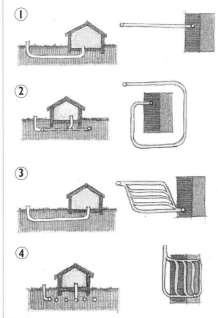

Différentes configurations de puits canadien.

1 et 2. Une canalisation unique facilite le nettoyage du conduit, permet une gestion facile des condensats et limite les pertes de charge*. Si elle ne peut être rectiligne, il faut éviter les coudes de diamètre inférieur à 1 m.

3 et 4. La réalisation d'un puits à canalisations multiples est envisagée lorsque le terrain disponible est limité ou lorsque le besoin est d'avoir de grandes surfaces d'échange.

2 et 4. Le dimensionnement des conduits proches du bâtiment devra être validé par un calcul thermique complet vérifiant que l'énergie ponctionnée par le puits sur le bâtiment en hiver ne lui fait pas défaut.

7. Si les professionnels spécialisés travaillent souvent en simulation avec le logiciel TRNSYS, un outil très accessible (GAEA) est présenté sur le site http://nesal.universigen.de (en allemand mais avec version de démonstration en anglais). Sinon, le logiciel français COMFIE devrait courant 2006 intégrer un programme de dimensionnement des puits canadiens (renseignements : www.izuba.fr).

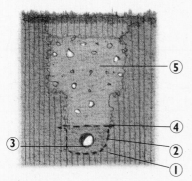

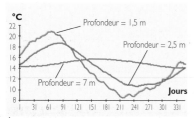

Évolution de la température du sol pour trois profondeurs.

Au fur et à mesure que l'on descend dans le sol, les températures se rapprochent de la moyenne des températures annuelles à la surface.

D'une manière générale, on estime que l'amplitude des températures de surface est réduite de moitié à 2,50 m et qu'à partir de 7 m de profondeur la température est stable tout au long de l'année. La variation « jour-nuit », elle, est nulle quelle que soit la saison à partir d'une trentaine de centimètres de profondeur (voir également schéma p. 42, § 2.2.2).

8. 30 m pour des conditions idéales (sol conducteur, profondeur et diamètre optimaux, vitesse lente) ; 35, 40 voire 45 m pour des conditions moins favorables (sol peu conducteur, faible profondeur, vitesse rapide, conduits lisses, peu conducteurs).
9. Attention, pour un même volume d'air apporté, des conduits de grands diamètres requièrent des moindres vitesses d'air et entraînent moins de pertes de charges. Les ventilateurs n'ont donc pas à être aussi puissants qu'avec de petits conduits (voir le site www.herzog.nom.fr). Ce fait est à intégrer dans le calcul du bilan d'une installation et amène souvent à préférer des conduits plutôt sur-dimensionnés.

Conseils pour la pose des conduits

Afin d'améliorer les échanges thermiques sol/air mais aussi pour protéger les canalisations, plusieurs précautions sont nécessaires.

1. Stabilisation par compactage du fond de fouille afin d'avoir une déformation à terme minime et régulière.
2. Pose d'un géotextile permettant aux fines particules enrobant les tubes de ne pas descendre plus loin dans le sol.
3. Pose du conduit dans un conglomérat à dominante argileuse ou limoneuse en veillant à ce que ce matériau rapporté adhère totalement à la canalisation.
4. Pose d'un grillage avertisseur.
5. Remblaiement de la tranchée par un matériau de granulométrie faible (pas de cailloux, de galets ou de sable, plutôt de la terre argileuse).

climats très chauds, on veillera cependant à limiter le rayonnement par des surfaces ombragées ou enherbées.

Pour des installations utilisées en saison froide, ou une utilisation mixte été/hiver, on recherche plutôt une inertie saisonnière : la profondeur varie entre 1,50 m (tranchée classique en sol cohérent) et 2,50 m (début des étaiements nécessaires, même en sol cohérent).

Longueur et diamètre des canalisations

Pour de petits bâtiments (maison individuelle, petit collectif…), la longueur optimale des canalisations oscille entre 30 et 40 m (8) et le diamètre entre 15 et 25 cm.

• Avec des conduits plus longs, l'énergie nécessaire au ventilateur pour véhiculer l'air augmente pour un gain thermique très limité.

• Avec des conduits plus courts, la terre n'a pas la possibilité de tempérer suffisamment l'air passant dans les canalisations.

• Pour un conduit de diamètre inférieur à 15 cm, les pertes de charge* dues aux frottements air/parois sont trop importantes.

• Pour des conduits supérieurs à 25 cm, les échanges thermiques entre le sol et l'air ne s'améliorent plus réellement pour les débits d'air adaptés à des petits bâtiments.

Débit et vitesse de l'air (9)

La vitesse de l'air dans les canalisations est le paramètre le plus important pour une bonne qualité d'échange thermique entre le sol et l'air.

Pour des utilisations en préchauffage de l'air intérieur, la vitesse de base est de 1 à 1,5 mètre/seconde (m/s). Plus élevée, elle épuise trop vite la capacité thermique du sol et ne lui laisse pas le temps de se reconstituer.

Pour les utilisations en rafraîchissement en journée, la vitesse de l'air peut atteindre 3 m/s. Cette vitesse épuise assez vite les réserves du sol mais celui-ci les reconstitue la nuit si l'on continue à faire fonctionner le puits canadien. Durant les nuits d'été, la vitesse peut atteindre les 5 m/s.

Type et matériau des conduits

En plus du critère économique, deux types d'exigences permettent de choisir entre le PVC, le polyéthylène (PE), le béton, la fonte ou le grès émaillé.

• Du point de vue thermique, les canalisations à parement extérieur lisses (PVC et PE non striés) réduisent les échanges de calories entre la terre et l'air. Les choisir impose d'augmenter la longueur des canalisations de 15 % environ.

• Du point de vue sanitaire, la principale exigence est d'avoir un conduit totalement étanche. Les risques d'infiltration d'eau, de terre, d'intrusion de petits animaux ou d'infiltration de radon excluent les matériaux dont l'étanchéité n'est pas sûre, particulièrement aux jonctions entre éléments de base.
De fait, parce qu'elles permettent une mise en œuvre aisée garantissant assez systématiquement une étanchéité totale, les matières plastiques ont souvent la faveur des puisatiers. Mais, par mesure de précaution vis-à-vis des dégagements de particules et parce que la production comme l'élimination du PVC posent des problèmes environnementaux réels, le polyéthylène (PE) est préférable.

4.4.2 Conception et dimensionnement d'un puits canadien

Le « puits canadien » étant une technique relativement nouvelle en France, ses diverses utilisations possibles sont encore mal différenciées. Pourtant, au niveau de la conception et du dimensionnement, un puits canadien pouvant être utilisé aux deux saisons extrêmes est très différent d'un autre ne servant qu'au rafraîchissement.

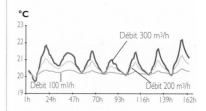

Comparaison de la température de sortie d'air d'un puits en fonction de la vitesse de l'air (en été).
Avec un tube de 16 cm de diamètre (voir note 6 p. 171), les débits de 100, 200 et 300 m³/h correspondent à des vitesses approximatives de 1,5 ; 3 et 4,5 m/s.

Réalisation d'un puits surfacique* composé de 2 tubes en polyéthylène striés.
La crainte d'une augmentation des risques de salissure ou autres dépôts à l'intérieur des tubes striés ne semble pas justifiée (voir étude de B. Flückiger).

Configuration des puits canadiens pour des bâtiments type maison individuelle.

	Puits servant exclusivement en rafraîchissement pour l'été	Puits servant également en préchauffage de l'air entrant pour l'hiver
Dénomination(s) usuelle(s)	Puits canadien Puits surfacique Puits provençal	Puits canadien
Configuration générale	Canalisations multiples de 30 à 40 m (on compte 2 à 4 canalisations pour 100 m² de surface habitable	Canalisation de 30 à 40 m (on compte environ 1 canalisation pour 100 m² de surface habitable)
Configuration (coupe)		
Distance entre les conduits	60 cm minimum	1,50 m minimum
Profondeur usuelle des conduits	70 à 90 cm	1,50 à 2,50 m
Type de conduits (béton, PVC, PE, grès émaillé…)	Divers mais étanches	Divers mais étanches
Diamètre des conduits	De 15 à 25 cm	De 15 à 25 cm
Vitesse de l'air	De 3 à 5 m/s possible	De 1 à 2 m/s

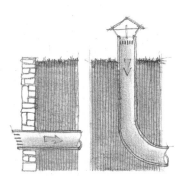

Différentes prises d'air en entrée de puits canadiens.

Prise d'air en entrée de puits canadien.

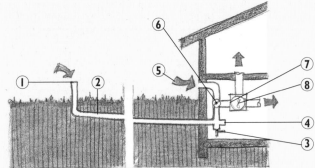

Cet équipement comporte un siphon (partie basse) et trois embouchures (connexion au puits, départ vers le ventilateur et trappe d'accès pour inspection et nettoyage).

Raccord de conduits avec clapet by-pass à commande manuelle ou automatique.

Exemple de réalisation

longueur 30 à 40 m – pente de 2 à 3 ‰

Coupe d'une installation type.

1. Entrée d'air

Elle sera éloignée du sol. L'embouchure devra empêcher la pluie de rentrer dans le conduit et une grille type moustiquaire protégera contre les feuilles, poussières, insectes…
On veillera à éloigner la prise d'air des sources de pollution (proximité du garage ou des places de stationnement, de la route…) et à réaliser un système permettant un nettoyage des conduits.

2. Canalisation enterrée

D'un diamètre compris entre 15 et 25 cm, elle est posée avec une pente de 2 à 3 % pour évacuer d'éventuels condensats (en été, la vapeur d'eau se condense à l'intérieur du tube au fur et à mesure que l'air se rafraîchit).

3. Siphon

Il permet l'évacuation des condensats sans nuire à l'étanchéité à l'air de la canalisation entre l'entrée d'air et le bloc ventilation.

4. Trappe d'accès

Elle permet le nettoyage annuel ou bisannuel des conduits.

5. Entrée d'air directe

En façade ou indépendante de la maison, cette entrée d'air permet de court-circuiter le puits canadien lorsqu'il n'y a pas besoin de tempérer l'air entrant.

6. Clapet

À commande manuelle ou automatique (sur sondes de température), il permet de donner priorité à l'air arrivant du puits ou à la prise d'air directe.

7. Filtre à air

Il permet d'assurer un air entrant sans poussières ni pollens…

8. Caisson de ventilation et gaines de distribution

Le ventilateur aspire l'air du puits et l'envoie dans le bâtiment par l'intermédiaire des gaines de l'installation de renouvellement d'air.
Ce bloc moteur peut comporter des systèmes de régulation spécifiques permettant de choisir selon les besoins l'air tempéré du puits ou l'air de la bouche extérieure, mais aussi des débits d'air supérieurs en cas de besoin de rafraîchissement spécifique.
L'intégration d'un puits canadien est facilitée si le système de ventilation de la maison est de type « double flux » ou « par insufflation » (voir chapitre 5).
Le choix du ventilateur (puissance, type…) doit tenir compte de l'ensemble des caractéristiques de l'installation du puits canadien mais aussi de celles du système de distribution d'air.

4.4.3 Bilan et performances d'un puits canadien

Approche environnementale

Que l'on aborde un puits canadien du seul point de vue énergétique ou sous l'angle de sa contribution au confort intérieur, son bilan environnemental est toujours positif.

Pour le rafraîchissement du bâtiment

Correctement dimensionné, un puits canadien dispense d'un système de climatisation dans les habitations qui, malgré une surventilation nocturne, souffrent de surchauffes en été. Pour des bâtiments à faible inertie ou à protections solaires moyennes, ce dimensionnement doit néanmoins parfois être doublé et/ou comporter un système d'humidification de l'air.

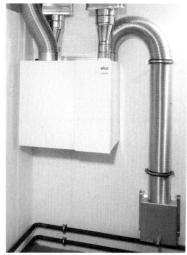

Ensemble de la machinerie puits canadien + ventilation.
En haut : bloc VMC double flux comprenant les ventilateurs, le récupérateur de chaleur et 4 connections :
– arrivée d'air neuf extérieur (par le puits canadien) ;
– sortie d'air vicié ;
– départ d'air neuf pour distribution dans le logement ;
– retour d'air vicié collecté dans les pièces humides du bâtiment.
En bas : bloc collecteur du puits canadien avec sortie pour condensats et branchement au bloc ventilation.

Pour une utilisation estivale, un puits canadien peut produire l'équivalent de 20 à 30 kWh de fraîcheur pour 1 kWh d'énergie électrique utilisé (on dit alors que son coefficient de performance ou COP est de 20 à 30). Cela signifie par exemple que le rendement d'un puits canadien est de 7 à 12 fois supérieur à celui d'une climatisation standard (COP d'environ 3). Cette différence s'accentue encore en cas de fortes chaleurs : le rendement des climatisations électriques chute lorsque la température augmente, contrairement au rendement du puits canadien qui, lui, s'améliore.

Outre l'économie d'électricité, cette climatisation naturelle a plusieurs avantages :
– elle n'utilise pas de fluides frigorigènes (gaz à effet de serre et/ou destructeurs de la couche d'ozone) ;
– elle dispense un air tempéré n'apportant aucune sensation d'air froid ou de courant d'air ;
– elle est d'une utilisation très facile et ne demande qu'une maintenance restreinte.

Pour le préchauffage de l'air intérieur

Selon les performances du bâtiment et la région climatique, un puits canadien permet une économie de 10 à 20 % de l'énergie nécessaire au chauffage.

Vis-à-vis du confort intérieur, ce préchauffage, très facile d'utilisation et à maintenance restreinte, favorise :
– une diminution des sensations de courant d'air froid, même à proximité des bouches d'entrée d'air ;
– une amélioration acoustique du bâtiment par la disparition des entrées d'air directes entre intérieur et extérieur.

Approche économique

Si la pertinence environnementale de la réalisation d'un puits canadien est incontestable, celle de l'investissement financier n'est pas toujours évidente. Elle dépend de nombreux facteurs dont le principal est le coût de réalisation des tranchées.

Entrée d'air du puits canadien de la chambre de commerce de Francfort.
En réhabilitation principalement, l'utilisation des caves ou autres cavités existantes (ici anciennes tranchées militaires) pour y faire transiter l'air avant introduction dans l'espace de vie apporte de bons résultats pour un coût souvent très limité. Le souci sera là d'ordre sanitaire (attention à ne pas apporter de l'air entrant chargé d'humidité, de radon…).

Installations utilisant le puits canadien comme système de rafraîchissement

Sauf si le coût des tranchées est très élevé, ce qui rarement le cas avec des puits surfaciques, l'investissement dans un puits canadien utilisé en été est généralement très avantageux. C'est le cas en particulier lorsque la réalisation d'un tel équipement permet de faire l'économie d'une installation de production de frais, mais également s'il est utilisé en parallèle à une climatisation. Dans pareils cas, les économies de fonctionnement qu'il entraîne suffisent à le rendre pertinent.

Installations utilisant le puits canadien comme système de préchauffage

Pour les installations exclusivement utilisées en saison froide, l'intérêt d'investir dans un puits canadien est moins évident. D'une part parce que des tranchées profondes peuvent coûter cher, d'autre part parce qu'il rentre en concurrence directe avec un autre équipement permettant de préchauffer qui, en termes de pertinence financière s'impose : la ventilation double flux avec récupération de chaleur. De fait, ce sont d'autres éléments qui justifieront ou non l'intérêt financier d'un tel investissement (voir tableau ci-dessous)

Pertinence d'un puits canadien.

	Puits canadien surfacique	Puits canadien classique
Besoin d'un système de rafraîchissement spécifique	++++	++
Impossibilité de recourir à l'ouverture des fenêtres pour rafraîchir le bâtiment en été	++++	++
Besoin de rafraîchissement diurne	++++	++
Bâtiments à faible inertie	++++	++
Absence en zone froide de système de préchauffage de l'air (serre solaire, capteur à air, VMC avec récupération de chaleur…)	++	++++
Absence en zone tempérée de système de préchauffage de l'air (serre solaire, capteur à air, VMC avec récupération de chaleur…)	sans objet	++
Ventilation double flux avec récupération de chaleur en zones froides	sans objet	+++
Besoin de mise hors gel du bâtiment	sans objet	+++
Sol meuble	+++	+++
Travaux de terrassement type tranchées en prévision	sans objet	+++
Possibilité d'utiliser un ouvrage enterré existant	+++	+++

++++   solution totalement adaptée
+++   intérêt réel
++   intérêt à étudier

CHAPITRE 5
La ventilation

Fonction méconnue mais néanmoins vitale pour la santé des occupants, la performance énergétique et la durabilité du bâti, la ventilation est un équipement de première importance pour la construction ou la réhabilitation bioclimatiques.

La performance énergétique d'un bâtiment comme la qualité de son air intérieur dépendent grandement du système de ventilation mis en place et du soin apporté à son installation et à son entretien. Malgré cette évidence, cet organe est souvent méconnu… peut-être parce qu'il représente moins de 1 % de l'investissement global d'une opération !
Pourtant, pour des bâtiments isolés, les déperditions thermiques peuvent être dues pour 30 à 70 % aux calories que le système de renouvellement de l'air envoie continuellement à l'extérieur.

La conception d'une maison bioclimatique ne se satisfait pas seulement d'assurer un renouvellement d'air en limitant les déperditions de calories que cela entraîne, elle intègre cette obligation hygiénique dans le fonctionnement thermique global du bâtiment :
– en utilisant le balayage obligé des espaces pour répartir la chaleur et ainsi optimiser les masses inertielles du bâtiment et le captage solaire ;
– en intégrant les systèmes de préchauffage que sont les capteurs à air, les serres solaires, les puits canadiens et les récupérateurs de chaleur ;
– en permettant un rafraîchissement des bâtiments par ventilation nocturne.
De plus, le concepteur de l'installation cherchera à limiter au maximum, pour le fonctionnement du système, le recours aux énergies extérieures.

5.1 PRINCIPES DE BASE DE LA VENTILATION

Les fonctions essentielles du renouvellement de l'air intérieur de nos habitations sont de :
– satisfaire les besoins en oxygène ;
– évacuer la vapeur d'eau ;
– limiter la pollution intérieure et améliorer le confort en éliminant odeurs, fumées et autres polluants.
Pour ce faire, les systèmes de ventilation doivent régulièrement remplacer l'air intérieur (ou « air vicié ») par de l'air extérieur (ou « air neuf »).

Le besoin de systèmes de ventilation mécanique ne provient pas en premier lieu de l'évolution des techniques de construction des bâtiments, mais d'une demande d'amélioration du confort conjuguée à une double exigence :
– celle d'assurer une qualité d'air satisfaisante ;
– celle de limiter les déperditions thermiques des bâtiments.

5.1.1 Ventiler pour avoir un air intérieur sain

Si la relation entre « santé » et « bâtiment » a longtemps été ignorée en France, la situation a désormais changé. Aujourd'hui, les études, les conseils, les ouvrages sont nombreux et plus personne n'ignore que l'air des bâtiments dans lesquels nous passons plus de 80 % de notre temps est en général beaucoup plus pollué que l'air extérieur (1). La responsabilité en incombe bien entendu à un mode de « construire » et d'« habiter » générateur de dégradations de l'air intérieur mais tout autant à des systèmes de renouvellement d'air insuffisants, voire défectueux ou absents.

Occupation des locaux

Métabolisme humain
humidité
gaz carbonique
biocontaminants

Plantes
pollens
pesticides

Animaux
biocontaminants
allergènes
humidité

Bâtiments : matériaux et produits de construction

Isolants
fibres
COV
formaldéhyde

Autres matériaux
fibres
COV
biocontaminants
acariens
fongicides et autres biocides
plomb
radioactivité
amiante

Activités humaines

Entretien, de la maison
poussières
COV
allergènes
biocides

Bricolage
poussières
COV
toxiques

Vêtements, cosmétiques
fibres
COV
poussières

Séchage du linge
humidité

Toilette
humidité
COV

Cuisine
humidité
COV
fumées

Tabagisme
poussières
COV
monoxyde de carbone
oxydes d'azote
formaldéhyde
goudrons
nicotine

atelier   buanderie   WC   sdb
garage   chambre
cuisine   séjour

Environnement extérieur
gaz carbonique
dioxyde d'azote
particules
COV
monoxyde de carbone
ozone
radon

Equipements et aménagements

Stockage et évacuation des déchets
micro-organisme
COV
allergènes (insectes)

Moquette
formaldéhyde
acariens

Mobilier
COV
formaldéhyde

Appareils de lavage (linge, vaisselle)
humidité

Ventilation
polluants externes
fibres minérales
poussières
micro-organismes

Appareils de chauffage d'appoint (gaz, pétrole)
monoxyde de carbone
humidité
gaz carbonique
oxydes d'azote
poussières

Appareils à combustion
monoxyde de carbone
gaz carbonique
oxydes d'azote
poussières
humidité

Climatisation
biocontaminants
COV

Origine et nature des polluants possibles de l'air intérieur.
Dans une maison construite et habitée sans souci écologique, les polluants sont nombreux, et, en plus de la toxicité spécifique de chacun d'eux, la synergie des polluants entre eux rend le problème particulièrement complexe.
Source : diverses sources dont « La ventilation/habitat individuel, *Guide pratique*, ADEME.

1. Voir entre autres les études de l'Observatoire de la qualité de l'air intérieur (www.air-interieur.org) et du mensuel *Que Choisir ?* (www.quechoisir.org).

On trouvera en annexe une liste des organismes travaillant sur la qualité de l'air intérieur ainsi que des ouvrages de référence.

Principales productions d'humidité dans une habitation

Production métabolique de vapeur d'eau (respiration et transpiration)

Personne en sommeil	environ 35 g/h (grammes/heure)
Personne en activité sédentaire	environ 55 g/h
Personne en activité intense	de 150 à 300 g/h

Vapeur d'eau moyenne produite dans un logement de 4 personnes

Douche	300 à 500 g/jour
Cuisine, vaisselle	1,5 à 2 kg/jour
Lavage des sols	environ 500 g/lavage
Séchage linge	environ 2 kg/lessive

La vapeur d'eau n'est pas un polluant en tant que tel. Mais, lorsque sa concentration dans l'air devient trop importante, elle crée de l'inconfort (voir p. 30), voire des condensations sur les ponts thermiques, les parois froides et dans les isolants. Elle est alors une source importante de dégradation du bâti et de la qualité de l'air intérieur (moisissures, pourrissement, salpêtre…).
Source : *Ventilation des bâtiments.*

Ventilation et réglementation (1)

Depuis les premiers règlements rédigés par les hygiénistes, les réglementations successives ont cherché à réaliser un arbitrage entre une approche hygiénique préconisant d'importants renouvellements d'air et une approche énergétique cherchant d'abord à ne pas « jeter par les fenêtres » l'air chaud de nos habitations. Mais, s'il est difficile d'évaluer le renouvellement optimal de l'air à imposer tant les disparités peuvent exister d'un bâtiment à l'autre, d'un mode d'habiter à un autre, on peut estimer satisfaisante la législation en vigueur depuis 1982.

Pour les habitations par exemple, elle impose par heure des renouvellements d'air oscillant entre 30 à 50 % de leur volume. D'après les études sur la qualité de l'air intérieur, ces débits semblent tout à fait justifiés pour des logements standard habités par des personnes ne prêtant pas d'attentions particulières pour limiter les sources de pollution intérieure.

Mais la législation autorise également à diviser ces débits dans le cas d'un assujettissement du système de ventilation aux besoins. De fait, pour des bâtiments construits et habités avec « précautions », cette souplesse permettra de réaliser de substantielles économies de chauffage durant les mois d'hiver.

Par exemple, pour un logement de 100 m² type T5 (2), la législation impose, en plus d'entrées et d'évacuations d'air spécifiques, un renouvellement d'air régulier pendant la période de chauffe de :

– 105 m³ minimum par heure pour une installation de base ;
– 25 m³ minimum par heure si l'installation intègre un assujettissement aux besoins type « hygroréglable » (voir p. 187).

1. Des textes qui régissent la ventilation sont : les arrêtés du 24 mars 1982 et du 28 octobre 1983 pour l'habitat ; le Code du travail et les règlements sanitaires départementtaux pour les secteurs professionnels.
2. Logement de référence : 100 m² soit 250 m³ comportant 1 séjour, 1 salon, 3 chambres, 1 cuisine, 1 salle de bain et 1 WC séparé.

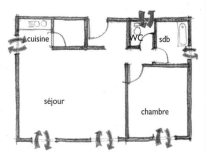

Principe de ventilation par pièces séparées.

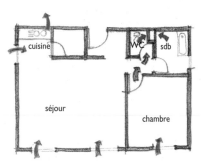

Principe de ventilation générale par balayage.

Source : Ventilation des bâtiments.

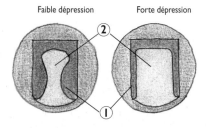

Faible dépression — Forte dépression

Bouche d'extraction d'air autoréglable.
Révolutionnaires dans les années 1960, les bouches d'extraction d'air autoréglables s'opposent plus ou moins au tirage naturel afin que les débits soient constants quelles que soient les variations climatiques externes.
1 Passage d'air
2 Membrane

5.1.2 Principes des systèmes de ventilation

Les systèmes de renouvellement d'air sont nombreux et variés. Ils se répartissent néanmoins en grandes familles :
– ventilation par pièces séparées ou par balayage ;
– systèmes assujettis ou non aux besoins.

Ventilation par pièces séparées ou par balayage

• La ventilation par pièces séparées a été majoritairement appliquée jusqu'à la fin des années 1960. Elle consistait à ventiler individuellement chaque pièce par la simple ouverture des fenêtres ou au moyen d'orifices spécifiques (grille d'entrée d'air en façade et de sortie d'air en façade ou en toiture).

La ventilation par pièces séparées séduit car elle dispense de la pose de gaines pour les passages d'air, mais la qualité du renouvellement d'air avec ce système est très moyenne. De plus, lorsqu'elle est mécanisée (elle s'appelle alors « ventilation mécanique répartie » par pièces séparées), la multiplication des ventilateurs entraîne une installation bruyante et consommatrice d'énergie. Ces systèmes ne seront donc pas conseillés.

• La ventilation générale par balayage consiste à introduire l'air neuf dans les pièces principales du logement et à extraire l'air vicié dans les pièces humides. C'est le seul système permettant d'assurer le transfert de l'air des pièces les moins polluées vers les pièces les plus polluées et d'assurer, lorsque les installations sont correctement réalisées (voir p. 204), un balayage complet des volumes intérieurs.

Ce système de ventilation fonctionne dans la plupart des cas à l'aide de ventilateurs mécaniques. On parle alors de ventilation mécanique contrôlée (ou VMC).

Ventilation assujettie ou non aux besoins de renouvellement d'air

• Les systèmes de ventilation de base ne comportent pas d'assujettissement aux besoins réels de renouvellement d'air. Avec une ventilation non mécanisée, les débits d'air varient alors en fonction d'éléments climatiques extérieurs (différence de température entre étages, différences de pression entre façades…). Avec une ventilation mécanique, ils s'affranchissent de ces éléments extérieurs pour offrir un débit constant sur l'année. On parle alors de VMC « autoréglable ».

• La ventilation avec assujettissement aux besoins ajuste les débits d'air évacué en fonction de critères spécifiques. Dans l'habitat, la réglementation estime que les besoins de renouvellement d'air sont proportionnels à la présence humaine et que le taux d'humidité de l'air est un bon indicateur de cette présence. Les principaux systèmes d'assujettissement sont donc indexés sur ce taux : on parle alors de ventilation « hygroréglable » (voir également § 5.2.3, p. 187).

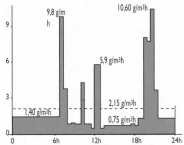

Ventilation, principales définitions

Les bouches d'entrée d'air. Placées dans les pièces dites principales ou sèches (chambres, séjour, bureau…), elles permettent l'introduction de l'air neuf. Leur dimensionnement est notifié dans les textes réglementaires.

Les passages de transit. Simples grilles, grilles phoniques ou détalonnage de porte, ces passages permettent à l'air d'aller d'une pièce à l'autre.

Les bouches d'extraction. Installées en partie haute des pièces humides (WC, cuisine, salle de bain, buanderie…), elles permettent l'évacuation de l'air vicié. Leur dimensionnement est notifié dans les textes réglementaires.

Les conduits (appelés aussi gaines, conduits aérauliques…). Canalisations par lesquelles l'air neuf est apporté et/ou l'air vicié évacué.

Le bloc moteur (ou caisson d'extraction, d'insufflation, de ventilation…). Organe central d'une ventilation mécanique, il comporte un ou plusieurs ventilateurs permettant d'extraire l'air vicié et/ou d'apporter l'air neuf aux volumes intérieurs.

Ventilation mécanique contrôlée (VMC). Système de renouvellement d'air utilisant un voire plusieurs ventilateurs. Pour les maisons individuelles, les VMC sont souvent proposées sous forme de kits comportant les bouches d'entrée et d'extraction d'air, les gaines et le bloc moteur.

VMC simple flux. Système où seule l'extraction de l'air vicié est assurée mécaniquement.

VMC double flux. Système où l'extraction et l'introduction de l'air sont gérées mécaniquement.

Ventilation naturelle (VN). Système de ventilation n'utilisant aucun ventilateur mécanique.

Ventilation stato-mécanique. Système de ventilation naturelle comportant néanmoins un ventilateur mécanique en appoint. Appelée également ventilation naturelle assistée ou VNA.

Ventilation par insufflation. Système où seule l'introduction de l'air neuf est assurée mécaniquement.

Assujettissement. Une ventilation assujettie aux besoins (ou ventilation modulée) est un système muni d'équipements permettant d'adapter les débits aux besoins de renouvellement.

Autoréglable. Se dit d'un système ou d'un équipement dont le débit est constant, c'est-à-dire indépendant des conditions atmosphériques comme vent, températures, pression d'air… mais aussi des besoins internes de renouvellement de l'air. C'est un système non assujetti aux besoins.

Hygroréglable. Se dit d'un système ou d'un équipement qui adapte ses débits en fonction du taux d'humidité de l'air intérieur. C'est le principal système d'assujettissement aux besoins du secteur résidentiel.

Tirage thermique. Système de tirage dit naturel car non mécanisé, il est déclenché soit par un différentiel de température (entre le bas et le haut d'un volume intérieur, entre intérieur et extérieur…), soit par un différentiel de pression (entre deux façades, entre intérieur et extérieur…). On utilise pour ce faire des conduits verticaux. On parle alors d'« effet de cheminée » et de « cheminées thermiques ».

Production de vapeur d'eau en g/h par m³ de logement

9,8 g/mh   10,60 g/m³h

5,9 g/m³h

2,15 g/m³h

1,40 g/m³h   0,75 g/m³h

0   6h   12h   18h   24h

Bilan de répartition journalière globale de la vapeur d'eau pour un logement de 4 pièces habité par 4 personnes dont 2 enfants, 1 adulte au foyer, l'autre en activité à l'extérieur.

Sachant qu'une grande partie des polluants est émise durant la présence des habitants et que ces derniers sont les principaux producteurs de l'humidité contenue dans l'air, on comprend avec ce type de schéma que l'on cherche à indexer les débits d'air extraits au taux d'humidité de l'air.

Unités de débit des systèmes de ventilation

• **Pour l'appareillage** (bouches, moteur), on l'exprime en m³ par heure (m³/h).

• **Pour l'installation**, on l'exprime soit en m³ par heure soit en volume(s) par heure. Cette dernière unité sera utilisée pour comparer les divers types d'installations entre eux. Un volume par heure (1 vol/h) signifie que le système de renouvellement d'air envoie dehors par heure une fois le volume du bâtiment qu'il est censé ventiler.

5.2 PRINCIPAUX SYSTÈMES DE VENTILATION

Entre une ventilation « idéale » adaptée à chaque bâtiment et la réalité de terrain, les disparités sont énormes. De fait, il apparaît nécessaire de faire le point sur les systèmes usuellement proposés par les professionnels afin de repérer ceux qui peuvent être compatibles avec un fonctionnement bioclimatique et plus généralement une approche énergétique cohérente.

5.2.1 Ventilation naturelle « à l'ancienne »

La ventilation naturelle (VN) ou ventilation « à l'ancienne » est un ensemble de pratiques plus ou moins empiriques assurant un renouvellement de l'air intérieur sans utilisation de ventilateurs mécaniques.

Trois types de ventilation naturelle subsistent encore de nos jours :
– aération par les défauts d'étanchéité ;
– renouvellement d'air par ouverture des fenêtres ;
– ventilation par tirage thermique.

Aération par les défauts d'étanchéité
Jusqu'en 1958, date d'apparition des premières réglementations, le renouvellement de l'air intérieur des bâtiments d'habitation était principalement assuré par les défauts d'étanchéité des portes et des fenêtres. À la belle saison s'y ajoutait l'ouverture des fenêtres, et en hiver le tirage des appareils de combustion.
Ce système évacuait à l'extérieur, en période de chauffe, des volumes d'air considérables (plusieurs fois le volume d'air intérieur par heure).

Renouvellement d'air par ouverture des fenêtres
Les conditions pour avoir un renouvellement d'air correct avec ce système sont contraignantes, l'ouverture des fenêtres devant se faire à un rythme régulier non improvisé (voir encadré ci-dessous).

Système d'automatisation de l'ouverture de fenêtres.
De nouvelles propositions sont faites afin d'automatiser l'ouverture des fenêtres. Ces systèmes peuvent être indexés à de nombreux paramètres (temps qu'il fait, polluants intérieurs, température, humidité, minuteries…). Mais, ce système ne permet pas une ventilation efficace par balayage (voir § 5.1.2, p. 182).

Intervalles conseillés pour un renouvellement d'air hygiénique avec un système de ventilation par ouverture des fenêtres

Séjour sans fumeur	Une ouverture toutes les 2 heures
Séjour avec fumeur	Une ouverture toutes les 1/2 heure à 1 heure
Chambre à coucher	Une ouverture toutes les 2 heures
Salle de classe (25 élèves)	Une ouverture toutes les 20 minutes

Durée d'aération (selon disposition et dimensions des fenêtres) : 1/2 minute à 3 minutes.
En plus de son aspect contraignant, une telle ventilation est à l'origine du tiers des déperditions d'un bâtiment standard, de la moitié de celles d'un bâtiment bien isolé.

Source : *L'Aération des bâtiments MINERGIE®* et *La Maison d'habitation MINERGIE®*.

Outre le fait qu'il n'est pas conforme à la législation en vigueur, ce système peut difficilement être préconisé pendant la période de chauffe sous peine d'être à l'origine d'importantes déperditions thermiques.

Ventilation par tirage thermique

Ce principe de ventilation naturelle mis en place dans les années 1960 repose sur la stratification de l'air chaud qui est évacué par des sorties d'air en partie haute des pièces humides, cet air étant remplacé par de l'air neuf entrant dans les pièces sèches. Ce renouvellement de l'air dépendant majoritairement d'éléments extérieurs ne correspond plus aux exigences actuelles :
– en été et en demi-saison il entraîne un défaut patent de renouvellement d'air ;
– en hiver ou en périodes ventées il produit des mouvements d'air inconfortables mais surtout des déperditions de chaleur importantes (débit souvent supérieur à 1 voire 2 volumes/heure).

Si la conception bioclimatique et écologique redécouvre bien souvent des stratégies anciennes (telles que la perspiration* des parois, le chauffage par rayonnement ou l'utilisation de matériaux premiers pour limiter les pollutions de l'air), concernant la ventilation, il est impossible de préconiser les systèmes « à l'ancienne », trop aléatoires pour être compatibles avec les exigences actuelles de confort et d'efficacité thermique.

Cependant, tout un courant de l'architecture écologique et de l'ingénierie environnementale tend actuellement à faire évoluer ce système de ventilation par tirage thermique vers une ventilation naturelle assistée (voir § 5.3.5, p. 201). Beaucoup plus fiable sur le plan sanitaire et satisfaisant au point de vue thermique, ce système n'est malheureusement maîtrisé en France que par un nombre restreint de bureaux d'études spécialisés. Dans l'attente d'une évolution – et d'une simplification – de cette ingénierie aéraulique à destination des petits bâtiments, les solutions les plus efficaces aux besoins de ventilation restent à trouver parmi les systèmes de ventilation mécanique.

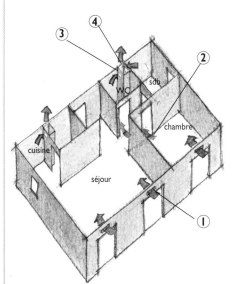

Principe d'une installation générale par balayage en ventilation naturelle par tirage thermique.
1 Grille d'entrée d'air (dans pièces principales)
2 Passage de transit
3 Grille d'extraction de l'air vicié (dans les pièces humides)
4 Conduit d'évacuation vertical non mécanisé ou « cheminée thermique »

À la suite de chantiers de réhabilitation où portes et fenêtres anciennes sont changées sans que le système de ventilation soit adapté aux nouveaux besoins, on constate souvent de gros problèmes de condensations, pourrissements, moisissures... Ce manque d'attention au système de ventilation met en péril la durabilité du bâtiment comme la qualité de son air.

Schéma de principe d'une VMC simple flux autoréglable.

1 Bouches d'entrée d'air autoréglables
   (1 à 2 par pièce principale)
2 Passage de transit
3 Bouches d'extraction autoréglables
   (1 par pièce humide)
4 Gaines
5 Bloc extracteur
6 Évacuation de l'air vicié

5.2.2 VMC « de base » ou « simple flux autoréglable »

La ventilation mécanique contrôlée simple flux autoréglable est le système très majoritairement installé depuis 25 ans en France : un ventilateur centralisé extrait régulièrement l'air vicié des pièces humides. L'air neuf entre par dépression dans les pièces sèches.

En divisant en moyenne par deux les volumes d'air évacués (au maximum 1/2 fois le volume d'air intérieur par heure au lieu de 1 fois minimum avec les systèmes anciens), et en permettant un renouvellement d'air régulier, la VMC simple flux autoréglable apportait, en alternative aux ventilations naturelles « à l'ancienne », un gain appréciable.

Néanmoins, compte tenu des défis environnementaux et du prix actuel de l'énergie, les performances de la ventilation simple flux autoréglable ne supportent plus la comparaison avec les systèmes hygrorèglables ou double flux actuellement sur le marché (voir encadré ci-dessous et § 5.2.3 et 5.2.4).

En effet, avec un système de chauffage basé sur la convection (chauffage de l'air), on doit chauffer par exemple tous les jours jusqu'à 12 fois le volume d'air du logement pour l'envoyer presque instantanément dehors.

Le fait que ce système de ventilation désormais peu satisfaisant soit encore très majoritairement celui qui est installé en France contribue largement à la mauvaise presse du sujet « ventilation » auprès du public.

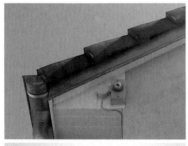

Capteurs.
Les systèmes d'asservissement aux besoins sont disponibles, fiables et peu onéreux. Solarimètre et bouche d'extraction sur détecteur de présence.

Assujettissement des débits de renouvellement d'air aux besoins

Envoyer dehors par heure 35 à 50 % (débit moyen imposé pour une VMC simple flux autoréglable) de l'air de nos appartements correspond aux besoins réels de renouvellement hygiéniques de l'air pour des locaux constamment occupés, surtout si les occupants ne prennent aucune précaution pour limiter les sources de pollutions intérieures. Mais que penser :
– des bâtiments peu utilisés : telle permanence de mairie en milieu rural qui enverra dehors de 100 à 200 fois son volume d'air chaud par semaine pour quelques heures d'utilisation des locaux ;
– des volumes à forts besoins de renouvellement d'air : telle classe qui enverra par jour 13 000 m³ d'air à l'extérieur alors qu'en l'assujettissant aux besoins, ces débits seront de 0 m³ tant qu'il n'y aura pas d'élèves, de 198 m³/heure pour un groupe de 10 élèves et de 558 m³/heure uniquement lorsque la classe comptera 30 élèves (1)…

Pourtant, la VMC simple flux autoréglable sans modulation (ou assujettissement aux besoins) reste encore aujourd'hui le système le plus couramment installé en France…
Alors que depuis 25 ans les options d'asservissement aux besoins sont disponibles, fiables, et peu onéreuses (systèmes hygrorèglables, minuterie, détecteur de présence ou de polluants (composés organo-volatils*, monoxyde de carbone, CO_2…), horloge de programmation, solarimètre, sonde de température…).

1. Source : *Guide pratique des modulations des débits d'air.*

5.2.3 VMC simple flux hygroréglable de type B (2)

Souvent appelée VMC Hygro B, ce système est similaire au précédent sauf que les bouches d'entrée et d'extraction d'air y sont « hygroréglables », c'est-à-dire s'ajustent au taux d'humidité de l'air de chaque pièce. Le moteur du ventilateur d'une VMC Hygro B s'adapte au degré d'ouverture des bouches : le débit d'air extrait peut varier de 1 à 8 selon les besoins.

Aspects positifs de la VMC Hygro B

• Le système d'assujettissement des débits aux besoins permet de diviser par 2 à 4 les déperditions thermiques par rapport à une VMC basique.

• Les ventilateurs d'une VMC Hygro (à vitesse variable) consomment en général de 2 à 3 fois moins d'électricité que ceux utilisés dans les autres VMC.

Réserves sur la VMC Hygro B

• Ce système, ajusté pour extraire le moins possible d'air pendant les périodes de chauffe, manque de souplesse lorsque l'on souhaite augmenter les débits (périodes sans chauffage, ventilation nocturne…). De plus, l'adaptation aux systèmes de préchauffage ou de rafraîchissement de l'air (serre solaire, capteurs à air mais surtout puits canadien et récupérateur de calories) est difficile voire impossible.

• La compatibilité avec un appareil de chauffage à combustion type poêle n'est assurée qu'après adaptations de l'installation par un professionnel compétent.

• Dans le cas d'une maison construite et habitée sans souci écologique, les débits d'une VMC Hygro risquent d'être insuffisants (voir schéma p. 180).

Kit de base d'une VMC Hygro B.
Ensemble comportant 1 bloc moteur et 3 bouches d'extraction hygroréglable (cuisine, WC et bains).

Calcul sommaire de déperditions

En prenant l'exemple de l'appartement type T5 présenté p. 181, un calcul simple nous permet d'avoir une idée des volumes d'air chauds économisés avec une VMC Hygro B par rapport à une VMC simple flux autoréglable.

• Sur une journée de semaine classique avec les 4 habitants hors de l'appartement durant 8 heures et en sommeil durant 8 heures, l'économie en volume d'air dépassera les 50 % (environ 4 à 5 fois le volume d'air du logement évacué par jour au lieu de 10).

•Dans le cas d'un week-end où la famille restera à l'intérieur de l'appartement durant toute la journée, l'économie sera d'environ 25 % (par jour, environ 6 à 7,5 volumes d'air évacués au lieu de 10).

• Dans le cas d'une semaine de vacances durant l'hiver, l'économie sur 7 jours sera de 76 % (17 volumes d'air évacués au lieu de 70).

2. Première amélioration de la VMC basique, un système appelé « VMC hygroréglable de type A » n'adaptait que les extractions d'air aux taux d'humidité (et non les sorties et les entrées). Moins performant, ce système est en voie de disparition au profit de la « VMC Hygro B » dont les brevets détenus par un seul fabricant sont désormais tombés dans le domaine public.

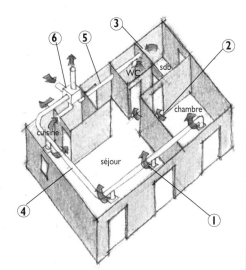

Principe d'une VMC double flux avec récupération de chaleur.

1 Bouches d'entrée d'air (1 à 2 par pièce principale)
2 Passage de transit
3 Bouches d'extraction de l'air vicié (1 par pièce humide)
4 Gaines du système d'arrivée d'air neuf
5 Gaines du système d'extraction
6 Bloc extracteur avec récupérateur de chaleur intégré

Il est possible d'adjoindre un véritable système de chauffage ou de rafraîchissement au bloc ventilation d'une VMC double flux (résistances électriques avec ou sans pompe à chaleur, climatiseur…). On parle alors de système de températion ou de CTA (centrale de traitement de l'air). Ces options sont peu compatibles avec une approche bioclimatique et écologique.

5.2.4 VMC double flux avec récupérateur de chaleur

À la différence des systèmes « simple flux » présentés au § 5.2.2, et au § 5.2.3, où seule l'extraction de l'air est mécanisée, dans une VMC double flux, l'extraction mais aussi l'arrivée d'air sont assurées mécaniquement. Un des intérêts majeurs de ce système est qu'il offre la possibilité d'intégrer un échangeur de chaleur qui permet en hiver de récupérer la plupart des calories de l'air vicié que l'on extrait pour les transmettre à l'air neuf entrant.

Aspects positifs de la VMC double flux avec récupération de chaleur

• Les volumes d'air renouvelés peuvent être assez importants (environ 0,3 à 0,5 volume d'air par heure) pour des déperditions thermiques limitées.
• Adaptation aisée aux systèmes de préchauffage ou de rafraîchissement de l'air type puits canadien, serre solaire ou capteurs à air (voir chapitre 4).
• Filtrage systématique de l'air entrant (particulièrement apprécié en zones polluées ou pour les personnes allergiques aux pollens…).
• Amélioration de l'isolation acoustique du bâtiment (absence de passages d'air directs entre intérieur et l'extérieur).
• Absence totale de sensations de courants d'air (l'air entrant étant tempéré, les sensations de microcourants d'air disparaissent).
• En apportant un air tempéré dans les pièces principales, ce système peut permettre de faire l'économie de surfaces d'émetteurs.
• En mettant les bâtiments en légère surpression, ce système est particulièrement adapté aux bâtiments ayant des défauts d'étanchéité et/ou renfermant dans leurs parois des éléments pouvant polluer l'air intérieur (moisissures, fibres…). De fait, la VMC double flux est presque systématiquement conseillée en réhabilitation.

Réserves sur la VMC double flux avec récupérateur de chaleur

• L'assujettissement des débits par un système de type hygroréglable qui permettrait à cette VMC d'augmenter sa pertinence pour des bâtiments à faibles besoins de renouvellement d'air n'est pas encore disponible.
• Certains récupérateurs de chaleur sont très sensibles à un air trop froid ou trop humide. De fait leur fonctionnement ne sera pertinent en période froide que couplé à un puits canadien (voir également p. 196).

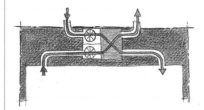

Principe de fonctionnement d'un bloc VMC double flux avec échangeur thermique (également appelé « récupérateur de chaleur »).

5.2.5 Ventilation mécanique répartie (VMR)

La spécificité de ce système est qu'à la différence des précédents, l'extraction de l'air vicié n'est pas centralisée, mais effectuée à partir de plusieurs ventilateurs placés dans les pièces humides. Selon le cas, une VMR sera de type autoréglable ou hygroréglable.

L'installation d'une ventilation mécanique répartie est parfois choisie en réhabilitation car elle dispense de l'installation de gaines. Mais pour permettre un balayage complet des espaces intérieurs, l'installation doit respecter les exigences réglementaires concernant les entrées d'air et les passages de transit.

Aspects positifs de la ventilation mécanique répartie
• Selon les options retenues pour l'installation (autoréglable ou hygroréglable), la VMR présente les avantages (et inconvénients) des systèmes précédemment présentés (voir § 5.2.2, p. 186, et 5.2.3, p. 187).
• Système permettant la pose d'une ventilation sans gaines.

Réserves sur la ventilation mécanique répartie
• Selon le système installé, voir § 5.2.2, p. 186, ou 5.2.3, p. 187.
• La quantité d'électricité nécessaire au fonctionnement d'une installation VMR est usuellement au minimum de 2 à 3 fois supérieure à celle d'une VMC centralisée.
• Systèmes manquant de souplesse, les quantités d'air extraites sont généralement supérieures à celles des systèmes similaires centralisés.
• Système généralement bruyant (les ventilateurs sont en contact direct avec les pièces aérées).

Pour des besoins particuliers, un ventilateur (appelé souvent dans ce cas aérateur) peut être posé dans une salle d'eau ou un WC… Mais, même si cet équipement était installé dans toutes les pièces humides, ces réponses techniques isolées ne constitueraient qu'une installation type « ventilation par pièces séparées » partielle. De fait, elle ne peut être conseillée (voir également § 5.1.2, p. 182).

Vue d'un bloc VMC double flux avec récupération de chaleur.
1 Arrivée d'air frais
2 Sortie d'air vicié
3 Arrivée d'air extérieur
4 Évacuation d'air vicié
5 Ventilateurs
6 Régulateur 3 allures
7 Raccordement électrique
8 Filtre
9 Échangeur de chaleur.

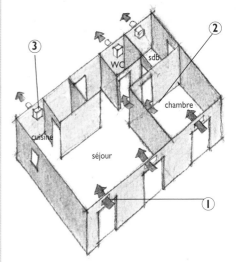

Principe d'une installation générale par balayage en ventilation mécanique répartie.
1 Bouches d'entrée d'air (1 à 2 par pièce principale)
2 Passage de transit
3 Blocs extracteurs

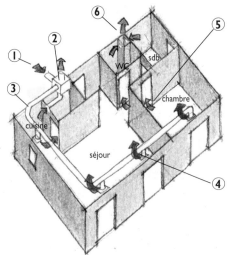

Principe d'une VMI par pièce.

1 Prise d'air neuf
2 Caisson comportant un ventilateur et un filtre, éventuellement un système permettant de se connecter à la demande à un puits canadien, à un capteur à air…
3 Gaines du système d'arrivée d'air neuf
4 Bouches d'arrivée d'air neuf
5 Passages de transit
6 Grilles d'extraction de l'air vicié (en sortie façade ou conduits verticaux)

5.2.6 Ventilation mécanique par insufflation (VMI) (3)

Une ventilation par insufflation est une installation où seule l'arrivée d'air est mécanisée. Un ventilateur insuffle l'air neuf dans les différentes pièces sèches par un circuit de gaines. L'extraction de l'air se fait de manière naturelle par de simples grilles d'évacuation en façades ou des conduits verticaux (4).

Aspects positifs de la VMI

• Adaptation aisée aux systèmes de préchauffage ou de rafraîchissement de l'air type puits canadien, serre solaire ou capteurs à air (voir chapitre 4).
• Filtrage systématique de l'air entrant (particulièrement apprécié en zones polluées ou pour les personnes allergiques aux pollens…).
• Consommation électrique de l'installation divisée au minimum par 2 par rapport à une ventilation double flux.
• Dans le cas de préchauffage de l'air entrant :
  – limitation des sensations de courants d'air ;
  – importantes économies de chauffage.
• Dans le cas de pose avec bouches hygroréglables :
  – le système d'assujettissement des débits aux besoins permet de diviser par 2 à 4 les déperditions thermiques par rapport à une VMC basique ou à une VMI non assujettie aux besoins (voir § 5.2.3, p. 187) ;
  – les ventilateurs d'une VMI Hygro (à vitesse variable) consomment en général de 2 à 3 fois moins d'électricité que ceux utilisés dans les autres VMI ou VMC.

Réserves sur la VMI

• Incompatibilité avec la récupération des calories de l'air vicié, ce qui réserve plus ce système aux bâtiments munis de systèmes de préchauffage basé sur la récupération d'énergie gratuite (serre solaire, puits canadien ou capteurs à air) ou dont le besoin de renouvellement d'air est très faible. (voir § 5.3.1, p. 192).

3. Un autre système de ventilation par insufflation « centralisée » permet de s'affranchir de la plupart des gaines nécessaires dans une installation classique. Mais avoir un bon renouvellement d'air de l'ensemble des pièces avec ce système centralisé est complexe. De fait, il n'est conseillé qu'en rénovation et seulement s'il est conçu et dimensionné par un spécialiste de l'aéraulique. (Voir sur ce point le résultat d'une étude CEBTP/VENTILAIRSEC dans *Ventilation des bâtiments*.)

4. Dans certains cas il est nécessaire d'aider l'évacuation de l'air vicié par la pose d'un extracteur statique ou stato-mécanique (voir encadré p. 202).

5.2.7 Récapitulatif

Récapitulatif sommaire des différents systèmes de ventilation (5)

	Qualité de l'air	Déperdition thermique	Consommation des équipements	Coûts d'investissement	Coûts d'utilisation	Compatibilité avec un système de combustion type poêle dans l'espace habité	Adaptation options bioclimatiques (a)	Adaptation à une surventilation nocturne (b)
1	– – –	– – –	Sans objet	Nul	Nul	Moyenne	Difficile	Difficile
2	— à +	– –	Sans objet	Nul	Nul	Moyenne	Difficile	Possible
3	– à +	– – –	Sans objet	Faible	Nul	Facile	Difficile	Possible
4	+ +	– –	–	Faible	Moyen	Difficile	Très difficile	Possible
5	+ à + +	+ +	+	Faible	Faible	Difficile	Très difficile	Possible
6	+ + +	+ à + +	– –	Moyen	Moyen	Facile	Facile	Possible
7	– – à + +	– – – à +	– – – à –	Moyen à élevé	Moyen à élevé	Difficile	Très difficile	Difficile
8	+ à + +	+ +	+	Moyen	Faible	Facile	Facile	Possible

(a) Puits canadiens, murs capteurs, serres solaires (voir chapitre 4)…
(b) Voir § 5.3.4, p. 198.

1 Ventilation par défauts d'étanchéité
2 Ventilation par ouverture des fenêtres
3 Ventilation par tirage thermique
4 VMC de base : simple flux autoréglable
5 VMC simple flux hygroréglable de type B
6 VMC double flux avec récupérateur de chaleur
7 VMR pour ventilation mécanique répartie
8 VMI pour ventilation mécanique par insufflation par pièce avec option Hygro

Conclusion

La disparité entre les systèmes de ventilation présents dans l'existant ou sur le marché est énorme. La mauvaise presse à leur égard s'explique en grande partie par le fait que la plupart des systèmes en service (ventilations naturelles « à l'ancienne » et VMC simple flux autoréglable) sont inadaptés au maintien d'un air de qualité et/ou à un quelconque souci énergétique ou environnemental. Mais cette réalité de terrain ne doit pas faire penser que tous les systèmes se valent : sur les huit types d'installations présentées dans ce chapitre, plusieurs peuvent donner satisfaction.

Néanmoins, si l'on veut profiter de la nécessité de renouveler l'air des espaces de vie pour optimiser le fonctionnement bioclimatique des bâtiments, les kits de ventilation présents sur le marché manquent de souplesse. Il faut donc faire évoluer ces systèmes vers ce que certains appellent une ventilation « intelligente ». Pour être adaptés aux bâtiments à équiper, ces dispositifs seront conçus sur mesure (voir § 5.3, p. 192).

5. Résumer un chapitre en un ensemble de notations est toujours restrictif et sujet à caution. La lecture d'un tel tableau ne dispensera donc pas de celle du chapitre qu'il conclut. De plus, il doit également être précisé que les différentes colonnes ne représentent pas toutes le même enjeu. Dans le tableau ci-dessus, les deux premières seront de loin celles à considérer en priorité.

5.3 ÉLÉMENTS POUR UNE VENTILATION ÉCOLOGIQUE

La conception bioclimatique cherche à optimiser les bâtiments au niveau thermique. Pour ce faire, elle intègre la nécessité de renouveler l'air intérieur dans une intelligence globale du bâtiment, en cherchant à :
– limiter les déperditions thermiques en hiver et les risques de surchauffes en été ;
– tempérer l'air entrant en période de chauffe et rafraîchir les bâtiments en périodes chaudes ;
– créer des mouvements d'air optimisant le confort intérieur en répartissant au mieux les calories solaires entre les différentes masses inertielles du bâtiment ;
– intégrer les options bioclimatiques type puits canadiens, capteurs à air et serre solaire ;
– permettre un rafraîchissement en été par surventilation nocturne.

Mais, avant même d'avoir une approche strictement thermique vis-à-vis du système de ventilation, l'approche écologique, plus globale, cherche à :
– limiter les besoins de renouvellement d'air ;
– assurer un balayage complet des espaces habités de façon à avoir un air intérieur sain… où que l'on soit ;
– limiter au maximum la consommation de l'installation ;
– avoir une installation fiable et pérenne.

5.3.1 Réduire les besoins de renouvellement d'air

Pour éviter le dilemme entre des débits forts assurant une bonne qualité d'air et des débits faibles compatibles avec des besoins de chauffage et de rafraîchissement limités, deux solutions de bon sens s'imposent :
– réduire les pollutions à la source ;
– réaliser des parois composant avec la présence de vapeur d'eau.

Pour réduire les pollutions à la source (voir schéma p. 180)
• Ne pas fumer à l'intérieur des habitations.
• Créer des zonages séparant les pièces polluées de l'espace habité (voir encadré page suivante).
• Préférer le principe de précaution pour le choix du mobilier et des matériaux et produits de construction (revêtements de sol, moquettes, peintures, traitements des bois…).
• Apporter un soin particulier au choix des produits d'entretien et de cosmétique.
• Porter une attention réelle aux éventuelles plantes toxiques et bien gérer la présence d'animaux.
• Respecter les préconisations pour le bon fonctionnement des appareils de combustion (voir p. 205).

• Placer les bouches d'entrée d'air du système de ventilation à des endroits éloignés des sources de pollution (routes, garages, sorties d'air vicié, local chaufferie, local poubelles, aération vide sanitaire…).

Zonage

Pour limiter la dégradation de l'air intérieur, il faut veiller à séparer les espaces habités des principales zones générant des polluants. Cela peut se faire par :
– une organisation spécifique des espaces (regrouper les pièces à vivre d'une part, les pièces techniques d'autre part) ;
– une absence de communications directes entre les espaces les plus générateurs de pollution et les zones habitées (entre le logement et le garage, le local poubelles, la chaufferie…).

La ventilation de ces différents volumes doit être gérée indépendamment de celle du reste de la maison :
– les éventuelles portes les séparant de l'espace habité doivent être étanches à l'air ;
– leur ventilation sera de type « ventilation par pièces séparées » (voir 5.1.2, p. 182). Souvent sommaires (simples grilles d'entrées d'air en partie basse et conduits verticaux à tirage thermique en partie haute), ces ventilations peuvent néanmoins, pour les pièces polluées de l'espace chauffé (salon « fumoir », bureaux avec imprimantes laser ou photocopieuses…), avoir de réelles performances (VMC Hygro B ou double flux avec récupération de chaleur…).

Pour des parois composant avec la présence de vapeur d'eau

• Limiter les risques de condensation par des systèmes constructifs évitant les ponts thermiques (et donc les besoins de surventilation qu'ils entraînent) (voir § 3.1.1, p. 77) (6).
• Réaliser des parois perspirantes* (voir p. 90).
• Utiliser pour les parements intérieurs des matériaux capables d'absorber ou de restituer une partie de l'humidité de l'air sans dégradations.

Des équipements usuels (chatière ou trappe à linge…) non étanches à l'air peuvent venir contrarier la performance globale d'une installation de ventilation.

6. Inspirées de la connaissance des savoir-faire traditionnels et de l'analyse des sinistres rencontrés avec de nombreux matériaux contemporains, des parois perspirantes* et à capacité hygroscopique élevée en bois, terre crue, terre cuite, plâtres, celluloses et autres fibres végétales contribuent incontestablement au confort, à la qualité de l'air, à la performance et à la pérennité du bâti. Néanmoins, il semble nécessaire de préciser qu'elles ne permettent en aucun cas de se passer de système de ventilation.

5.3.2 Tempérer l'air entrant

Préchauffer l'air entrant en hiver, le rafraîchir en été, sont des principes de base pour associer la fonction ventilation à une conception bioclimatique. Ces techniques de récupération de calories ou de frigories* « gratuites » ont toutes un bilan environnemental exceptionnel car, contrairement au chauffage ou à la production de fraîcheur, elles ne nécessitent aucune énergie autre que celle des éventuels ventilateurs.

Avec des principes de fonctionnement souvent très simples (7), ces techniques ont par ailleurs l'avantage d'être économes, fiables et durables.

Les principales techniques de préchauffage ou de rafraîchissement de l'air entrant utilisées en architecture bioclimatique se classent en deux grandes familles : celles qui recyclent les calories de l'air extrait et celles qui utilisent les calories gratuites (du soleil ou du sol).

Récupération de chaleur sur l'air extrait (8)

On parle ici d'énergie « fatale* » et l'on fait référence au récupérateur de chaleur de la VMC double flux présentée § 5.2.4, p. 188.

Intégré dans la plupart des kits VMC double flux du marché, ce système est sans conteste le système de préchauffage le plus facile à mettre en œuvre et le plus efficace : la source de chaleur (l'air vicié) est régulière, sa température élevée, et son fonctionnement ne demande qu'un simple ventilateur supplémentaire.

Récupération de la chaleur ou de la fraîcheur gratuite du sol

On parle ici d'énergie géosolaire et l'on fait référence au puits canadien présenté § 4.4, p. 171.

Si la pertinence environnementale d'un tel équipement ne fait aucun doute, son intérêt économique dépendra du besoin que l'on pourra en avoir pour le rafraîchissement et du coût des travaux que sa réalisation entraînera. De fait, pour une seule utilisation en préchauffage de l'air en périodes froides, la pertinence de l'investissement dans un tel système aura du mal à s'imposer face à l'efficacité des VMC double flux actuelles (voir p. 188).

Enfin, il est à noter que pour une utilisation exclusive en rafraîchissement, la configuration du puits canadien prendra alors la forme d'une installation surfacique composée d'une multiplication de conduits peu enterrés (voir p. 175).

Récupération de l'énergie solaire arrivant sur le bâtiment

On cherche ici à récupérer l'énergie contenue dans le rayonnement solaire et l'on fait référence aux capteurs à air, aux murs capteurs et aux serres solaires plus ou moins activées (voir chapitre 4, et exemples d'installation pages suivantes).

Dans ce cas, ces options bioclimatiques seront intégrées au système de ventilation général de la maison et viendront généralement s'insérer entre la prise d'air extérieure et le système de distribution de l'air neuf.

Malgré la simplicité des principes, il est fortement conseillé aux autoconstructeurs de faire appel à un thermicien ou à un architecte compétent en thermique avant de se lancer dans la réalisation de leurs travaux de ventilation… Trop de maisons neuves ou réhabilitées (se voulant écologiques ou non) passent à côté de solutions simples qui permettent d'assurer une qualité d'air et un confort thermique à moindre coût.

---

7. Par exemple, le principe de base du rafraîchissement par récupération des frigories* gratuites est si simple que pour mieux le « vendre », les spécialistes du sujet sont souvent tentés d'utiliser les termes anglo-saxons de free-cooling, night-cooling ou geo-cooling.

8. Durant les journées chaudes, se croisent dans l'échangeur thermique d'une VMC double flux un air neuf plus chaud que l'air vicié sortant. De fait, c'est l'air neuf entrant qui perd quelques degrés au profit de l'air sortant. Mais, contrairement à l'efficacité remarquée de ce système en hiver, en été, il ne sera généralement à considérer que comme un petit appoint plutôt que comme un véritable système de rafraîchissement.

Exemple d'installation n° 1
Ventilation mécanique Hygro B (1) avec serre solaire

Ce type d'installation est adapté aux petits budgets, en neuf ou en réhabilitation, lorsque tout est fait pour limiter les besoins de renouvellement hygiéniques de l'air (voir 5.3.1, p. 193).

L'air est préchauffé dans la serre solaire avant d'être introduit dans les pièces principales.

En période chaude, il est nécessaire de court-circuiter le passage dans la serre par une prise d'air neuf spécifique.

1. Pour VMC simple flux hygroréglable de type B.

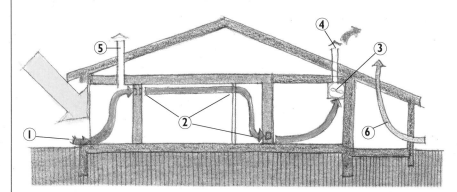

1 Entrée d'air
2 Passage de transit
3 Bouche d'extraction et bloc ventilateur
4 Sortie d'air vicié
5 Cheminée thermique pour surventilation en été
6 Ventilation des espaces annexes gérée de façon autonome

Exemple d'installation n° 2
Ventilation mécanique par insufflation + serre solaire et puits canadien

Ce type de projet, particulièrement adapté aux régions froides et aux zones d'altitude profite pleinement du soleil par sa serre mais n'en est pas tributaire grâce au puits canadien qui apporte un préchauffage minimal constant.

En été, en plus de la surventilation de la serre (flèche grise), le puits canadien, relié directement au bloc moteur, sert à rafraîchir l'air entrant. Si ces besoins sont importants, la canalisation profonde peut être doublée d'un ensemble de conduits moins enterrés (ou « puits surfacique », voir p. 173).

Pendant les demi-saisons et même en été avec une maison à forte inertie, on peut court-circuiter la serre comme le puits canadien par une prise d'air directe sur l'extérieur.

1 Bloc moteur
2 Cheminée thermique
3 Puits canadien
4 Ventilation des espaces annexes gérée de façon autonome

À noter.
• Selon les besoins, les sorties des conduits d'évacuation de l'air vicié peuvent être munies d'extracteurs statiques ou stato-mécaniques (voir p. 202).
• L'installation peut être de type autoréglable ou hygroréglable.

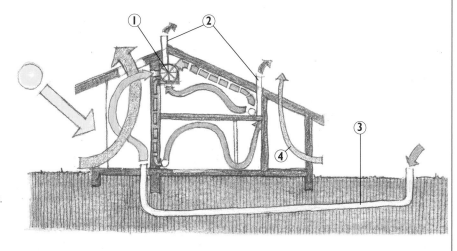

Exemple d'installation n° 3
Ventilation double flux avec récupération de chaleur en habitat collectif

Malgré sa simplicité, ce type d'installation permet aux résidents d'immeuble d'améliorer grandement l'efficacité thermique de leur logement et de s'assurer un renouvellement d'air hygiénique garanti. Cette solution est adaptée dans le cas où la copropriété n'accepte pas de s'engager dans une solution collective mais autorise néanmoins ce type d'initiative individuelle.

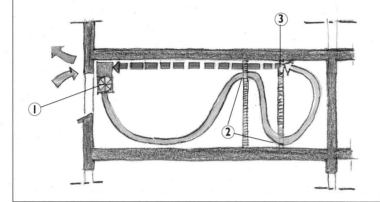

1 Bloc moteur avec récupérateur de chaleur
2 Passage de transit
3 Bouche d'extraction

Exemple d'installation n° 4
Ventilation double flux avec récupération de chaleur et puits canadien surfacique

Installation particulièrement adaptée aux maisons à faible inertie et/ou à faibles possibilités de récupération des calories solaires (mauvaise exposition par exemple).

Ce système permet un fort renouvellement d'air tout en récupérant la chaleur de l'air vicié en saison froide, et en composant avec la fraîcheur du sol durant les périodes chaudes.

Aux intersaisons, on court-circuite l'échangeur du bloc VMC et le puits canadien pour se connecter à une prise d'air extérieure directe.

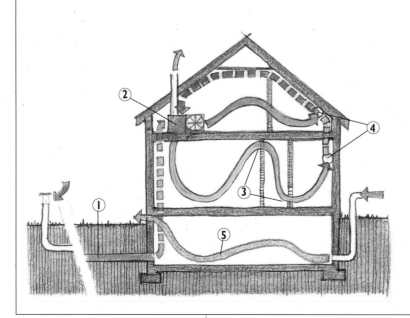

1 Puits canadien surfacique
2 Bloc moteur avec récupérateur de chaleur
3 Passage de transit
4 Bouches d'extraction
5 Ventilation des espaces annexes gérée de façon autonome

À noter.
• Dans les régions froides, une branche profonde du puits canadien peut être installée de manière à servir également de préchauffage en amont du récupérateur de chaleur (voir p. 178).
• Le bloc ventilateur, ici à l'étage, peut tout à fait être en sous-sol ou en rez-de-jardin (attention néanmoins à équilibrer les longueurs et/ou à adapter les sections pour obtenir les débits voulus aux bouches).

5.3.3 Adapter les débits de ventilation aux besoins

S'il convient pour des raisons d'efficacité thermique de réduire les renouvellements d'air durant les périodes de chauffe, ou pendant les jours d'été au cours desquels les risques de surchauffes sont réels, le reste du temps, le souhait des habitants est souvent d'ouvrir le plus largement possible leur logement sur l'extérieur. Un système de ventilation « intelligent » doit donc pouvoir adapter ses débits à ces besoins changeants. Là encore, les kits de ventilation proposés sur le marché manquent de souplesse. Deux solutions sont alors possibles :
– concevoir un système mécanisé sur mesure qui permette une modulation forte des débits dans le temps ;
– composer avec l'ouverture des fenêtres.

Systèmes mécanisés permettant une modulation forte des débits

Pour qu'un système de ventilation permette des variations de débits pouvant aller de 0,10 volume par heure (débit hiver minimal d'une installation hygro-réglable) à 2 à 3 volumes par heure (9) (débits laissant une impression de légers courants d'air pour les journées ensoleillées d'intersaison), deux solutions mécanisées existent :
– utiliser des bouches et des gaines dimensionnées pour les débits maximaux et un bloc moteur offrant la possibilité de variations de vitesse très importantes. (Parce qu'elle utilise du matériel qui n'est pas proposé dans les kits de base, cette solution est assez onéreuse.) ;
– installer, parallèlement au système de ventilation de la maison, une deuxième installation d'extraction permettant des débits d'air forts. Dans ce cas, la pose de vannes de compensation est recommandée (voir ci-contre).

Dans un cas comme dans l'autre, les changements de vitesses de renouvellement de l'air peuvent être semi-automatiques ou manuels en fonction du degré d'automatisation de l'installation.

Grille d'entrée d'air obturable.
En parallèle ou en remplacement des bouches d'entrée d'air de l'installation de ventilation basique, la pose de grilles d'entrées d'air de grande surface permet une ventilation à débits très importants. L'ouverture de ces bouches peut se faire manuellement ou par l'intermédiaire d'automatismes.

Vanne de compensation.
Parallèlement aux entrées d'air de base de l'installation de ventilation, la pose de vannes de compensation permet, de manière automatique, l'augmentation des volumes d'entrée d'air. Ce dispositif sert également de sécurité pour ne jamais mettre le bâtiment en dépression importante lors de l'utilisation des « marches forcées » présentes sur la bouche d'extraction de la cuisine.

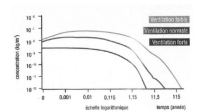

Variation de la concentration de COV (composés organo-volatils*) dans une chambre d'essai contenant différents matériaux et pour différents taux de renouvellement d'air.
Ce schéma montre qu'une ventilation faible débit ne peut être adaptée qu'aux bâtiments pour lesquels tous les efforts sont faits pour limiter la pollution intérieure.

9. En augmentant encore ces débits permettant d'atteindre des volumes renouvelés de 5 à 10 volumes du bâtiment par heure, ce type d'installation peut être utilisé pour la surventilation nocturne des bâtiments (voir § 5.3.4, p. 198).

Afin de faire le plein d'air frais sans refroidir le bâtiment il faut :
– ouvrir en grand un maximum de fenêtres sur un temps court ;
– chercher à créer des mouvements d'air traversants.

Ventilation et ouverture des fenêtres (10)

Quand les températures extérieures sont douces et l'environnement agréable, on aime ouvrir les fenêtres pour laisser entrer l'air extérieur, mais aussi les sons, les odeurs… Pour que cette opération, qui renouvelle plusieurs fois le volume d'air par heure, ne se superpose pas au système de ventilation, il suffit de quelques dispositifs simples :

– pour une ouverture sur l'extérieur concernant une seule pièce, on peut laisser la ventilation du bâtiment en état de marche en gardant la porte de cette pièce fermée ;

– pour des ouvertures fréquentes et sur de longues périodes, on peut prévoir sur les fenêtres que l'on ouvre en dernier (et que l'on referme en premier) un dispositif d'arrêt automatique de la ventilation (11).

5.3.4 Rafraîchir par surventilation du bâtiment

Pour rafraîchir les bâtiments en période chaude, le principe le plus simple consiste à pratiquer une ventilation accélérée du bâtiment dès que la température extérieure descend au-dessous de la température intérieure. On parle alors de surventilation nocturne ou *night-cooling*.

Cette pratique très ancienne (voir « La tour à vent iranienne », p. 172) permet à l'air frais d'évacuer la chaleur des structures durant la nuit. Pendant la journée, les masses restituent par rayonnement la fraîcheur ainsi emmagasinée.

Pour permettre une surventilation nocturne efficace, différentes conditions doivent être réunies :

– un débit d'air compris entre 5 et 10 volumes du bâtiment renouvelé par heure ;

– un emplacement des ouvertures sur l'extérieur et des communications entre pièces conçu pour permettre un maximum de contacts entre le flux d'air et les masses inertielles du bâtiment (voir encadré page suivante) ;

– des parois lourdes et des espaces de vie non revêtus de parements isolants (éviter l'isolation par l'intérieur, les faux plafonds, moquettes, tissus…). Enfin, plus le bâtiment comporte d'inertie, plus ce système de rafraîchissement est pertinent, particulièrement dans les régions chaudes à forte amplitude thermique entre le jour et la nuit.

10. Ce paragraphe ne fait pas référence à la ventilation par ouverture des fenêtres présentée au § 5.2.1, p. 184, où l'ouverture des fenêtres est motivée par l'obligation d'avoir un air intérieur sain et non par une recherche de bien-être.

On remarque également que lorsque les systèmes de ventilation sont adaptés au bâtiment et au style de vie des habitants, ceux-ci ressentent moins le besoin de recourir à l'ouverture des fenêtres.

11. Une étude canadienne montre que de simples contacteurs sur les fenêtres, qui arrêtent les systèmes de ventilation lorsque ces dernières sont ouvertes, peuvent faire économiser de 27 à 35 % des consommations annuelles des ventilateurs.
Source : Groupement de recherche en ambiances physiques, étude consultable sur http://aqme.org.

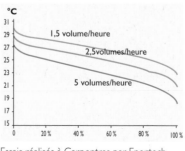

Essais réalisés à Carpentras par Enertech.

Températures intérieures, relevées durant les mois de juillet et août 2003, en fonction du débit de ventilation nocturne.
• Avec un renouvellement d'air nocturne de 5 volumes par heure, la température intérieure n'a quasiment jamais dépassé 27 °C sur les deux mois.
• Avec un débit de 3 volumes par heure, elle dépasse 27 °C durant 15 % du temps.
• Avec un débit de 1,5 volume par heure, la température est supérieure à 27 °C la moitié du temps !

Principes physiques pour la ventilation nocturne des bâtiments

Si certains systèmes de ventilation mécanisés peuvent être utilisés pour créer une ventilation nocturne (voir § 5.3.3, p. 197), la plupart du temps, celle-ci est réalisée par la simple ouverture des fenêtres. Ce système met à profit deux phénomènes :
– les mouvements ascensionnels de l'air chaud (tirage thermique/ventilation verticale) ;
– les différences de pression dues au vent (ventilation horizontale).

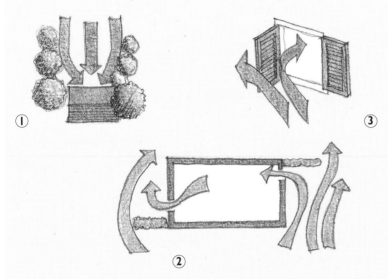

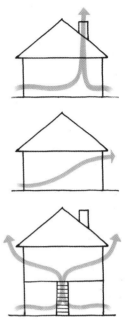

La ventilation nocturne par extraction de l'air chaud qui se stratifie en partie haute des espaces s'effectue même dans les périodes sans vent. Les ouvertures hautes extraient l'air chaud par effet de cheminée, ce qui induit par dépression un appel d'air frais par les ouvertures basses. De la disposition des différentes ouvertures dépend l'efficacité du balayage.

Dans les climats où des vents réguliers s'établissent la nuit (voir § 2.3.2 « Le microclimat », p. 58), il est possible, par quelques dispositifs simples, de les mettre à profit pour accélérer la ventilation verticale, ou pour la remplacer par une ventilation horizontale.

1 Effet d'entonnoir créé par la végétation environnante qui canalise et accélère le flux nocturne.

2 Déflecteurs architecturaux ou végétaux fixes mettant une entrée en surpression* (à droite) et une sortie en dépression (à gauche).

3 Volet plein agissant comme déflecteur mobile.

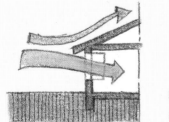

Le type d'ouverture des fenêtres permet de diriger prioritairement le flux d'air frais vers les espaces à ventiler ou les masses à rafraîchir.

•••

•••

La position des ouvertures d'entrée et de sortie détermine l'efficacité du balayage.
Les positions 1,2,6 ventilent mal l'espace.
Les positions 3,4,5 ventilent mieux l'espace.
Les positions 2,3,5 rafraîchissent prioritairement certaines parois.

Oscillo-battant entrouvert.
L'option « oscillo-battant » et les volets roulants sont des solutions intéressantes pour permettre une ventilation nocturne du bâtiment sans forcément l'ouvrir à tous vents.

Volets persiennes.
Dans les cas où la crainte de voir s'introduire des visiteurs non désirés (animaux, cambrioleurs…) dissuade les habitants de laisser leurs baies ouvertes ou entrouvertes, de nombreuses solutions existent pour permettre une surventilation nocturne.

Ouvrant (avec moustiquaire et protection solaire fixes) contigu à un fixe vitré.

La plupart des principes concernant le balayage des espaces présentés dans cet encadré est généralement repris par les professionnels pour l'équilibrage de toute installation de ventilation. Voir également encadré p. 204.

Chauffe-eau solaire.
Un ballon d'eau chaude solaire mal isolé, c'est durant les mois d'été une réserve de 300 à 500 litres d'eau à 90 °C qui diffuse de la chaleur par rayonnement 24 heures sur 24.

Les dispositions pour le rafraîchissement nocturne ne dispensent pas des mesures permettant de limiter les apports caloriques extérieurs (voir p. 121 et suiv.) et des comportements de bon sens ou des conceptions adaptées réduisant les apports intérieurs.

• Placer le congélateur, le lave-linge et le chauffe-eau hors de l'espace de vie à tempérer.
• Utiliser le lave-vaisselle durant la nuit.
• Limiter les préparations culinaires nécessitant une cuisson longue.
• Limiter l'usage des appareils électriques.
• Utiliser des lampes basse consommation.
• Déconnecter systématiquement les appareils en veille (téléviseur, chaîne haute-fidélité, ordinateur…).
• Choisir des appareils électroménagers efficaces (A ou A+), même chose pour le matériel informatique…

5.3.5 Vers une ventilation naturelle écologique

Si certains systèmes mécaniques permettent d'assurer à la fois un renouvellement correct de l'air et une répartition des calories coordonnée avec les besoins, ils restent fortement dépendants des appareillages et de l'énergie électrique nécessaire à leur fonctionnement.

Tout un courant de l'architecture écologique et bioclimatique travaille sur une réduction au minimum de ces systèmes mécaniques qui ne sont plus conçus comme la base du système de ventilation, mais comme des assistants ponctuels à un fonctionnement aéraulique naturel, prévu sur mesure pour chaque bâtiment.

Cette démarche, généralement appelée ventilation naturelle assistée (12) ou VNA repose sur les principes suivants :

– adapter au maximum le débit d'air aux besoins thermiques et hygiéniques de chaque instant. Cela s'obtient par un savant mélange de sondes de température, de capteurs de polluants, de minuteries… reliés à des entrées d'air et à des bouches d'extraction à ouvertures modulables ;

– dépouiller au maximum l'installation des gaines et autres conduits aérauliques spécifiques en composant avec des solutions de conception permettant d'utiliser les couloirs, cages d'escaliers, plénums*, serres ou atriums pour gérer les mouvements d'air ;

– s'affranchir au maximum de l'utilisation de ventilateurs mécaniques par l'utilisation de cheminées thermiques, de bouches d'extraction statiques ou stato-mécaniques (voir encadré p. 202) ou de simples ventilateurs d'appoint.

Mais, malgré une pertinence économique et environnementale prouvée (13), la ventilation naturelle assistée n'est installée chaque année, en France, que sur quelques bâtiments… La faute en incombe sans doute à une méconnaissance de l'importance du sujet « ventilation » mais aussi au fait que les ingénieurs capables de concevoir de telles installations « sur mesure » sont très peu nombreux, principalement chez les spécialistes intervenant dans le domaine de la maison individuelle.

Souche gérant l'entrée comme la sortie d'air. En VNA, les souches* (ou manches à air) sont plus ou moins imposantes, mais la tendance est de les traiter comme de véritables éléments d'architecture.

Souche d'un immeuble de bureau de la communauté de communes d'Anvers.

Immeuble d'habitations BedZed à Beddigton (Royaume-Uni).
La ventilation naturelle assistée avec ses cheminées thermiques est souvent, à l'étranger, la touche finale d'un bâtiment bioclimatique.

12. La ventilation naturelle assistée ou VNA prend aussi d'autres noms : ventilation naturelle contrôlée ou VNC, ventilation stato-mécanique, ou ventilation hybride.
13. Une présentation assez complète (« State of the art of hybrid ventilation », « État de l'art sur la ventilation naturelle contrôlée ») réalisée par l'Agence internationale de l'énergie est disponible sur le site http://hybvent.civil.auc.dk.

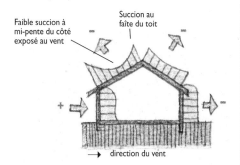

Faible succion à mi-pente du côté exposé au vent

Succion au faîte du toit

→ direction du vent

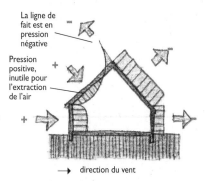

La ligne de fait est en pression négative

Pression positive, inutile pour l'extraction de l'air

→ direction du vent

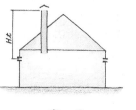

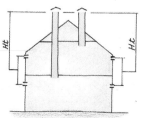

Un conduit de ventilation est défini par sa section et sa hauteur (Ht).

Maîtriser le tirage naturel d'une installation de ventilation

Premiers éléments de base pour le calcul d'un tirage naturel

Que l'on soit avec une installation de ventilation naturelle par tirage thermique, en ventilation mécanique par insufflation ou en ventilation naturelle assistée, la maîtrise des débits d'air extraits est la base d'une installation performante.

Différentiels de pression sur les parois d'un bâtiment selon la pente des toitures.
Les entrées d'air se font du coté au vent, en surpression (symbole +) et les sorties du coté sous le vent, en dépression (symbole –). Cette ventilation est d'autant plus efficace que le différentiel de pression entre les parois (symbolisé par les zones grisées) est important. Ainsi, selon la pente des toitures et les directions du vent, l'extraction de l'air peut ou non être assurée de façon naturelle. Les extracteurs statiques ou stato-mécaniques ont pour objectifs de réduire le caractère aléatoire de ce fonctionnement.
Source : *L'Habitat bioclimatique, catalogue des techniques : de la conception à la réalisation.*

Repères pour le dimensionnement des conduits d'un tirage naturel

Destination des conduits	Hauteur de tirage du conduit (en m)	Section des conduits rectangulaires (en cm^2)	Diamètre des conduits circulaires (en cm)
Cuisine	2,50 à 3,50	500 à 600	24 à 26
	< 3,50	350 à 450	20 à 22,5
Salle d'eau et WC	2,50 à 3,50	175 à 225	14 à 16
	< 3,50	120 à 150	11 à 13

Les données sont établies pour :
– des grilles pour WC unique et salle d'eau principale : module 50-100 ;
– des grilles pour WC, s'il y en a plusieurs, et salles d'eau secondaires : module 50 ;
– des grilles pour cuisine* : module 100-400 ;
– un ou des conduit(s) vertical(aux) avec 2 dévoiements au plus (de 20 à 40° maximum selon le conduit) ;
– un ou des conduit(s) débouchant à 40 cm au minimum au-dessus du faîtage.

Pour des cuisines comportant des chaudières ou chauffe-eau autres qu'à ventouse, voir textes de références (DTU 61.1 et communication GDF).
Source : *Économies d'énergie sans désordres.*

Bouches d'extraction d'air

Des bouches d'extraction spécifiques aux systèmes à tirage naturel permettent, même par temps venté, de limiter les débits d'air extrait à une valeur maximum qui sera régulière (bouche autoréglable) ou dépendante du taux d'humidité des pièces à ventiler (bouche hygroréglable).

Sorties de conduits verticaux (ou cheminées thermiques)

Lorsque l'installation ou les conditions atmosphériques ne permettent pas un débit minimal ou suffisamment régulier, on peut adapter, en toiture, à la sortie des conduits :
– des extracteurs statiques : équipement permettant de limiter les débits en cas de vents forts et d'aider au tirage en cas de conditions défavorables (absence de vent, différentiels de températures ou de pressions trop faibles…) ;

– des extracteurs stato-mécaniques : extracteur statique additionné d'un ventilateur se mettant en route en cas de débits insuffisants. De fait, le débit d'air devient indépendant des conditions climatiques extérieures.

Simple chapeau protégeant le conduit.

Extracteur statique.

Extracteur stato-mécanique.

Bouche d'extraction hygroréglable pour tirage naturel.

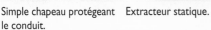

Sans vent
Avec vent

S : surpression
D : dépression

surfaces soumises à l'action du vent

surfaces à l'abri du vent

Fonctionnement d'un extracteur statique.
Quelle que soit la direction du vent, l'air est évacué par « effet Venturi* », sans possibilité de refoulement.

Bouche d'extraction autoréglables pour tirage naturel.

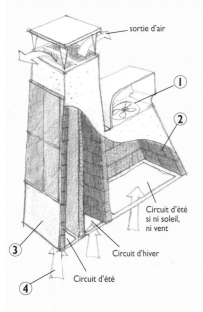

sortie d'air

Circuit d'été si ni soleil, ni vent

Circuit d'hiver

Circuit d'été

Exemple de sortie de conduit d'évacuation d'air (appelée « cheminée solaire »).
• **Fonctionnement d'hiver.** Le tirage naturel du conduit de base suffit. Les bouches d'extraction ne sont connectées qu'au conduit central.
• **Fonctionnement d'été.** Le tirage naturel est augmenté par le fait que le haut de la souche s'apparente à un capteur à air (l'air chaud produit génère un courant ascendant dans le conduit). Ce conduit peut être obturé les jours où il y a des risques de surchauffes.

1 Ventilateur auxiliaire pour les jours d'intersaisons ou d'été sans soleil, ou lorsque les activités en cuisine demandent un débit fort.
2 Mur de briques ou de béton
3 Paroi composée d'une tôle métallique et d'un isolant
4 Entrée d'air

Le détalonnage des portes est le système le plus utilisé pour permettre les passages d'air d'une pièce à une autre mais la pose de grilles, voir de grilles phoniques est tout à fait possible.
(e = 1 cm excepté pour les cuisines ne comportant qu'une porte où e = 2 cm.)

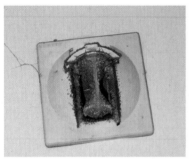

Une bouche d'extraction encrassée freine le passage de l'air et lui enlève ses possibilités d'autorégulation. Ceci entraîne des pertes d'énergie décuplées par des débits d'air extraits augmentés et une surconsommation des ventilateurs.

À noter
Pour une maison de 100 m² et des ventilateurs performants (0,10 Wh/m³), une installation de renouvellement d'air correctement conçue aura une consommation annuelle oscillant entre 45 kWh (VMC Hygro B) et 185 kWh (VMC double flux). Prenant en référence la maison neuve standard en France, ces consommations ne représentent que 0,4 et 1,6 % de l'énergie nécessaire annuellement pour le chauffage.

Eléments pour des installations efficientes

Pour renouveler l'intégralité de l'air des espaces habités
Si les systèmes de ventilationpar balayage (voir § 5.1.2, p. 182) permettent un renouvellement complet de l'air des bâtiments, c'est à la condition de :
– positionner les entrées et sorties d'air de façon à balayer l'ensemble des espaces à ventiler (voir encadré p. 199) ;
– ne pas omettre les passages de transit qui permettent à l'air de passer d'une pièce à l'autre ;
– équilibrer l'installation. Pour ce faire le bloc moteur doit être au centre de l'installation afin que les distances avec les différentes bouches d'entrée et/ou d'évacuation soient toutes sensiblement égales. Si cela n'est pas possible, on doit composer avec des sections de conduit différentes pour freiner les connections courtes au profit des longues. Pour les grandes maisons on peut préférer deux petits blocs moteurs à un bloc moteur central.

Limiter la consommation de l'installation
La consommation d'une installation de ventilation se résume à l'électricité nécessaire au fonctionnement des ventilateurs. La consommation de ces équipements est donc un critère de choix important. Exprimée en wattheures par m³ (Wh/m³), elle donne, pour une installation correctement conçue, la quantité d'électricité nécessaire au ventilateur pour véhiculer 1 m³ d'air (les nouvelles générations de ventilateurs proposent des consommations oscillant entre 0,10 et 0,15 Wh/m³).
Mais entre une consommation optimale donnée pour le ventilateur et la réalité des installations, il faut compter avec les pertes de charge* qui, dans certains cas, peuvent multiplier par plus de cinq la consommation d'électricité. Ces pertes, qui expriment l'ensemble des éléments qui viendront contrarier un transit d'air « idéal », sont dues au type de gaines (plus ou moins lisses), à leur état (propreté, étanchéité, éventuels écrasements…), à la longueur et à l'équilibrage du système, ainsi qu'à la propreté des bouches d'entrée et d'extraction.

Entretien et maintenance des systèmes de ventilation
Deux fois par an
• Nettoyer les bouches d'extraction, les bouches d'aération et les éventuels filtres.
• Vérifier l'état des piles présentes dans certains types de bouches modulables.
Tous les deux ans
• Faire vérifier par un professionnel l'état du ventilateur (état général, propreté, rendement) et des conduits (propreté, étanchéité).

Gestion des risques de condensation
Les condensations à l'intérieur des systèmes de ventilation sont une des principales causes des disfonctionnements des installations. Afin de les limiter il est conseillé de positionner l'ensemble de l'installation « gaine et caisson » à l'intérieur de l'espace chauffé. Ce choix entraînera en plus :
– une amélioration de l'isolation thermique du bâtiment (les isolants ne sont plus alors traversés à de multiples reprises par les gaines de ventilation) ;
– un entretien aisé du bloc moteur qui de fait se retrouve dans un espace technique du logement ou du sous sol.

Limiter les risques de gènes acoustiques dus au système de ventilation
Cinq attentions particulières sont à respecter :
– installer le bloc moteur dans un local ou un coffre insonorisé ;
– fixer le bloc moteur et les gaines à l'aide de systèmes anti-vibratoires ;
– ne pas sous dimensionner les gaines, éviter les étranglements de gaines… ;
– gérer les connexions gaines/bouches et gaines/bloc moteur avec des matériaux souples, voire, avec une VMC double flux, installer un silencieux à la sortie du bloc moteur ;
– utiliser dans certains cas des bouches d'entrée d'air phoniques voire, entre pièces, des grilles phoniques pour les passages de transit.

Choix des gaines

Par mesure d'économie et pour une simplicité de pose, la plupart des conduits de ventilation utilisés en France pour l'habitat individuel sont de type « PVC plissé ». Ce choix, en plus de freiner le passage de l'air (en comparaison à des conduits lisses) entraîne :

– le risque d'avoir des parties écrasées, des angles trop fermés ;

– une gestion complexe des éventuels condensas qui, s'accumulant dans les stries des conduits, à terme, les percent.

Sachant que le remplacement des gaines est une intervention complexe et onéreuse, il est conseillé d'installer systématiquement des conduits rigides.

Adaptation du système de ventilation à la présence d'appareils à combustion

• VMC gaz

Les textes réglementaires fixent un type de ventilation spécifique à l'utilisation d'appareils de combustion au gaz (chaudières, chauffe-eau). Les fabricants fournissent de fait des équipements spécialement adaptés, on parle alors de « VMC gaz ».

• Plaque de cuisson ou four

La position « débit fort » de la bouche d'extraction de la cuisine est calculée pour évacuer la totalité de l'air vicié provenant des activités de cuisson (polluants, vapeur d'eau, odeurs…). La hotte avec recyclage de l'air reste tout de même nécessaire pour la filtration des graisses. Par contre, les hottes avec évacuation à l'extérieure sont déconseillées à cause des déperditions thermiques qu'elles entraînent mais aussi des risques de contamination de l'air intérieur qu'elles peuvent générer (si aucune fenêtre n'est ouverte ou s'il n'y a pas de vanne de compensation), elles mettent le logement en forte dépression et les polluants présents dans les parois arrivent dans l'air intérieur par les inétanchéités de l'enveloppe du bâtiment).

• Chaudières à ventouse

Appareils de combustion à circuit étanche, ces installations (certaines chaudières ou chauffe-eau au gaz ou au fioul) n'interfèrent pas sur le fonctionnement des ventilations.

La plupart des poêles de masse ont une arrivée d'air de combustion intégrée. De fait, ils sont considérés vis-à-vis de la ventilation comme les appareils à ventouse.

• Appareils de combustion raccordés (poêle, inserts, foyer ouverts…)

Ils tendent à contrarier certains systèmes de ventilation et/ou à être contrariés par eux. Ce point, crucial pour le bon fonctionnement du chauffage comme du système de renouvellement de l'air peut être un des critères pour le choix de l'appareil de chauffage mais surtout du système de ventilation (voir tableau § 5.2.7, p. 191).

De plus, l'arrivée de l'air comburant (air nécessaire à l'appareil de chauffage pour une bonne combustion) doit être fermée lorsque l'appareil de chauffage n'est pas en service de façon à ne pas contrarier le système de renouvellement d'air.

• Appareils de chauffage d'appoint non raccordés (à gaz, au kerdane…)

Des débits de ventilation majorés pour atteindre environ 1 volume/heure sont usuellement nécessaires lors de l'utilisation de ces appareils. Ceci nécessite donc une adaptation du système de ventilation du bâtiment et rend de fait ce dernier thermiquement moins performant. Attention ! Ces systèmes ne doivent en aucun cas être utilisés autrement que comme appoints de chauffage occasionnels.

Gaines PVC plissé.

Conduits rigides PVC.

Gaines et collecteur dans l'isolant.
Avec des conduits noyés dans la première épaisseur d'une isolation extérieure, l'installation d'une VMC double flux en réhabilitation, souvent envisagée comme complexe, deviendra de fait beaucoup plus aisée.

« Les conduits flexibles sont réalisé en PVC ou aluminium plissé…, mais il faut savoir que la perte de charge des ces éléments est quatre fois plus élevée que celle des conduits rigides. »
Source : *Amélioration énergétique des bâtiments existants, COSTIC/ FFB/ADEME.*

CHAPITRE 6
Stratégies pour des bâtiments économes et confortables

L'architecture bioclimatique s'est formalisée dans les années 1970 au croisement de trois réalités :
– l'héritage d'un courant architectural cherchant à concilier l'approche traditionnelle à de nouvelles aspirations plus ouvertes sur la modernité ;
– le début d'une prise de conscience environnementale globale ;
– la crise énergétique des premiers chocs pétroliers.

Les pionniers de l'approche environnementale ont alors appris à concevoir des bâtiments composant avec les éléments naturels pour apporter un confort de vie réel à moindres coûts économiques et environnementaux.

Trente années plus tard, et malgré une baisse des commandes de bâtiments performants parallèle à la chute des cours du pétrole, le savoir-faire des acteurs du bioclimatisme s'est affiné. L'approche première, largement fondée sur des intuitions, tâtonnements et approximations, a laissé place à l'expérience et à l'utilisation de logiciels de plus en plus aboutis (1).

Parallèlement à l'approche essentiellement thermique du premier bioclimatisme se dessinent dans les années 1980 de nouvelles exigences environnementales. C'est ainsi qu'inspirés de la « baubiologie* » allemande, de nouveaux acteurs s'intéressent à l'éventuelle toxicité des matériaux de construction et au coût environnemental global* des bâtiments. On parle alors d'écoconstruction, de bioconstruction, d'habitat sain, d'architecture écobiologique, enfin de bâtiments à haute qualité environnementale… (2).

Ces divers courants longtemps parallèles convergent aujourd'hui, et, s'il a été possible un temps de concevoir des maisons quasiment autonomes grâce à des techniques ou à des matériaux très polluants pour l'environnement et/ou pour l'air intérieur, ou encore de construire des « maisons saines » pour leurs habitants mais sans se soucier de leur coût énergétique, désormais, la plupart des professionnels de l'approche environnementale se rejoignent sur un socle d'exigences communes. Un bâtiment bioclimatique sera donc dorénavant estimé pertinent s'il assure tout à la fois :
– des performances thermiques réelles et durables ;
– un air intérieur de qualité ;
– une charge environnementale limitée, et ce, sur sa vie entière.

1. Les premiers logiciels de calculs thermiques se résumaient à des tableurs permettant d'approcher de manière très simplifiée la performance thermique d'un bâtiment dans le but de confirmer le dimensionnement des installations de chauffage et de rafraîchissement. Aujourd'hui, bien qu'ils n'arrivent pas encore à intégrer l'ensemble des paramètres utilisés par le concepteur bioclimatique, ils sont de plus en plus puissants, complets et accessibles. Selon l'investissement consenti, ces logiciels nommés COMFIE, PLEiADES ou EQUER, pour les plus utilisés, permettent de :
– confirmer les performances du bâtiment vis-à-vis des exigences réglementaires. On parle alors de simples logiciels de calculs thermiques ;
– valider ou non la pertinence de telle ou telle option de conception (simulation thermique) ;
– visualiser pour chaque zone, en fonction des besoins internes et du temps extérieur, l'ensemble des échanges thermiques en cours dans le bâtiment : mouvements d'air, échanges de chaleur ou de froid (simulation thermique dynamique) ;
– renseigner sur le bilan environnemental global du bâtiment (« du berceau à la tombe »).

2. Si le terme « bioclimatisme » a très vite su regrouper l'ensemble des professionnels travaillant à l'optimisation énergétique des bâtiments à partir des éléments climatiques, l'approche environnementale plus globale des années 1990 ne s'est pas encore retrouvée derrière une appellation fédératrice. De fait, les trois lettres « HQE » (pour « haute qualité environnementale »), sont désormais souvent employées pour qualifier cette approche environnementale globale. Cette réalité ne présenterait en soi aucun inconvénient si « HQE® » :
– n'était pas une marque déposée, qui plus est appartenant à un groupe d'industriels (AIMCC), et définissant un produit bien spécifique ;
– qualifiait des bâtiments systématiquement performants.

Parallèlement à cette convergence des acteurs déjà sensibilisés à l'environnement, la montée des menaces climatiques suscite une prise de conscience environnementale générale, qui ne peut plus aujourd'hui être ignorée d'aucun des professionnels de la construction. Ainsi, qu'elle soit issue d'obligations imposées par la réglementation ou d'une démarche plus exigeante et volontariste type MINERGIE* ou Passiv Haus*, la recherche d'optimisation énergétique des bâtiments est une tendance lourde qui ne fera que s'amplifier avec le prix croissant de l'énergie, l'épuisement des ressources, les pollutions, la paupérisation d'une partie de la population, les tensions géopolitiques et surtout le réchauffement climatique.

Aujourd'hui, les professionnels du bâtiment découvrent le nouveau challenge qu'ils ont collectivement à tenir d'ici 2050 : diviser par 4 la contribution de leur secteur d'activité aux changements climatiques. Pour y arriver, le bond qualitatif à engager suppose non plus une simple amélioration des habitudes existantes, mais « une autre façon de construire » associée à une « autre façon de concevoir ». Cela revient à dire que nous sommes « condamnés à concevoir et à construire autrement ». Ce qui était le leitmotiv de l'architecture bioclimatique est en train de devenir celui du secteur de la construction tout entier.

Les objectifs des acteurs du bioclimatisme sont aujourd'hui devenus également ceux des maîtres d'ouvrage ou professionnels soucieux de l'environnement, ou simplement des investisseurs et gestionnaires cherchant un bon rapport « qualité/prix ». Ces choix, qui correspondent, avec le prix actuel de l'énergie, aux bâtiments de classe « basse énergie* » consistent :
– en réhabilitation*, à améliorer les bâtiments existants afin qu'ils soient 4 à 8 fois moins énergivores que dans leur état initial ;
– en neuf, à construire des bâtiments environ 3 fois plus performants que ceux qui ne font que satisfaire aux seules exigences réglementaires (3).

3. Le retard pris par la France depuis 30 ans nous amène à pondérer certains objectifs en fonction de la réalité socio-économique existante (inertie des pratiques professionnelles et décalage des formations du bâtiment par rapport à la réalité, systèmes de financement ignorant l'approche « coût global* », impossibilité pour les bailleurs sociaux de répercuter les améliorations énergétiques sur les loyers…). De fait, les objectifs ambitieux des bâtiments « très basse énergie* » que poursuivent par exemple les Allemands avec le Passivhaus Institut sont, excepté pour une maîtrise d'ouvrage militante, encore rarement adoptés, au profit des constructions « basse énergie* » (voir également annexe p. 227).

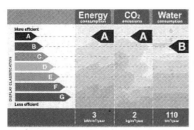

Chaque bâtiment aura à terme une « étiquette énergie ». Avec une classification allant de A à G, ce marquage devrait permettre de repérer les bâtiments performants (étiquette A ou B) des bâtiments standard (C et D) et dès bâtiments très énergivores (E à G). Certaines initiatives vont plus loin en repérant dès à présent le comportement du bâtiment au niveau de sa production de CO_2 et de sa consommation d'eau.

Étiquette énergie pour les bâtiments

À l'instar du Danemark qui a institué depuis 1997 une « étiquette énergie » obligatoire pour chaque bâtiment, l'Union européenne élabore une méthode de repérage des performances thermiques des bâtiments (1). L'objectif dans un premier temps est d'apporter de la lisibilité sur ce sujet complexe afin de pouvoir différencier un bâtiment performant d'un bâtiment énergivore, mais aussi, à terme, d'exclure du marché de la vente ou de la location les catégories les plus gaspilleuses.
Fin 2005, la transposition en droit français de la directive européenne semble planifier l'étiquetage obligatoire des bâtiments à partir du 1er juillet 2006 pour les ventes, et du 1er juillet 2007 pour les locations.

1. Directive « Performance énergétique des bâtiments » PEB/01/2003.

COMMENT AGIR?

Si la palette des solutions bioclimatiques pour optimiser thermiquement les bâtiments est large, l'expérience acquise démontre que :
– le choix judicieux de solutions complémentaires entre elles est plus efficace qu'une multiplicité d'options, fussent-elles chacune très pertinentes ;
– l'augmentation des quantités et/ou des performances nominales de certains éléments (par exemple épaisseur des isolants, surface de captage solaire passif…) ne produit des effets bénéfiques que dans la mesure où elle s'accompagne d'une amélioration parallèle des dispositifs qui leur sont associés (suppression des ponts thermiques, masses d'inertie…) ;
– l'optimisation thermique du bâtiment pour un coût d'investissement le plus réduit possible suppose de faire les premiers choix importants en amont du projet, c'est-à-dire dès les premières esquisses*, pour avoir à investir le moins possible en aval dans les équipements complémentaires ;
– la recherche d'un confort en toute saison (hiver, été, et demi-saisons) peut amener à faire des choix « de compromis » en fonction du climat plutôt que chercher à optimiser d'abord le bâtiment pour la seule thermique d'hiver.

En pratique, il vaut mieux, plutôt que de rechercher l'excellence dans un domaine, faire jouer de façon équilibrée l'ensemble des paramètres, en donnant la priorité dans chaque projet à ceux qui sont les plus faciles et donc les plus économiques à mettre en œuvre, tout en prenant soin qu'aucun des autres ne soit négligé.

Le tableau suivant indique les gains énergétiques et économiques potentiels, pour le chauffage et le rafraîchissement, et l'incidence sur le montant de l'investissement, selon les mesures prises pour optimiser chacun de ces paramètres.

Familles de solutions permettant d'optimiser un bâtiment.

Type de mesure	Gains potentiels	Incidence sur le montant de l'investissement
Conception architecturale, adaptation au lieu	Jusqu'à 50 %	Économies
Matériaux et techniques de construction	Jusqu'à 35 %	Surcoût minime à moyen
Qualité et soin de la mise en œuvre	Jusqu'à 35 % (a)	Surcoût minime
Installations techniques	Jusqu'à 80 %	Surcoûts moyens
Comportement des usagers	+/- 50 %	Nul

Ce tableau montre que l'optimisation thermique d'un projet est plus une question de priorités qu'une question d'éventuels surcoûts.
• Les valeurs de ce tableau sont données pour le neuf. Pour la réhabilitation, le potentiel de la conception architecturale et de l'adaptation au lieu étant limité, on composera plus avec les autres paramètres.
• L'incidence du choix du lieu n'est pas estimée dans ce tableau. Outre des adaptations bioclimatiques plus ou moins faciles ou onéreuses, des paramètres comme l'éloignement du lieu de travail pourront avoir des conséquences énormes au niveau énergétique et environnemental (voir p. 210).
(a) Pertes globales possibles sur les performances attendues dans le cas de mise en œuvre insuffisamment soignée.
Source : d'après *La Maison d'habitation MINERGIE®.*

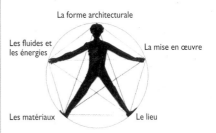

Le schéma d'équilibre entre les habitants, leur habitat et l'environnement nous permet de visualiser les pôles ou paramètres sur lesquels une action est possible (voir également p. 23 et suiv.).

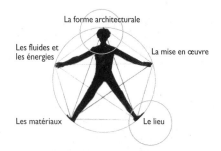

Maison avec toit flottant désolidarisé de la structure en Belgique.

La séparation des fonctions de protection contre les intempéries et d'isolation de la toiture permet une simplification et une optimisation de l'espace habité, une adaptation de celui-ci à la technique constructive (ossature bois, isolation en bottes de paille), une élimination des points sensibles, et donc de substantielles économies de construction.
Architecte H. Van Soom.

Choix architecturaux et mesures concernant l'adaptation au lieu

La prise en compte des caractéristiques morphologiques et climatiques locales est la base d'une conception architecturale visant à une optimisation énergétique du bâtiment fondée, en toute saison, sur une gestion conjointe des apports solaires et des transferts de calories à travers les parois. Compacité, forme du bâtiment, orientation, ouverture au soleil, organisation des espaces intérieurs, surface et type de baies vitrées, système de captage des calories solaires, protection contre les vents, protections solaires… sont des points à intégrer dès l'élaboration des premières esquisses*. Ils déterminent la performance globale du bâtiment et, selon les choix réalisés, permettent d'approcher, plus ou moins facilement, les exigences des bâtiments « basse énergie* ». Lorsqu'elle est possible, une cohérence architecturale rigoureuse permet même de réaliser, pour un coût limité, des bâtiments « très basse énergie* ».

Concernant l'ouverture au soleil, le choix de privilégier les baies vitrées, les murs capteurs, les serres bioclimatiques ou les capteurs solaires dépend de nombreux facteurs, parmi lesquels la volonté éventuelle des maîtres d'ouvrage d'approcher l'autonomie énergétique. Si par exemple l'option de vitrer entièrement la façade sud est retenue, le concepteur devra arbitrer les choix entre les divers systèmes de captage pour apporter la chaleur gratuite récupérée du soleil aux heures et lieux où elle sera nécessaire. Il devra aussi composer avec l'inertie des différentes parois du bâtiment, les protections solaires et le système de ventilation pour distribuer harmonieusement ces calories gratuites et éviter d'éventuelles surchauffes.

Bâtiment collectif passif (ou « très basse énergie* ») à Fribourg (Allemagne).

Faire le choix d'un bâtiment collectif compact et ouvert au soleil permet de réaliser des logements « très basse énergie* » pour un coût d'investissement au mètre carré inférieur à celui d'une maison individuelle standard. Par ailleurs, sur trente ans et avec une distance appartement/travail passant de 5 à 20 km, le choix d'acheter une maison individuelle en périphérie d'agglomération générera, en plus d'une pollution décuplée et d'un mitage du territoire onéreux pour la collectivité, un coût financier pour les habitants supérieur de 90 000, 103 000 ou 144 000 euros pour les seuls postes « voiture » et « chauffage ».
Calcul réalisé avec :
– une voiture familiale de base (5 CV) sans tenir compte de l'éventuel achat d'un deuxième véhicule ;
– en estimant un seul aller et retour appartement/travail par jour ;
– une énergie pour le chauffage à prix moyen (fioul à 0,65 euro le litres fin 2005) ;
– un appartement neuf « très basse énergie* » et une maison neuve standard.
Résultats donnés en euros constants selon trois scénarios d'évolution du prix de l'énergie (voir annexe p. 229).

Pour une architecture thermiquement adaptée

Dans la pratique, et particulièrement pour les maisons individuelles, de nombreuses entraves s'opposent encore, en France, à une optimisation bioclimatique des bâtiments, même dans des lieux qui s'y prêtent parfaitement.

Les règlements d'urbanisme

On trouve encore souvent, dans le fameux article 11 du règlement d'urbanisme, l'obligation de copier des formes dites «régionales». Ces contraintes ont souvent de graves conséquences, comme l'interdiction de fait d'une architecture thermiquement efficace, l'augmentation inutile des volumes construits (devant donc être chauffés) et le renchérissement global du coût des travaux, préjudiciable aux choix énergétiques à faire sur les autres pôles (matériaux, mise en œuvre, équipements). Sur une maison individuelle, le surcoût d'une forme imposée par des critères extérieurs à la logique constructive et thermique peut représenter jusqu'à 30 % du poste «hors d'eau-hors d'air + isolation», pour un résultat thermique médiocre, et une esthétique souvent discutable (voir p. 46).

Les réticences des maîtres d'ouvrage individuels à faire appel à un concepteur qualifié

La prestation de conception est encore trop souvent perçue comme un surcoût dont on pense pouvoir faire l'économie en dessinant soi-même sa maison, ou en confiant cette étape capitale à un dessinateur ou à un constructeur non formés à la conception bioclimatique. Mais la conception n'est pas d'abord l'établissement d'un plan ou d'un dossier de permis de construire : c'est un travail de professionnel «généraliste» qui, s'il est compétent, saura, à partir d'un programme* clair, articuler entre eux tous les paramètres complexes du bâtiment, parmi lesquels l'optimisation bioclimatique, la conception technique adaptée et la recherche de solutions économiques pour y parvenir (1).

En outre, son intervention pourra permettre dans beaucoup de cas un dialogue avec les instances administratives pour défendre des options architecturales justifiées sur le plan énergétique et/ou économique qui ne seraient pas strictement conformes à «la lettre» du règlement concernant l'insertion dans le site.

La « basse énergie* », résultat de compromis plus que d'une optimisation de l'ensemble des paramètres possibles, permet de réaliser des bâtiments performants aux formes assez conventionnelles. Conception : J.-P. Caillaudeau, thermicien : André Pouget.

1. Les connaissances en bioclimatisme et la maîtrise technique et économique ne sont pas les qualités les plus généralement reconnues à la plupart des architectes en France. L'image que le «grand public» a de la profession est plutôt celle d'esthètes, surtout préoccupés de formes et d'effets. Mais, si les architectes français – et surtout leur formation initiale – sont en partie responsables de cette image, elle est de moins en moins juste : un nombre croissant d'entre eux sont sensibles aux questions environnementales et se forment à la maîtrise de ces paramètres.

Par ailleurs, ils sont aussi plus nombreux aujourd'hui à s'intéresser de nouveau à l'habitat individuel, secteur dont ils avaient été écartés par les constructeurs, et dans lequel l'approche bioclimatique peut redonner une fonction à leur profession.

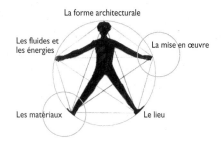

La forme architecturale

Les fluides et les énergies

La mise en œuvre

Les matériaux

Le lieu

Mesures concernant les techniques de construction et le choix de matériaux

C'est sans conteste dans le domaine de la conception de l'enveloppe que les améliorations les plus importantes ont été apportées depuis les premières réalisations bioclimatiques des années 1970.

Les mesures d'économies d'énergie d'alors qui consistaient à plaquer des isolants à l'intérieur de parois conçues sans souci thermique ont montré leurs limites, encore accrues dans le temps par la chute des performances de la plupart des isolants utilisés à l'époque.

Les pionniers du bioclimatisme qui ajoutaient à ce type d'isolation le captage de l'énergie solaire et son stockage ont eux aussi vu les performances de leurs réalisations se situer parfois en deçà des objectifs, et décliner dans le temps.

Puis, dès les années 1980, sont apparues de nouvelles préoccupations.

• D'abord sanitaires : par exemple, pour une part croissante du public, le scandale de l'amiante a fait entrer les matériaux de construction dans « l'ère du soupçon », inquiétude souvent alimentée par l'opacité persistante de la politique de communication de certains industriels (4) ;

• Ensuite environnementales : au niveau strictement énergétique (énergie dépensée, bilan carbone*…), on a découvert que les principaux coûts d'un bâtiment sur sa vie entière peuvent être dus, pour des constructions thermiquement performantes, non plus aux postes « chauffage » et « rafraîchissement » mais au lot « construction/gros entretien/déconstruction ». Cela modifie sensiblement l'approche du « premier bioclimatisme » en fixant une exigence supplémentaire aux seuls calculs thermiques. Rapportée par exemple à la problématique des isolants, cette nouvelle « équation énergétique » nous amène à des questionnements du type :

– à partir de quelle épaisseur tel matériau entraîne-t-il moins d'économies de chauffage qu'il ne demande d'énergie pour sa fabrication, sa mise en œuvre et son traitement en fin de vie ?

– quel choix de technique constructive réaliser pour avoir une paroi qui profite pleinement des performances intrinsèques des matériaux qui la composent ?

– les filières de déconstruction sont-elles organisées ? Si oui, quel est leur bilan sur l'environnement, sinon, quel est le coût environnemental des millions de mètres cubes d'isolants déposés en décharge chaque année ?

C'est notamment parce que la plupart des matériaux coûtent cher à l'environnement que la conception bioclimatique compose tout autant avec l'exploitation du gisement solaire qu'avec la seule isolation de l'enveloppe du bâtiment. Les serres, murs capteurs ou autres systèmes solaires passifs permettent en effet de réaliser des bâtiments basse ou très basse énergie même avec des parois non totalement optimisées du point de vue d'une approche thermique reposant uniquement sur un surdimensionnement de l'isolation. Ainsi, les valeurs « épaisseur isolant » couramment indiquées pour les différents niveaux de performance des bâtiments (voir tableau p. 214) restent

4. Le scandale de l'amiante, à l'origine d'une centaine de milliers de décès en France (déjà constatés et/ou prévus), est à cet égard révélateur : malgré les premières études sérieuses datant de 1906, les preuves accablantes apportées en 1974 par le collectif intersyndical de l'université de Jussieu, et la concordance des études épidémiologiques mondiales, il faudra en France attendre 1994 pour obtenir enfin l'interdiction de la plupart des utilisations de l'amiante dans le bâtiment. Pendant toute cette période, le Comité consultatif amiante, lobby des producteurs, est resté le seul « interlocuteur scientifique » des pouvoirs publics, quel que soit le gouvernement (voir Bibliographie : « Amiante, le dossier de l'air contaminé »).

intéressantes en tant que « repères » pour des constructions « normalement solarisées », mais elles pourront être pondérées dans une conception bioclimatique en fonction de la ressource solaire qui sera mise à profit de façon conséquente.

Par ailleurs, nous savons aujourd'hui, à partir d'une meilleure connaissance des propriétés multiples des matériaux, concevoir des parois plurivalentes. C'est le cas par exemple de celles qui composent à la fois avec l'isolation et la capacité thermique ou encore avec le captage solaire et la résistance thermique. Ces compétences nouvelles nous permettent désormais de gérer plus efficacement et plus finement les flux thermiques, mais aussi hygrométriques (5).

La stratégie adaptée à une situation donnée sera donc de rechercher la performance énergétique globale à partir des ressources les moins onéreuses et des outils les plus faciles à mettre en œuvre. Par exemple, pour constituer un mur capteur, on utilisera un « matériau premier » comme la terre du lieu associée à un vitrage performant. S'il est bien conçu, ce mur présentera un bilan thermique largement positif en saison froide, contribuera au rafraîchissement en été, constituera un volant hydrique, pour un coût environnemental très réduit (quasiment limité à celui de l'énergie grise* du vitrage).

Quoi qu'il en soit, l'enveloppe et les parois internes d'un bâtiment que l'on veut performant nécessitent toujours une approche exigeante : choix de techniques constructives adaptées, choix de matériaux pertinents pour leurs performances techniques et environnementales, choix d'épaisseurs optimales pour un confort en toute saison, mises en œuvre adaptées pour des performances réelles et durables…

Chantier expérimental de Montholier.
Soutenu notamment par l'ADEME, la FFB, le conseil général du Jura et le conseil régional de Franche-Comté, ce double chantier prototype a mis en évidence la pertinence thermique et environnementale de matériaux jusque-là très confidentiels (bottes de paille et béton de chanvre). Conception : J.-M. Haquette et A. Combet, architectes.
Renseignements : Montholier.ce@wanadoo.fr

En composant avec les performances environnementales, thermiques statiques et thermiques dynamiques du bois massif et des feutres de bois, on peut atteindre des performances exceptionnelles.

5. L'approche thermique basique a pour l'instant beaucoup de mal à intégrer d'autres priorités que celle du confort d'hiver à obtenir par l'épaisseur des isolants. Par exemple, les propriétés thermiques dynamiques des matériaux, comme le fait qu'une paroi puisse à la fois être isolante et captrice (voir « Murs capteurs en bois » p. 141) n'ont pas encore d'« entrées » dans les logiciels de calculs réglementaires.

Exemples de « solutions types » pour atteindre les performances des diverses classes de bâtiments.

	Bâtiments standard 2005	Bâtiments « basse énergie »	Bâtiments très « basse énergie »
Murs			
Valeur U recherchée parois courantes (en W/m².K)	Environ 0,40	Environ 0,20	Environ 0,15
Équivalent épaisseur isolant (λ = 0,04 W/m.K)	8 à 10 cm	15 à 20 cm	25 à 30 cm
Existence de ponts thermiques	Possible	Non	Non
Toiture			
Valeur U recherchée (en W/m².K)	Environ 0,20	Environ 0,13	Environ 0,10
Équivalent épaisseur isolant (λ = 0,04 W/m.K)	15 à 20 cm	25 à 30 cm	35 à 40 cm
Existence de ponts thermiques		Non	Non
Vitrage			
Valeur U recherchée pour les baies (en W/m².K)	Environ 2,00	Environ 1,50	Environ 0,80
Type de vitrage (Ug en W/m².K)	Double vitrage VIR (environ 1,3)	Double vitrage VIR (environ 1,1)	Triple vitrage VIR (environ 0,6)
Cadres	PVC, bois ou aluminium avec coupure thermique	PVC ou bois	PVC ou bois avec coupure thermique
Volets	Optionnel	Oui	Oui
Étanchéité à l'air du bâtiment	Médiocre	Bonne	Très bonne (contrôlée)

D'après données CSTB et MINERGIE®.

La stratégie de communication choisie actuellement pour promouvoir des bâtiments basse ou très basse énergie aborde souvent la performance de l'enveloppe de manière simplifiée en proposant des « solutions types » ou des « équivalents épaisseur isolant ». À l'heure où l'urgence environnementale impose à ces bâtiments performants de sortir de la confidentialité, ce choix de communication est nécessaire pour plus d'efficacité. Cela n'empêche néanmoins pas les professionnels du bioclimatisme de :
– concevoir, grâce à une ouverture au soleil optimisée, des bâtiments à performances thermiques similaires avec des parois moins performantes sur leur seule valeur U ;
– améliorer encore le bilan environnemental global du bâtiment en utilisant des matériaux « puits de carbone* »…
(Voir également encadré p. 38 et encadré « Réhabilitation » p. 161.)

Mesures concernant la qualité et le soin de la mise en œuvre

Le choix des matériaux et des techniques constructives n'est pas seulement conditionné par leurs performances techniques et environnementales, mais également par la possibilité d'une mise en œuvre adéquate. En effet, une pose inadaptée ou peu soignée peut ruiner la majorité des effets attendus de certains matériaux ou dispositifs constructifs, créer des désordres dommageables dans le bâti, voire nuire à sa pérennité.

Cela est particulièrement vrai pour la pose :
– des étanchéités à l'eau (pare-pluie, vêtures*…) ;
– des isolants : risques de discontinuités, de ponts thermiques… (voir p. 77) ;
– des étanchéités à l'air (freine-vapeur, pose des menuiseries…) (voir p. 79).

De plus, le soin apporté dans la mise en œuvre ne doit pas se limiter au seul moment de la pose des composants en question : est aussi concernée l'intervention ultérieure des autres corps de métiers (électricité, plomberie…). Mais les habitudes courantes du bâtiment, secteur d'activité dans lequel le rôle de chaque intervenant a été compartimenté et souvent déresponsabilisé par rapport aux autres, ne facilitent pas cette exigence. À cela plusieurs causes, auxquelles il faudra bien remédier si l'on veut que l'adage « Ce qui ne se voit pas compte encore plus que ce qui se voit » soit réellement pris en compte. Cette évolution sera possible grâce à :
– une meilleure information et formation des intervenants sur le fonctionnement des composants et sur leurs interactions ;
– un contrôle plus régulier de la qualité du travail réalisé ;
– une juste rémunération du temps passé pour « bien faire les choses ».

En effet, on ne peut pas espérer une mise en œuvre de qualité si elle est rémunérée sur les bases d'un travail estimé au seul rendement. Si la mise au point des matériaux conventionnels a été dictée par le souci de réduire le temps et le coût horaire de la main-d'œuvre, une construction thermiquement performante, même avec des matériaux « prêts à l'emploi », ne peut pas, elle, faire l'économie d'une mise en œuvre soignée. La performance des intervenants sur le chantier ne se mesure pas seulement en « m²/jour/euros » : le temps que représentent le savoir-faire, la réflexion et la concertation doit être réévalué et justement rémunéré.

Pour un bâtiment performant, les pertes dues aux malfaçons peuvent être à l'origine de surconsommations atteignant 35 % : il est peu probable que les prétendues « économies » dues à la non-reconnaissance financière des professionnels du chantier puissent les compenser !

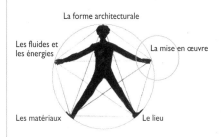

Surélévation et réhabilitation d'une petite maison de ville à Kilchberg (Suisse).
Sur ce pavillon des années 1940, trop petit et mal isolé, le choix d'une technique constructive appropriée (ossature bois préfabriquée en atelier) a permis, sans surcharge notable pour les fondations, une surélévation ultrarapide (en 2 jours). La restructuration de l'existant, l'isolation de 12 cm par l'extérieur, l'installation de menuiseries à triple vitrage, ont nécessité 3 semaines de chantier au total, réduisant les nuisances pour les habitants comme pour le voisinage. De telles performances de mise en œuvre supposent une mobilisation de compétences élevées, une minutieuse préparation du chantier et une coordination fine des intervenants.
Architecte : cabinet K. Viriden, Zurich.

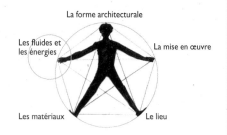

La forme architecturale

Les fluides et les énergies

La mise en œuvre

Les matériaux

Le lieu

Mesures concernant les installations techniques

Dernier groupe de solutions à mettre en œuvre pour obtenir des bâtiments performants, les installations techniques peuvent être présentées en deux familles :
– les systèmes permettant d'optimiser le fonctionnement bioclimatique du bâtiment ;
– les appareils complémentaires nécessaires à la production et à la distribution de chaleur, éventuellement de fraîcheur, auxquels sont rattachés généralement ceux servant à la production d'eau chaude sanitaire.

La première famille regroupe :
– l'installation de ventilation ;
– les systèmes de préchauffage ou de rafraîchissement de l'air entrant (échangeur thermique de VMC, puits canadien, capteurs à air…) ;
– les systèmes actifs permettant d'apporter des calories aux masses inertielles du bâtiment (serre activée, capteurs à air).
La pertinence économique et environnementale de ces équipements s'impose à condition qu'ils s'intègrent dans la conception d'ensemble : en complémentarité les uns avec les autres mais aussi, entre autres, avec l'inertie du bâtiment.

En conception bioclimatique, la problématique de production de calories et d'éventuelles frigories* vient en dernier et, généralement, ne correspond plus qu'à des besoins d'appoints. Cela n'empêche néanmoins pas la réalisation d'installations performantes par :
– le type d'émetteurs choisi. Les systèmes composant avec une transmission par rayonnement (planchers, plafonds ou murs chauffants) seront préférés pour le confort qu'ils apportent et les économies d'énergie qu'ils génèrent ;
– le choix d'une régulation fine, zone par zone, avec des émetteurs réactifs ;
– le choix d'une production de chaleur très performante (chaudières à haut rendement, chauffage collectif, chaudières à condensation, pompes à chaleur sur sondes géothermales*) ;
– le choix d'une énergie renouvelable (solaire, bois, géosolaire* ou géothermie*).

Exemples de « solutions types » d'installations techniques pour atteindre les performances des diverses classes de bâtiments.

	Bâtiments standard 2005	Bâtiments « basse énergie »	Bâtiments « très basse énergie »
Ventilation	Ventilation simple flux version « hygroréglable » conseillée	Ventilation double flux avec récupérateur de chaleur (rendement RC > 70 %)	Ventilation double flux avec récupérateur de chaleur (rendement RC > 85 %)
Chauffage Type de générateurs	Chaudière basse température conseillée	Chaudière à condensation, pompe à chaleur performante, réseau de chaleur*, chaudière ou poêle performants au bois ou chauffage solaire	Pompe à chaleur performante, poêle à granulés ou chauffage solaire
Énergies renouvelables	Possibles	Recommandées (bois, solaire, géosolaire ou géothermie)	Exigées (bois, solaire, géosolaire ou géothermie)
Type d'émetteurs	Rayonnement conseillé	Rayonnement	Rayonnement ou chauffage à air (a)
Eau chaude sanitaire	Solaire possible	Solaire exigé + installations performantes	Solaire exigé + installations performantes

En complément des performances thermiques présentées dans le tableau de la p. 214, le choix des installations techniques proposées ci-dessus est un gage pour atteindre les performances de la basse ou très basse énergie.
Voir également encadré p. 38.

(a) Avec des besoins de chauffage très faibles et des parois à la même température que l'air, la performance des bâtiments « très basse énergie » fait que le chauffage par air pulsé, déconseillé par ailleurs, devient dans ce type de bâtiments de nouveau envisageable.
D'après données CSTB et MINERGIE®.

Mesures spécifiques concernant la réhabilitation

Lorsque l'on part d'un bâtiment existant, les marges de manœuvre permettant d'améliorer les performances thermiques sont plus réduites qu'en construction neuve, car les contraintes du bâti limitent les solutions fondées sur la conception architecturale et l'adaptation au site.

D'autres solutions techniques doivent donc être mises en œuvre. Mais la nécessité de réhabiliter* environ 400 000 logements par an pour faire passer les performances moyennes du parc immobilier construit avant 1975 au niveau de celles des bâtiments « basse énergie » d'ici 2050 (1) demanderait, pour étudier au mieux chaque cas de cet immense chantier, une ingénierie qui n'existe pas dans notre pays. Aussi, afin de fournir aux maîtres d'ouvrage et aux professionnels du bâtiment une méthode simplifiée, un nombre croissant d'acteurs de la réhabilitation énergétique proposent

•••

1. La priorité des priorités environnementales pour le secteur du bâtiment est sans conteste l'amélioration du parc ancien. Une étude intéressante résumant la situation est disponible sur le site de l'association Négawatt (www.negawatt.org).

•••
de répertorier des interventions techniques de haut niveau sur différents postes des bâtiments énergivores (isolation, ventilation, chauffage…): les « solutions types ».

Cette stratégie présente également l'avantage de s'adapter à des réhabilitations partielles : s'il y a plusieurs interventions dans le temps sur le même bâtiment, plutôt qu'intervenir « un peu » chaque fois sur l'ensemble des postes et rendre à terme l'accès à la « basse énergie » complexe et coûteux, on choisira, tout en respectant une certaine logique dans l'ordre à donner aux travaux, d'installer d'emblée sur les postes concernés des solutions de haut niveau conformes aux objectifs 2050.

Mais, si le fait de choisir une liste limitée de solutions pour l'ensemble des réhabilitations est pertinent à plus d'un titre, il n'en est pas moins vrai que certaines de ces « solutions types » comme l'isolation des murs sont plus adaptées aux constructions pouvant être isolées par l'extérieur, particulièrement les bâtiments du xxᵉ siècle, par ailleurs les plus énergivores (2).

Vu qu'une partie du bâti existant ne peut être isolée par l'extérieur pour des raisons généralement esthétiques, et vu les limites de l'isolation conventionnelle par l'intérieur (incompatibilités possibles avec le système constructif, création de ponts thermiques limitant la performance d'hiver, perte d'inertie des bâtiments préjudiciable au confort d'été, modification de l'équilibre hygrométrique des murs…), il faudra :

– si l'on choisit tout de même d'isoler par l'intérieur, le faire avec un matériau à forte capacité thermique (pour le confort d'été) et respectant la perspiration* des parois ;

– en cas de non-isolation des murs, procéder à une « correction thermique » qui sera toujours possible par des parements intérieurs à faible effusivité et/ou à une amélioration par un enduit extérieur isolant de faible épaisseur. Enfin, pour atteindre, voire dépasser, les performances de la « basse énergie* », d'autres mesures sont particulièrement pertinentes dans l'habitat existant :

   – augmenter l'ouverture au soleil (création de nouvelles baies sur la façade captrice, réalisation de serre bioclimatique ou de murs capteurs, installation de capteurs à air ou d'un chauffage solaire) ;

   – mettre en place une VMC avec récupérateur de chaleur très performant (rendement supérieur à 95 %) ;

   – optimiser le bilan des baies vitrées (triple vitrage, volets et voilages très performants) ;

   – intervenir sur le bâti afin d'améliorer très substantiellement l'étanchéité du bâtiment à l'air ;

   – installer un chauffage très performant utilisant une énergie renouvelable.

« Un grand programme de réhabilitation du patrimoine bâti représente des investissements colossaux sur plusieurs décennies. Ceux-ci devront à coup sûr drainer une part importante de la consommation et de l'épargne des Français, probablement au détriment de consommations moins « durables » ou énergivores (automobiles, voyages lointains…). L'effort qui devra être réalisé est probablement d'un niveau comparable à celui de la reconstruction d'après guerre… » F. Demarcq, directeur général de l'ADEME : in « Lutte contre l'effet de serre, le bâtiment en première ligne », *Constructif*, n° 9 (www.constructif.fr).

2. Les bâtiments les plus énergivores correspondent à ceux construits entre 1948 et 1970. Ceux bâtis entre 1974 et 1981 (après les premières réglementations thermiques) ont quant à eux une consommation du même ordre de grandeur que ceux construits avant 1914 (source : direction du ministère de l'Équipement).

Le comportement et les choix des habitants

Si nous sommes « condamnés à construire et à réhabiliter autrement » pour répondre aux défis environnementaux actuels, nous sommes aussi « condamnés à habiter autrement ». Déjà, bien sûr, en tant qu'habitants, à l'intérieur de notre logement ; mais aussi par les choix que nous faisons quant aux relations de cet habitat avec l'environnement plus vaste dans lequel il s'insère.

Notre comportement en tant qu'habitants

Exiger des températures intérieures élevées en hiver, une ambiance fraîche en été, vouloir un niveau de température uniforme quels que soient l'heure de la journée et l'endroit où l'on se trouve dans le logement, ouvrir intempestivement les fenêtres sans souci du temps qu'il fait dehors, oublier de tirer les volets, les rideaux ou les protections solaires lorsqu'il le faudrait… peut entraîner sur l'année une augmentation de la consommation de plus de 50 % du poste « chauffage et rafraîchissement » par rapport aux calculs prévisionnels.

Certes, des solutions techniques existent pour réduire les conséquences de ce comportement « gaspilleur » :

– la priorité donnée à la température des parements intérieurs plutôt qu'à celle de l'air (matériaux à faible effusivité, chauffage intégré aux masses de maçonnerie…) permet de se sentir bien sans même chauffer l'air à 19 °C. Les 5 ou 6 degrés supplémentaires qu'il faudrait apporter à l'air avec des parois froides coûtent très cher (de 35 à 84 % en plus sur la note de chauffage, voir p. 30) ;

– la réalisation d'un système de ventilation équilibré qui renouvelle de manière efficace l'air de l'ensemble des espaces de vie selon les besoins et qui entraîne *ipso facto* la quasi-disparition du besoin d'ouvrir les fenêtres ;

– une régulation fine et zone par zone du système de chauffage qui permette une adaptation automatique et rapide aux apports gratuits, solaires ou internes* ;

– une automatisation possible des ouvertures et fermetures des protections de tous ordres qui peut en partie remplacer le manque de participation des habitants à la vie thermique du bâtiment…

Mais ces solutions techniques n'arriveront jamais à pallier entièrement les incidences d'un comportement « gaspilleur » des habitants qui considéreraient leur habitat comme une machine thermique devant pouvoir répondre à tous leurs caprices et corriger tous leurs laisser-aller.

En revanche, un comportement « économe » reposant sur un rythme et une logique de vie qui tiennent compte des variations extérieures, et incluant un minimum d'actions sur l'enveloppe et les systèmes techniques adaptés à ces variations, permettra aux dispositifs bioclimatiques de valoriser pleinement leur potentiel.

En définitive, pour un même bâtiment, la consommation des postes « chauffage » et « climatisation » pourra varier, selon le comportement des habitants, de 1 à 3.

Avant d'habiter, d'acheter, de construire ou de réhabiliter

Le rôle du comportement des habitants ne se résume pas à leur mode de vie dans leur logement considéré comme une cellule close, isolée de son environnement. Plusieurs choix de conception et de programmation* en amont peuvent être encore plus déterminants sur les consommations énergétiques induites par leur habitat.

• Le lieu d'implantation : les déplacements pour le travail, l'école… peuvent dans certains cas induire des consommations énergétiques bien plus importantes que celles de l'habitat lui-même, et annuler largement aussi bien du point de vue économique qu'environnemental les efforts d'investissement faits pour optimiser thermiquement la construction.

• Le mode de groupement et les relations avec le voisinage : l'horizon de la maison individuelle pour tous tel qu'il est conçu aujourd'hui, s'il est rentable pour l'activité économique à court terme et la paix sociale, est coûteux en énergie, en espace, pour chacun, pour la collectivité et pour l'environnement. Vouloir tout avoir sous son toit des possibilités et «facilités» de la vie moderne se paye de plus en plus cher, en argent, en temps, en éloignement, en contrainte et en isolement. Les nouveaux groupements qui s'esquissent (voir p. 49 et suiv.) autour de la mutualisation choisie de certains services (notamment le chauffage par réseaux de chaleur*) seront pour une portion de plus en plus grande de la population la seule voie d'accès à un besoin légitime d'habitat de qualité.

• Enfin, des choix écologiquement conséquents, même s'ils intègrent la possibilité de compromis après étude pour parvenir à des objectifs réalisables, devraient systématiquement se départir des réflexes de consommation facile implantés en chacun de nous dans le domaine de l'habitat comme dans beaucoup d'autres. Cela suppose de la part des maîtres d'ouvrage* :

> – qu'ils s'informent et prennent le temps, en tant qu'investisseurs et responsables des choix à faire, d'établir un programme* clair, listant ce qui leur paraît indispensable, nécessaire, souhaitable… ;
>
> – qu'ils fassent le choix de se faire accompagner par un concepteur capable de les aider à hiérarchiser économiquement ce programme et d'échanger constructivement sur son opportunité, plutôt que d'acheter un plan ou une «autorisation de construire» ;
>
> – qu'ils regardent autour d'eux pour envisager quels matériaux et équipements sont disponibles et adaptés dans l'environnement de leur projet (matériaux «premiers», coproduits agricoles, récupération de déconstruction…) avant de courir dans les négoces, fussent-ils «écologiques» ;
>
> – qu'ils choisissent des mises en œuvre valorisant les ressources, les savoir-faire et l'économie locale, voire l'économie sociale et solidaire.

Les maîtres d'ouvrage*, surtout individuels, sont souvent désarmés devant la suffisance de professionnels pour qui leurs exigences sont souvent difficilement compréhensibles, et finissent par se laisser imposer des choix qu'ils n'auraient pas voulus. Mais, outre que le monde du bâtiment évolue, et que des dialogues constructifs sur la base d'apports réciproques peuvent s'établir plus fréquemment qu'il y a quelques années, ces futurs habitants doivent savoir qu'*in fine*, en face de l'architecte comme de l'entrepreneur, ce sont eux qui payent, habitent, et sont responsables de leur habitat et du poids qu'il a sur l'environnement.

Nombre d'options qui tentent aujourd'hui les maîtres d'ouvrage* pouvaient apparaître, il y a encore 10 ou 15 ans, comme des actes militants, survivances de la marginalité des années 1970. Aujourd'hui, ils rencontrent et la nécessité sociale, et la réalité économique, et l'urgence environnementale. Ils offrent à ce qui n'est encore qu'un discours général sur l'impasse dans laquelle nous serions des perspectives réelles, non seulement inéluctables, mais désirables.

> *« Un arbre qui tombe fait beaucoup de bruit.*
> *Une forêt qui germe ne s'entend pas. »*
> *Gandhi.*

Les Espaces Info Énergie (EIE), un réseau national pour l'information et le conseil de proximité

Afin que les particuliers puissent avoir facilement accès à des informations objectives sur les sujets liés à l'énergie, l'ADEME, Agence de l'environnement et de la maîtrise de l'énergie, permet, par l'intermédiaire de ses délégations régionales et en partenariat avec les collectivités locales, la mise en place d'Espaces Info Énergie. Constitué de 175 EIE, ce réseau met gratuitement à disposition du grand public des spécialistes qui informent et conseillent sur toutes les questions relatives à l'efficacité énergétique et au changement climatique : Quels sont les gestes simples à effectuer ? Comment améliorer thermiquement un bâtiment ? Quel type d'équipement choisir ? Quelles sont les aides financières accordées ? Etc.

Pour contacter l'EIE de votre région, numéro Azur : 0810 060 050 (1).
1. Ce service vient en complément des nombreuses brochures et guides mis à disposition sur le site de l'ADEME (www.ademe.fr).

Annexes

PRINCIPALES UNITÉS RENCONTRÉES DANS LE SECTEUR DU BÂTIMENT

Longueur (L), largeur (l), hauteur (h), épaisseur (e), altitude (alt)
Unité de base : le **mètre** (m) appelé également **mètre linéaire** (ml).

Surface (S)
Unité de base : le **mètre carré** (m²). I m² correspond à une surface équivalente à un carré de I mètre de coté.
Pour les terrains, la surface s'exprime parfois en are (a) : I a = 100 m².

Volume (V)
Unité de base : le **mètre cube** (m³). I m³ correspond à un volume équivalent à un cube de I mètre de coté.

Angle (souvent repéré par la lettre « α » prononcé *alpha*)
Unité de base en France : le **degré** (°).
Autres unités utilisées : le grade ou le radian
avec 360° = 400 gr = 2π rd.

Pente (déclivité, inclinaison…)
Unités utilisées :
• le **degré** (°). Une pente de 40° forme un angle de 40° par rapport à l'horizontale ;
• le **pourcentage** (pour cent, %). Une pente de 30 % correspond à une déclinaison de 30 cm par mètre.

Latitude et longitude
Unité : le **degré** (°). L'origine pour la latitude est l'équateur, pour la longitude le méridien de Greenwich.

La masse (M)
Deux unités sont couramment utilisées : le **kilogramme** (kg) et la **tonne** : I t = I 000 kg.

Masse volumique (ρ prononcé *rhô*)
Unité de base : le **kilogramme par mètre cube** (kg/m³). On la trouve également quelquefois exprimée en tonne par mètre cube : I t/m³ = I 000 kg/m³.

Temps (t)
Unité de base : la **seconde** (s). Egalement exprimée en minute ou en heure. I h = 60 min = 3 600 s.

Vitesse (V)
La vitesse d'un fluide (air, eau…) est usuellement exprimée en **mètre par seconde** (m/s).

Température (T)
Unité utilisée en France : le **degré Celsius** (°C) et, pour certaines professions : le Kelvin (K).
L'origine des degrés Celsius correspond à la température de fusion de la glace (0 °C).
L'origine des Kelvin correspond au zéro absolu (-273,15 °C).

Différence de température (Δ**T**, prononcé *delta té*)
Unité : le **Kelvin** (K).
Anciennement exprimée en degré Celsius, les équivalences sont systématiques (une différence de I Kelvin équivaut à une différence de I degré Celsius).

Différentes références de températures
• Pour le dimensionnement d'un chauffage, on utilise :
– la température intérieure de base : 19 °C pour les locaux d'habitation en France ;
– la température extérieure de base : moyenne des jours les plus froids du lieu (a).
• Pour le calcul prévisionnel des consommations de chauffage, on utilise les **degrés jours unifiés** (DJU).
Les DJU permettent d'exprimer la sévérité du climat*. Ils correspondent, pour un lieu, au cumul des écarts de températures de chaque jour de la période de chauffe (I er octobre/20 mai) par rapport à un seuil donné (généralement 18 °C, on parle alors de DJU base 18).
(a) *De nombreuses bases de données renseignent sur ces valeurs qui dépendent de la région, du micro climat du lieu et de son altitude. (Voir entre autre le site de météo France : www.meteofrance.com)*

Pression
Unité S.I. ° : le **Pascal** (Pa). On l'utilise pour quantifier la pression atmosphérique (environ I 013 hectopascals) mais également la pression d'un fluide (air ou eau dans une installation de chauffage…).

Débits (« D », quelquefois « Q »)
Unité usuelle : le **mètre cube par heure** (m³/h) ou par seconde (m³/s).
Pour une installation de ventilation, on peut exprimer les débits en volume par heure (V/h). Dans ce cas, « volume » correspond à l'ensemble du volume des pièces à ventiler.

Energie (E)
Unités usuelles dans le bâtiment : le **watt-heure** (Wh) et le **kilowatt-heure** (kWh) : I kWh = I 000 Wh.
• *L'unité S.I. ° pour l'énergie est le **joule** (J) : I Wh = 3 600 J.*
• *D'autres unités peuvent également être rencontrées :*
– la **calorie**, avec I cal = 4,18 J (chaleur nécessaire pour élever I gramme d'eau de I K) ;
– la **thermie**, avec I th = 10⁶ cal ;
– la **tonne équivalent pétrole**, avec I tep = 10 000 th (chaleur recueillie par la combustion parfaite d'une tonne de pétrole).

Consommations d'énergie
Elles s'expriment en quantité (d'énergie) par période de référence. On parle usuellement de **kWh/jour** ou **kWh/an** (kilowatt-heure par jour ou par an). Ces valeurs expriment pour un élément donné (le chauffage, la production d'eau chaude sanitaire, la consommation d'un téléviseur…) la quantité d'énergie primaire* qu'il dépense en un jour, un an.

Puissance (P)
Les unités les plus utilisées dans le bâtiment sont le **watt** (W) et le **kilowatt** : I kW = I 000 W.
Le kW est par exemple l'unité utilisée pour qualifier la

° S.I. : Système International

puissance d'une installation individuelle : une chaudière de 20 kW sera capable de produire 20 kWh de chaleur en 1 heure.

*En concordance avec le joule, unité universelle d'énergie, on parle aussi de **joule par seconde**, avec 1 J/sec = 1 W.*

Unités des caractéristiques thermiques statiques

- **Coefficient de conductivité thermique** (λ prononcé *lambda*) : en **watt par mètre Kelvin** (W/m.K).
- **Coefficient de transmission thermique surfacique** (U) **watt par mètre carré Kelvin** (W/m².K).

  U communément appelé « coefficient de transmission » peut s'appliquer à un matériau, une paroi, un bâtiment.

- **Résistance thermique** (R) : en **mètre carré Kelvin par watt** (m².K/W).
- **Chaleur spécifique** (C) : en **wattheure par kilogramme Kelvin** (Wh/kg.K).

  Également appelée chaleur massique ou capacité thermique massique, elle peut s'exprimer en joule par kilogramme Kelvin avec 1 Wh/kg.K = 3 600 J/kg.K.

- **Capacité thermique** (ρC prononcé *rhô cé*) : en **watt-heure par mètre cube Kelvin** (Wh/m³.K).

  Également appelée capacité thermique massique, quelquefois chaleur volumique, ρC peut s'exprimer en joule par mètre cube Kelvin avec 1 Wh/m³.K = 3600 J/m³.K.

- **Coefficient de transmission linéique**, (ψ prononcé *psi*) : en **watt par mètre Kelvin** (W/m.K).
- **Inertie**. L'inertie d'une paroi s'exprime usuellement en **watt par mètre carré** (W/m²).

Unités des caractéristiques thermiques dynamiques

- **Diffusivité thermique** (a) : en **mètre carré par heure** (m²/h).
- **Effusivité thermique** (b) : en **watt racine carré d'heure par mètre carré Kelvin** (W.h^{0,5}/m²K).

Performance d'un bâtiment

La performance d'un bâtiment est généralement donnée par une valeur rapportée à une unité de surface (usuellement le m²) et ce, pour une période donnée.

On parlera souvent de **kWh/m².an** (kilowatt-heure par mètre carré an) pour exprimer la performance thermique d'un bâtiment. Selon les bases retenues, cette valeur fera référence aux seuls besoins d'énergie primaire* pour le chauffage ou pour le chauffage additionné des besoins estimés de refroidissement, des consommations du système de ventilation et de production d'eau chaude sanitaire.

– L'unité de surface de référence diffère selon le pays. Généralement, elle correspond au m² de plancher. Certains pays préfèrent mesurer en m³ le volume intérieur du bâtiment.

– Les performances sont quelquefois exprimées en litre defioul/m².an : 1 litre de fioul = 10 kWh.

– La référence est le kWh d'énergie primaire.*

Rapports

Un rapport est une comparaison entre deux valeurs de même nature. Il s'exprime en pourcentage (%) ou par un nombre (sachant que 100 % = 1 ; 200 % = 2 ; 10 % = 0,1…).

De nombreuses données s'expriment ainsi dans le bâtiment, entre autres :

- – le coefficients d'absorption : α (alpha) ;
- – le coefficient de réflexion : ρ (rhô) ;
- – le coefficient de transmission : τ (tau) ;
- – le facteur solaire : g ;
- – le rendement : η (êta) ;
- – l'humidité relative : HR.

Unités et décimales

De nombreuses unités prennent des préfixes pour exprimer des grandeurs supérieures ou inférieures. On trouvera couramment dans le bâtiment :

– milli + unité de référence : par exemple 1 millimètre (mm) = 0,001 m soit 10^{-3} m ;

– centi + unité de référence : par exemple 1 centimètre (cm) = 0,01 m soit 10^{-2} m ;

– déci + unité de référence, avec par exemple 1 décimètre (dm) = 0,1 m soit 10 ;

– déca + unité de référence, avec par exemple 1 décamètre (dam) = 10 m soit 10^{1} ;

– hecto + unité de référence, avec par exemple 1 hectomètre (hm) = 100 m soit 10^{2} ;

– kilo + unité de référence, avec par exemple 1 kilomètre (km) = 1 000 m soit 10^{3}.

CARACTÉRISTIQUES THERMIQUES DES MATÉRIAUX

Matériaux	ρ Masse volumique		λ Conductivité thermique	C Chaleur spécifique		ρC Capacité thermique (volumique)	a Diffusivité thermique	b Effusivité thermique
	kg/m³		W/m.K	Wh/kg.K		Wh/m³.K	m²/h	en W.h^{0,5}/m².K
Pierres								
Marbres, gneiss, porphyres	2300/	2900	3,500	0,28		722	$4,85 \times 10^{-3}$	50,3
Granites	2500/	2700	2,800	0,28		722	$3,88 \times 10^{-3}$	45,0
Roches volcaniques/ basaltes	2700/	3000	1,600	0,28		792	$2,02 \times 10^{-3}$	35,6
Roches volcaniques/laves	<	1600	0,550	0,28		444	$1,24 \times 10^{-3}$	15,6
Calcaire/ pierre dure	2000/	2190	1,700	0,28		582	$2,92 \times 10^{-3}$	31,5
Calcaire/ pierre tendre	1600/1790		1,100	0,28		471	$2,34 \times 10^{-3}$	22,8
Calcaire/ pierre très tendre	<	1470	0,850	0,28		408	$2,08 \times 10^{-3}$	18,6
Meulières lourdes	1900/	2500	1,800	0,28		611	$2,95 \times 10^{-3}$	33,2
Meulières légères	1300/	1900	0,900	0,28		444	$2,03 \times 10^{-3}$	20,0
Ponce naturelle	<	400	0,120	0,28		111	$1,08 \times 10^{-3}$	3,7
Bétons								
Béton plein	2000/	2600	1,800	0,28		639	$2,82 \times 10^{-3}$	33,9
Béton armé standard	2300/	2400	2,300	0,28		653	$3,52 \times 10^{-3}$	38,7
Parpaing de ciment (agglo, bloc béton...)	850/	950	0,900	0,28		250	$3,60 \times 10^{-3}$	15,0
Bétons de granulats légers	1400/	1600	0,520	0,28		417	$1,25 \times 10^{-3}$	14,7
Bétons de granulats légers	1000/	1200	0,350	0,28		306	$1,15 \times 10^{-3}$	10,3
Bétons de granulats très légers	600/	800	0,310	0,28		194	$1,59 \times 10^{-3}$	7,8
Bétons de granulats très légers	400/	600	0,240	0,28		139	$1,73 \times 10^{-3}$	5,8
Parpaing en pierre ponce	500/	600	0,140	0,28		153	$0,92 \times 10^{-3}$	4,6
Béton cellulaire	775/	825	0,290	0,28		222	$1,31 \times 10^{-3}$	8,0
Béton cellulaire	575/	625	0,210	0,28		167	$1,26 \times 10^{-3}$	5,9
Béton cellulaire	375/	425	0,140	0,28		111	$1,26 \times 10^{-3}$	3,9
Terre, plâtres et autres conglomérats								
Brique de terre cuite pleine	2300/	2400	1,040	0,28		653	$1,59 \times 10^{-3}$	26,1
Brique de terre cuite pleine	1600/	1700	0,640	0,28		458	$1,40 \times 10^{-3}$	17,1
Brique de structure	650/	800	0,420	0,29		208	$2,02 \times 10^{-3}$	9,3
Briques auto-isolante	700/	750	0,120	0,28		202	$0,59 \times 10^{-3}$	4,9
Plâtres courants	<	1000	0,400	0,28		278	$1,44 \times 10^{-3}$	10,5
Plâtre avec granulats légers	500/	600	0,180	0,28		153	$1,18 \times 10^{-3}$	5,2
Plaques de plâtre	750/	900	0,250	0,28		229	$1,09 \times 10^{-3}$	7,6
Mortier lourd (ciment...)	1800/	2000	1,300	0,28		528	$2,46 \times 10^{-3}$	26,2
Mortier mi-lourd (chaux...)	1600/	1800	1,000	0,28		472	$2,12 \times 10^{-3}$	21,7
Mortier d'enduit allégé	500/	750	0,300	0,28		174	$1,73 \times 10^{-3}$	7,2
Terre-paille	1000/	1200	0,400	0,44		489	$0,82 \times 10^{-3}$	14,0
Terre-paille	600/	800	0,220	0,42		292	$0,75 \times 10^{-3}$	8,0
Terre-paille	300/	400	0,110	0,39		136	$0,81 \times 10^{-3}$	3,9
Pisé, bauge, bétons de terre	1770/	2000	1,100	0,42		785	$1,40 \times 10^{-3}$	29,4
Briques de terre crues, enduit terre...	1400/	1600	0,600	0,44		667	$0,90 \times 10^{-3}$	20,0
Sables et graviers	1700/	2200	2,000	0,28		542	$3,69 \times 10^{-3}$	32,9
Argiles ou limons	1200/	1800	1,500	0,50		750	$2,00 \times 10^{-3}$	33,5
Végétaux								
Feuillus mi-lourds, résineux très lourds	600/	870	0,230	0,44/	0,62	392	$0,59 \times 10^{-3}$	9,5
Feuillus légers, résineux mi-lourds	435/	550	0,150	0,44/	0,62	263	$0,57 \times 10^{-3}$	6,3
Résineux légers, feuillus très légers	200/	435	0,130	0,44/	0,62	169	$0,77 \times 10^{-3}$	4,7
Panneaux de bois aggloméré (lourds)	640/	820	0,180	0,47/	0,66	414	$0,44 \times 10^{-3}$	8,6
Panneaux de bois aggloméré (légers)	180/	270	0,100	0,47/	0,66	128	$0,78 \times 10^{-3}$	3,6
Panneaux contreplaqués (lourds)	750/	900	0,240	0,44/	0,62	440	$0,55 \times 10^{-3}$	10,3
Panneaux contreplaqués (légers)	250/	350	0,110	0,44/	0,62	160	$0,69 \times 10^{-3}$	4,2
Panneaux OSB (lamelles orientées)	<	650	0,130	0,47/	0,66	368	$0,35 \times 10^{-3}$	6,9
Panneaux laine de bois	550/	750	0,180	0,47/	0,66	368	$0,49 \times 10^{-3}$	8,1
Panneaux laine de bois	200/	350	0,100	0,47/	0,66	156	$0,64 \times 10^{-3}$	3,9
Panneaux laine de bois	150/	200	0,070	0,47/	0,66	113	$0,62 \times 10^{-3}$	2,8
Panneaux laine de bois léger	130/	150	0,042	0,47/	0,66	113	$0,37 \times 10^{-3}$	2,2
Panneaux de paille comprimée	300/	400	0,120	0,39/	0,54	163	$0,73 \times 10^{-3}$	4,4
Bottes de paille (flux thermique perpendiculaire aux fibres)	75/	90	0,040	0,39/	0,54	39	$1,04 \times 10^{-3}$	1,2
Bottes de paille (flux thermique sens des fibres)	75/	90	0,070	0,39/	0,54	39	$1,82 \times 10^{-3}$	1,6
Enduits chanvre-chaux + B4	700/	950	0,180	0,39/	0,54	385	$0,47 \times 10^{-3}$	8,3

Matériaux	ρ Masse volumique		λ Conductivité thermique	C Chaleur spécifique (volumique)		ρC Capacité thermique	a Diffusivité thermique	b Effusivité thermique
	kg/m³		W/m.K	Wh/kg.K		Wh/m³.K	m²/h	en W.h^{0,5}/m².K
Béton de chanvre (pour murs)	400/	450	0,110	0,42/	0,58	213	0,52 × 10⁻³	4,8
Chènevotte brute en vrac	100/	120	0,047	0,44/	0,62	59	0,80 × 10⁻³	1,7
Bétons de copeaux de bois	450/	650	0,160	0,28/	0,39	183	0,87 × 10⁻³	5,4
Panneaux bois/liant hydraulique	<	1200	0,230	0,47/	0,66	680	0,34 × 10⁻³	12,5
Panneaux bois/liant hydraulique	450/	550	0,110	0,47/	0,66	283	0,39 × 10⁻³	5,6
Panneaux bois/liant hydraulique	250/	350	0,100	0,47/	0,66	170	0,59 × 10⁻³	4,1
Laine de chanvre, de lin, de coco	40/	60	0,060	0,44/	0,62	27	2,25 × 10⁻³	1,3
Laine de chanvre, de lin, de coco	20/	40	0,065	0,44/	0,62	16	4,06 × 10⁻³	1,0
Liège comprimé	450/	550	0,100	0,43/	0,61	260	0,38 × 10⁻³	5,1
Liège expansé	100/	150	0,049	0,43/	0,61	65	0,75 × 10⁻³	1,8
Laine de cellulose soufflée ou injectée (densité moyenne)	40/	50	0,042	0,43/	0,61	20	2,15 × 10⁻³	0,9
Laine de cellulose soufflée (densité faible)	20/	30	0,043	0,43/	0,61	11	3,97 × 10⁻³	0,7
Autres isolants								
Laine de verre (densité forte)·	40/	150	0,039	0,29		27	1,43 × 10⁻³	1,0
Laine de verre (densité moyenne)	15/	40	0,041	0,29		8	5,21 × 10⁻³	0,6
Laine de verre (densité faible)	7/	15	0,050	0,29		3	15,89 × 10⁻³	0,4
Laine de roche (densité forte)	40/	200	0,045	0,29		34	1,31 × 10⁻³	1,2
Laine de roche (densité moyenne)	25/	40	0,044	0,29		9	4,73 × 10⁻³	0,6
Laine de roche (densité faible)	15/	25	0,050	0,29		6	8,74 × 10⁻³	0,5
Polystyrène expansé (densité forte)	30/	30	0,038	0,40		12	3,14 × 10⁻³	0,7
Polystyrène expansé (densité moyenne)	15/	30	0,042	0,40		9	4,63 × 10⁻³	0,6
Polystyrène expansé (densité faible)	7/	15	0,050	0,40		4	11,29 × 10⁻³	0,5
Mousse de polyuréthane	27/	60	0,032	0,39		17	1,89 × 10⁻³	0,7
Plaque de verre cellulaire	140/	180	0,057	0,28		44	1,28 × 10⁻³	1,6
Plaque de verre cellulaire	110/	140	0,051	0,28		35	1,47 × 10⁻³	1,3
Laine de mouton, plumes…	20/	50	0,060	0,44		16	3,86 × 10⁻³	1,0
Laine de mouton, plumes…	10/	20	0,065	0,44		7	9,75 × 10⁻³	0,7
Autes matériaux								
Acier		7800	50,000	0,13		975	51,28 × 10⁻³	220,8
Aluminium		2700	230,000	0,24		660	348,48 × 10⁻³	389,6
Cuivre		8930	380,000	0,11		943	403,14 × 10⁻³	598,5
Zinc		7200	110,000	0,11		760	144,74 × 10⁻³	289,1
Verre		2500	1,000	0,21		521	1,92 × 10⁻³	22,8
Air		1,23	0,025	0,28		0,34		
Argon		1,7	0,017	0,14		0,25		
Krypton		3,56	0,009	0,07		0,24		
Xénon		5,68	0,005	0,04		0,25		
Glace à -10°C		920	2,300	0,56		511	4,50 × 10⁻³	34,3
Neige fraîchement tombée (< 30 cm)		100	0,050	0,56		56	0,90 × 10⁻³	·1,7
Neige compactée (> 200 mm)		500	0,600	0,56		278	2,16 × 10⁻³	12,9
Eau à 10°C		1000	0,600	1,16		1164		

• Les valeurs de ce tableau proviennent de la base de données accompagnant la Réglementation thermique française (1), excepté pour les écritures bleues et les :
– lignes bleues : livret *Chauffage : déperditions de base* (voir biblio) ;
– lignes vertes : livre *Architecture climatique* (voir biblio) ;
– lignes jaunes : diverses études scientifiques récentes (ADEME/FFB/CEBTP, « Fachverland Strohballenbau » (www.fasba.de) et ENTPE) ;
– lignes orange : Avis Technique français/CSTB (ATec n° 16/92-252, n° 16/00-399, n° 20/01-01 et 20/01-02) et certificat ACERMI 04/090/370 ;
– textes orange : cellules renseignées par analogie aux autres données de référence.
• Un recoupement entre les valeurs de ce tableau et d'autres bases de données fait apparaître que :
– les valeurs concernant la conductivité thermique données dans le document officiel sont, principalement pour les isolants, moins bonnes que celles données par les fabricants. Ceci s'explique principalement par deux faits :
   – le lambda renseigné dans la base de données de référence est le « lambda utile » soit une humidité relative (HR) de 50 %. Celui donné par les fabricants est généralement le « lambda sec » (calculé sur un matériau ayant une HR de 0 %) ;

– les valeurs laissées dans le tableau de référence sont des données par défaut c'est-à-dire qu'elles renseignent chaque type de matériaux sur une valeur minimum. Ces valeurs de base peuvent être remplacées par d'autres si elles sont attestées dans un document technique spécifique au matériau présenté (Avis technique, Certifications ACERMI…).
– Les valeurs concernant la capacité thermique des matériaux sont très peu affinées dans le document de référence français, ce qui joue particulièrement en défaveur des matériaux à base de fibres végétales. Certaines cases de la colonne C sont donc doublement renseignées :
   – en noir les valeurs données dans le document de référence français ;
   – en bleu ces mêmes valeurs majorées de 40 % dans le but d'approcher celles des bases de données européennes. (En attente de protocoles d'essais validés au niveau européen, on admettra que la valeur réelle est comprise entre les deux valeurs données.)
Pour les lignes concernées, la valeur des colonnes D, E et F est calculée à partir de la valeur moyenne des deux performances données pour la capacité thermique.

1. Réglementation thermique 2000/Guide CSTB, voir biblio. (Pour avoir un nombre plus important de matériaux renseignés, voir le chapitre « Règles Th-U ».

RÉGLEMENTATIONS, NORMES, DTU, CERTIFICATIONS, LABELS...

L'accumulation de textes de références, de cahier des charges, de certifications... aboutit à ce que les usagers mais également les professionnels du bâtiment ne sachent plus exactement ce qui est obligatoire, optionnel, fortement conseillé...

Les textes officiels

• **Les lois, décrets d'application, arrêtés** (interministériels, ministériels, préfectoraux...) sont les textes officiels édictés en France. C'est le cas par exemple :
– de la réglementation thermique (RT 2000) qui est régie par une loi (n° 96-1236) et plusieurs décrets d'applications (n° 2000-1153 du 29 novembre 2000...) ;
– de la réglementation sur la ventilation des locaux (arrêtés du 24 mars 1982 et du 28 octobre 1983...).
Le respect de ces textes est obligatoire : quiconque y déroge se trouve en infraction.

Pour apporter plus de lisibilité, la plupart de ces textes officiels sont classées dans des recueils thématiques : ce sont les **Codes**. *Par exemple : les Codes du travail, de l'urbanisme, de la construction...*
Parallèlement aux textes obligatoires, certains textes officiels sont seulement informatifs. Il s'agit des circulaires, questions écrites, notes, instructions...

Les textes techniques de références

• **Les normes.** Textes de référence rédigés par un comité d'experts représentant principalement l'État, les industriels et des interprofessionnelles. Les normes proposent des solutions à des problématiques techniques et/ou commerciales concernant des produits, des biens ou des services. Les normes sont d'origine française (NF), européenne (EN) ou internationale (ISO).

• **Les DTU.** Rédigés par des groupes d'experts, les document techniques unifiés sont des textes techniques qui traitent de la conception et de l'exécution des ouvrages du bâtiment. Ils ne concernent que des produits et des mises en œuvre connus et maîtrisés depuis plusieurs années et par un groupe de professionnels représentatifs.

• **Les normes-DTU.** Les DTU n'étant pas reconnus au niveau européen, ils doivent être repris sous formes de textes écrits sous l'autorité de l'AFNOR. Ils deviennent alors des normes-DTU.

• **Les règles professionnelles.** Également écrits par un comité d'experts reconnus, ces textes, similaires aux DTU décrivent les techniques et mises en œuvre non encore reconnues comme traditionnelles ou suffisamment représentatives ou maîtrisées pour faire l'objet d'un DTU, d'une norme ou d'une norme DTU.

Sauf rares exceptions, le respect des textes de référence n'est pas obligatoire. Néanmoins :
– les références qu'ils font aux textes officiels à caractère obligatoire sont à respecter ;
– ils deviennent obligatoires à partir du moment ou leur respect est mentionné dans un document (marché, règlement d'urbanisme...) signé entre les parties ;
– en cas de litiges, les experts techniques ou judiciaires font souvent référence à ces documents.

Autres textes techniques

• **Les Avis techniques (ATec).** En France les avis techniques, délivrés par le CSTB, expriment, pour un temps limité et pour une mise en œuvre particulière, un avis d'experts sur un matériau industriel.

• **Les Appréciations techniques expérimentales (ATEx).** Délivrée par le CSTB, une ATEx exprime, pour un chantier donné, un avis sur un matériau industriel et sa technique de mise en œuvre.

Pour les fabricants de matériaux, l'ATEx est souvent vue comme un marchepied pour l'ATec, et l'ATec comme une étape provisoire dans l'attente de l'écriture d'une norme ou d'un DTU spécifiant la mise en œuvre du type de produits proposés.

Les règles de l'art

Expression souvent utilisée malgré une absence de définition explicite, le « respect des règles de l'art » désigne généralement le respect des textes réglementaires, des textes de référence et autres textes techniques (lorsqu'ils existent dans le domaine imparti). Ce respect des règles de l'art permet :
– aux professionnels du bâtiment :
    – d'avoir plus facilement accès aux garanties professionnelles qu'ils se doivent d'apporter aux travaux qu'ils réalisent (garantie biennale, garantie décennale...) ;
    – d'avoir des documents techniques de base pour renseigner, justifier ou accompagner leurs prestations.
– aux particuliers : l'assurance d'avoir des mises en œuvre éprouvées de matériaux ayant fait l'objet de mises au point et de contrôles.
Plus généralement, le respect des règles de l'art sera souvent vu comme un gage de compétence et de professionnalisme.

Les certifications et labels

• **Les certifications** sont des attestations qu'un produit ou service est conforme à des caractéristiques décrites dans un cahier des charges prédéfini. La certification est une démarche volontaire ayant pour but de mettre en valeur un produit (par rapport à la concurrence).

En France, on distingue :
– Les certifications officielles qui sont données par un organisme accrédité par le comité français d'accréditation (COFRAC) ;
– Les auto-certifications qui sont généralement gérées par des groupements d'intérêts particuliers.
Si les certifications officielles représentent une garantie vis-à-vis du respect d'une méthodologie propre (transparence, contrôles...), de nombreuses auto-certifications, entre autres celles issues d'organismes sans buts lucratifs (interprofessionnelles, associations, collectivités...) se trouvent être plus ambitieuses et pertinentes.

• **Les labels** sont des appellations qui attestent une origine particulière ou le respect d'un cahier des charges. Les termes label et labellisation sont souvent employés comme synonymes à certification (officielle ou auto-certification).
Le fait d'avoir recours à un produit certifié peut être imposé pour avoir des avantages particuliers. C'est le cas par exemple avec l'installation d'un chauffe-eau solaire : si l'on veut avoir droit à un crédit d'impôts, le matériel doit être certifié « CSTBât® » ou « Solar Keymark ».

RÉGLEMENTATIONS THERMIQUES : RT 2000, RT 2005…
ET CERTIFICATION « BASSE ÉNERGIE »

Le premier choc pétrolier a fait réaliser que les bâtiments que nous construisions depuis l'avènement des techniques de construction contemporaines l'étaient sans véritables soucis thermiques. Pour réagir à cette situation est apparu dès 1974 la première réglementation thermique. Depuis, les textes réglementaires se suivent, se complexifient mais prennent chaque fois en compte des points nouveaux et imposent chaque fois des performances à atteindre accrues. Par exemple :
– les bâtiments construits après la réglementation de 1974 sont revenus aux performances thermiques du parc traditionnel (construit avant 1918) ;
– les bâtiments respectant la réglementation en cours depuis juin 2001 (RT 2000) sont deux fois moins énergivores que les bâtiments construits entre 1974 et 1982.
Désormais, dans le but de s'adapter aux évolutions du prix de l'énergie mais surtout de limiter nos émissions de gaz à effets de serre, il est prévue que les réglementations thermiques françaises, transpositions de la directive européenne PEB (Performance énergétique des bâtiments) se succèdent tous les cinq ans pour chaque fois devenir plus exigeantes. C'est ainsi qu'une nouvelle réglementation (RT 2005) prendra effet au 1er septembre 2006.

La RT 2000, première réglementation d'une nouvelle génération de textes réglementaires comportait des avancées réelles. Entre autres :
– elle harmonisait les modes de calcul français et européens ;
– elle aboutissait à un texte unique, quel que soit le type de bâtiment ;
– elle imposait de véritables exigences également pour le tertiaire ;
– elle intégrait de manière plus ajustée la contribution des ponts thermiques ;
– elle introduisait clairement le souci du confort d'été ;
– elle imposait des valeurs garde-fous à ne dépasser sous aucun prétexte (différentes parois du bâtiment, confort d'été, production d'eau chaude sanitaire, programmation et régulation du système de chauffage…).
Vis-à-vis des performances à atteindre, la RT 2000 imposait plusieurs exigences :
– une performance de l'enveloppe du bâtiment meilleure qu'une valeur de référence à calculer (Ubât < Ubât réf) ;
– une consommation d'énergie inférieure à une valeur de référence à calculer (C < Créf)(1) ;
– une température d'été inférieure à une référence à calculer (Tic < Tic réf).

Malgré des avancées indéniables, la RT 2000 a néanmoins été très critiquée sur trois points :
– le fait que chaque valeur à atteindre le soit par rapport une référence à calculer (Ubât réf, C réf et Tic réf) et non par rapport à des valeurs données en kWh/m².an. Outre le passage obligé par une masse de calculs supplémentaires, cette spécificité française empêche d'avoir une lisibilité des performances réelles de chaque bâtiment ;
– l'indexation des valeurs à atteindre pour chaque projet sur certaines spécificités propres à l'opération (climat, énergie de chauffage, type de bâtiment, …) augmente le manque de lisibilité mais surtout aboutit à un véritable droit à consommer et à polluer (2) ;
– le niveau peu élevé des valeurs à atteindre (voir encadré p. 38)

empêche d'infléchir la courbe ascendante des consommations du secteur du bâtiment en France.

En marge de la RT 2000, le ministère de l'Équipement (www.logement.equipement.gouv.fr) propose pour les maisons individuelles non climatisées utilisant des systèmes constructifs référencés une méthode simplifiée « à points » pour vérifier leur conformité à la réglementation. Si cette initiative est louable à plusieurs titres, elle permet à ces projets, souvent conçus sans compétences thermiques particulières, de s'abstenir de faire appel à un thermicien… ce qui semble moins pertinent.

Aujourd'hui, la RT 2005, comme la RT 2000 en son temps comporte plusieurs points de progrès :
– en plus des valeurs garde-fous de la réglementation précédente, la RT 2005 apporte des maximums clairement définis à ne pas dépasser pour la performance de l'enveloppe du bâtiment (Ubât max) et la consommation énergétique du bâtiment (C max) ;
– elle intègre l'ensemble des besoins de climatisation ;
– elle reconnaît mieux la contribution des énergies renouvelables, des équipements de chauffage (chaudières à condensations…) et de la conception bioclimatique (compacité du bâtiment, apports solaires…).

Mais, outre les critiques apportées précédemment à la RT 2000 et qui restent d'actualité, force est de constater que la nouvelle réglementation :
– impose des niveaux de performances (de 15 % supérieurs en moyenne à ceux de le RT 2000) ne permettant toujours pas d'entrevoir un fléchissement réel de la courbe nationale des consommations du secteur du bâtiment… alors que le challenge d'ici 2050 est de diviser par quatre nos émissions de gaz à effets de serre (3) ;
– ne concerne toujours quasiment que la construction neuve alors que le neuf ne représente par an qu'environ 1 % du patrimoine et que la plupart du parc existant est très gourmand en énergie (voir encadré p. 38).

Performances exigées pour différentes parois des bâtiments
(U en W/m².K).
Comparaison entre les valeurs réglementaires et les référentiels des classes de bâtiments performants.
Pour les valeurs réglementaires : valeurs garde-fous (en clair) et valeurs de référence (selon région climatique, en gras).

Type de parois	RT 2000	RT 2005	Basse énergie	Très basse énergie
Murs en contact avec l'extérieur	0.47 à 0.40	0.40 à 0.36	0.20	0.13
Planchers hauts	0.23 à 0.30	0.25 à 0.20	0.13	0.10
Surfaces de plancher bas	0.43 à 0.30	0.36 à 0.27	0.20	0.13
Baies vitrées	2.60 à 2.00	2.10 à 1.80	1.50	0.80

Si les études de scénarios (voir www.negawatt.org et www.ajena.org) nous montrent que pour atteindre le « facteur 4 » d'ici 2050 il faut dès à présent tout construire et tout réhabiliter en « basse énergie », on s'interroge sur l'inadéquation entre la réglementation et autre « plan climat » (www.ecologie.gouv.fr) et les défis environnementaux à tenir. Ce point est d'autant plus surprenant que :

– avec un baril de pétrole brut à 50 dollars les bâtiments « basse énergie* » correspondent déjà au meilleur produit en terme d'investissement… et que cette pertinence économique augmentera régulièrement avec le prix de l'énergie ;

– les professionnels du secteur de la construction ont l'habitude de relever et de tenir les défis si on leur explique pourquoi le faire et que les objectifs à atteindre sont clairement formalisés ;

– il est plus motivant pour un acteur de terrain de « retrousser ses manches » pour un résultat ouvertement amélioré plutôt que changer ses habitudes tous les cinq ans pour faire des sauts de puces.

Mais si une réglementation impose des niveaux minimums, elle n'empêche nullement les acteurs, quels qu'ils soient, de faire mieux et de prendre des initiatives. Les hauts fonctionnaires du ministère de l'Équipement disent eux-mêmes que :

– la réglementation est le résultat de compromis et ne fixe que les valeurs planchers ;

– les valeurs réglementaires sont à comparer à une voiture balai… et les initiatives d'échappée d'une partie du peloton ne peuvent être que profitables au groupe.

C'est dans cette dynamique qu'un collectif composé de collectivités territoriales, d'associations, de scientifiques, d'industriels et de banques s'organise pour relever le défi de la « basse énergie* » et de la « très basse énergie* » en France. Et, c'est en s'inspirant entre autre du succès de la certification suisse de MINERGIE® (4) que le collectif Effinergie va animer, dès 2006 dans certaines régions françaises, un programme de promotion de la performance énergétique dans le bâtiment (5).

1. La réglementation thermique prend en compte les consommations de chauffage, de production d'ECS (eau chaude sanitaire), les consommations des auxiliaires de chauffage et de ventilation.
2. Voir encadré p. 38 et étude « Guide for a building energy label », Armines/Cler (www.cler.org/predac).
3. Engagements des principaux pays occidentaux (dont la France) pour 2050 (voir entre autre : www.manicore.fr).
4. MINERGIE® : www.minergie.ch
5. Les membres fondateurs de l'association Effinergie sont les conseils régionaux d'Alsace, de Franche-Comté et de Languedoc-Roussillon, le CSTB, la Caisse des Dépôts et Consignations, la groupe Banque populaire, le collectif d'industriels « Isolons la terre contre le CO$_2$ » et les associations AJENA, CEFIIM et ARRE. Contact provisoire : sc.ajena@wanadoo.fr

Liste des sigles

ADEME – Agence de l'environnement et de la maîtrise de l'énergie
AFME – Agence française pour la maîtrise de l'énergie (remplacée par l'ADEME)
AFNOR – Association française de normalisation
AJENA – Association pour l'énergie et l'environnement en Franche-Comté
ANACT – Agence nationale pour l'amélioration des conditions de travail
CAUE – Conseils en architecture, urbanisme et environnement
CEDER – Centre d'étude et de développement des énergies renouvelables dans la Drôme
CETIAT – Centre technique des industries aérauliques et thermiques

CLER – Comité de liaison énergies renouvelables
CNDB – Comité national pour le développement du bois
COSTIC – Comité scientifique et technique des industries climatiques
COV – Composés organo-volatils
CSTB – Centre scientifique et technique du bâtiment
DDE – directions départementales de l'équipement)
FFB – Fédération française du bâtiment
GES – Gaz à effet de serre
MELT – Ministère de l'Équipement, du Logement et des Transports
OPATB – Opérations programmées d'ppmélioration thermique et énergétique des tbâtiments
PLU – Plans locaux d'urbanisme

APPROCHE ÉCONOMIQUE

Préalable

Cette annexe propose une approche strictement économique et financière de l'optimisation énergétique des bâtiments en termes de rapports coûts d'investissements/coûts de fonctionnement.

• Pour les bâtiments neufs, nous considérons que la conception bioclimatique se résume en termes comptables en une optimisation thermique des projets, les faisant passer de la classe standard à la classe « basse énergie* » (voir encadré p. 38).

• Pour les bâtiments en réhabilitation, la conception bioclimatique est considérée équivalente en coûts et en performances à une réhabilitation « basse énergie* » (voir encadré p. 38).

• Faute de données économiques repérables cette approche n'intègre pas la perte de valeur du patrimoine immobilier thermiquement non optimisé. Fait qui ne manquera pas d'arriver sous les trois effets cumulés de :

– l'augmentation du prix de l'énergie ;
– la continuelle évolution des réglementations (1) ;
– la lisibilité bientôt imposée des performances des bâtiments (voir encadré « Étiquette énergie » p. 208).

• Cette approche n'aborde aucun des autres bénéfices obtenus qui ne sont pas directement quantifiables au niveau financier : confort accru au niveau thermique ou acoustique, qualité de l'air intérieur améliorée, respect de l'environnement...

Approche économique

Les maîtres d'ouvrage français n'ont pas encore mesuré, sauf exception, l'intérêt d'approcher leur investissement immobilier et les équipements qui l'accompagnent avec un souci de gestion économique adapté à la durée de vie du bien :

– un projet n'est étudié, la majorité du temps, qu'en fonction des seuls coûts d'investissements ;

– l'étude du coût global d'un projet, les rares fois où elle est faite, prend en considération un prix de l'énergie stable et produit donc, malgré une méthode pertinente et complète, des résultats faussés ;

– s'il est envisagé des options d'amélioration, il est appliqué de manière simplifiée un concept inadapté aux achats des particuliers : le « temps de retour sur investissement » (2).

Les tableaux qui suivent permettent de réaliser le coût réel des dépenses de chauffage et la pertinence financière des bâtiments thermiquement performants.

Évolution du coût du poste chauffage

Quatre informations sont à retenir en préalable.

• La facture de chauffage diffère énormément selon le type d'énergie choisie (3).

• La période de l'énergie bon marché s'achève. Si ce constat fait l'unanimité chez les économistes, leurs prévisions d'augmentations annuelles varient énormément. Nous étudions donc trois scénarios possibles d'augmentation du coût de l'énergie en euros constants et pour la période 2005/2035 :

– scénario 1 : 1,50 % d'augmentation annuelle moyenne ;
– scénario 2 : 3,00 % d'augmentation annuelle moyenne ;
– scénario 3 : 6,00 % d'augmentation annuelle moyenne.

• Malgré des origines et des types de production et de distribution différents, les principales énergies (fioul, gaz naturel, GPL et électricité) suivent de manière assez systématique le cours du baril de pétrole brut. Il ne semble donc pas à propos de penser que leur augmentation dans le temps se fera de manière réellement différente.

• Les évolutions climatiques à venir (vers le réchauffement ou vers le refroidissement pour les pays d'Europe occidentale) conjuguées aux incapacités des économistes à estimer les marchés de l'énergie à moyen terme empêchent de faire des estimations supérieures à vingt-cinq ou trente ans.

Prix du kWh produit selon le type d'énergie (avril 2006) (4).

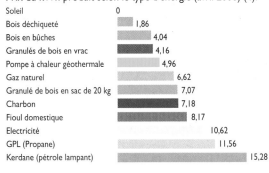

Soleil	0
Bois déchiqueté	1,86
Bois en bûches	4,04
Granulés de bois en vrac	4,16
Pompe à chaleur géothermale	4,96
Gaz naturel	6,62
Granulé de bois en sac de 20 kg	7,07
Charbon	7,18
Fioul domestique	8,17
Electricité	10,62
GPL (Propane)	11,56
Kerdane (pétrole lampant)	15,28

Coûts calculés pour le chauffage d'une maison individuelle de 100 m² moyennement isolée (construction 1989/90) et la production d'eau chaude sanitaire d'une famille de 4 personnes. Maison située à Lons-le-Saunier (Jura), prix hors coût d'investissement et d'entretien, tenant compte du rendement de l'installation.
Source : AJENA, Énergie et Environnement en Franche-Comté (5).

Évolutions d'une facture de chauffage sur la période 2005/2035

En euros constants selon trois scénarios d'évolution de l'énergie, facture de 1 000 euros en 2005.

Facture de chauffage	Scénario 1 (1,5 %)	Scénario 2 (3 %)	Scénario 3 (6 %)
En 2005	1 000	1 000	1 000
En 2010	1 077	1 159	1 338
En 2015	1 161	1 344	1 791
En 2020	1 250	1 558	2 397
En 2025	1 347	1 806	3 207
En 2030	1 444	2 094	4 292
En 2035	1 536	2 427	5 743

Ce tableau montre qu'une facture de chauffage moyenne pour un logement de 100 à 120 m² (1 000 euros en 2005) représentera, en euros constants et selon l'évolution du prix de l'énergie (1,5 ; 3 ou 6 % par an) :

– en 2020, annuellement 1 250 euros, 1 558 euros ou 2 397 euros ;
– en 2035, annuellement 1 536 euros, 2 427 euros ou 5 743 euros.

Coût de la facture de chauffage sur trente ans.

En euros constants selon trois scénarios d'évolution de l'énergie et selon montant de la facture 2005.

	Scénario 1 (1,5%)	Scénario 2 (3%)	Scénario 3 (6%)
Dépenses de chauffage sur 30 ans avec facture 2005 de 800 euros	30 398	39 202	67 041
Dépenses de chauffage sur 30 ans avec facture 2005 de 1 000 euros	37 998	49 003	83 802
Dépenses de chauffage sur 30 ans avec facture 2005 de 1 200 euros	45 597	58 803	100 562
Dépenses de chauffage sur 30 ans avec facture 2005 de 1 500 euros	56 996	73 504	125 703
Dépenses de chauffage sur 30 ans avec facture 2005 de 2 000 euros	75 995	98 005	167 603
Dépenses de chauffage sur 30 ans avec facture 2005 de 2 500 euros	94 994	122 507	209 504

Ce tableau montre que l'argent dépensé pour le chauffage pourra représenter, avec un type d'énergie chère, pour un grand logement ou pour un bâtiment gourmand en énergie, des sommes importantes à très importantes. En prenant par exemple le scénario 2, *a priori* le plus probable, les données présentées dans ce tableau nous font réaliser pourquoi :
– l'ensemble des bâtiments non optimisés thermiquement (y compris les maisons neuves construites aujourd'hui) devra faire l'objet de gros travaux d'amélioration thermique dans les années à venir ;
– le coût du chauffage des bâtiments prendra une place de plus en plus importante dans la valeur de l'immobilier ;
– les banques, soucieuses entre autre de voir leurs clients capables d'honorer leurs remboursements souhaitent de plus en plus avoir des repères leur permettant d'entrevoir la performance du bâti pour lequel elles prêtent sur des périodes de plus en plus longues.
Enfin, ce tableau nous fait réaliser l'ampleur des sommes potentiellement mobilisables pour l'optimisation thermique des bâtiments.

Approche économique de l'optimisation thermique des bâtiments

En se basant sur des coûts de chauffage prévisibles sur une période de référence de trente ans (tableau précédent), quelle est la pertinence, du strict point de vue économique, des investissements dans des bâtiments thermiquement performants ?

Les calculs de simulations suivants sont réalisés sur la base de bâtiments neufs ou existants que l'on fait passer d'une classe de performance « moyenne » à la classe « basse énergie* ». Ils intègrent, toujours sur la base de trois scénarios possibles d'évolution du prix de l'énergie les données suivantes :
– en construction neuve, le surcoût d'un bâtiment « basse énergie* » sur un bâtiment standard est estimé osciller entre 50 et 150 euros du m² ;
– en réhabilitation, le coût des travaux d'optimisation thermique est estimé osciller entre 150 et 250 euros du m² ;
– le coût de l'argent emprunté sur la période de référence (2005/2035) est estimé à 140 %. Ce calcul est réalisé avec un emprunt à 4 % + 0,30 % d'assurance (en euros constants, cela signifie que 1 euro emprunté sera remboursé 1,4 euro).

Aperçu des économies possibles sur le poste chauffage d'un bâtiment neuf passant de la classe de performance standard à la classe « basse énergie* » (a)

En euros constants sur trente ans en fonction du coût des travaux et du scénario d'évolution du prix de l'énergie.

Montant des travaux	50 € le m²	100 € le m²	150 € le m²
Montant total des travaux (en euros constants)	6 000	12 000	18 000
Montant de la somme remboursée (en euros constants)	8 595	17 190	25 785
Scénario 1. Économies réalisées sur le poste chauffage	26 483	26 483	26 483
Bilan financier des travaux d'amélioration thermique	17 888	9 293	698
Scénario 2. Économies réalisées sur le poste chauffage	34 153	34 153	34 153
Bilan financier des travaux d'amélioration thermique	25 558	16 963	8 368
Scénario 3. Économies réalisées sur le poste chauffage	58 407	58 407	58 407
Bilan financier des travaux d'amélioration thermique	49 812	41 217	32 622

On réalise sur cet exemple de bâtiment (relativement performant à l'origine) qu'avec l'option de travaux d'amélioration onéreux (150 euros du m²), un scénario d'évolution de l'énergie minimal (1,5%) et un coût de l'argent emprunté élevé, l'investissement dans la « basse énergie » s'équilibre (698 euros d'économies sur trente ans). Par contre, dès qu'un des critères change, l'investissement devient de rentable à très rentable en favorisant des économies de 9 293 à près 50 000 euros.

(a) Construction projetée à l'origine : logement de 120 m² type standard plutôt performant (facture de chauffage estimée à 1 000 euros/an pour performance du bâtiment estimée à 115 kWh/m².an).
Performance finale projetée : bâtiment « basse énergie », soit 35 kWh/m².an d'énergie primaire pour le poste chauffage (facture finale projetée pour le poste chauffage : 303 euros).

Aperçu des économies possibles sur le poste chauffage d'un bâtiment existant grâce à une réhabilitation « basse énergie » (a)
En euros constants sur trente ans en fonction du coût des travaux et du scénario d'évolution du prix de l'énergie.

Réhabilitation basse énergie d'un logement de 120 m²	150 € le m²	200 € le m²	250 € le m²
Montant des travaux (en euros constants)	18 000	24 000	30 000
Montant de la somme remboursée (en euros constants)	25 785	34 380	42 975
Scénario 1. Économies réalisées sur le poste chauffage	60 796	60 796	60 796
Économie réalisée grâce aux travaux d'amélioration thermique	35 011	26 416	17 821
Scénario 2. Économies réalisées sur le poste chauffage	78 404	78 404	78 404
Économie réalisée grâce aux travaux d'amélioration thermique	52 619	44 024	35 429
Scénario 3. Économies réalisées sur le poste chauffage	134 083	134 083	134 083
Économie réalisée grâce aux travaux d'amélioration thermique	108 298	99 703	91 108

On réalise sur cet exemple choisi dans une gamme de bâtiments représentatifs du parc français que les travaux d'amélioration thermique, bien que non pleinement optimisés (60kWh/m².an) sont systématiquement pertinents en terme d'investissement. Avec une économie de 17 821 euros dans les conditions les plus défavorables à plus de 108 000 euros dans les conditions les plus propices à ce type d'investissement.

(a) Réhabilitation faisant passer le logement existant, moyennement performant (facture de chauffage estimée à 2 000 euros/an pour une surface de 120m² ; performance bâtiment : 300 kWh/m².an) à la classe « basse énergie » (60 kWh/m².an d'énergie primaire pour le poste chauffage soit facture finale projetée après travaux de 600 euros/an).

Ces simulations montrent que l'investissement pour atteindre la classe « basse énergie » est économiquement rentable, jusqu'à très rentable. Néanmoins, la gestion financière de tels choix n'est pas forcément accessible à tous car dans certaines configurations de crédit, les annuités de remboursement pourront être, les premiers mois, voire les premières années, supérieures aux économies réalisées sur la note de chauffage.
De fait, l'outil financier le plus adapté à l'optimisation thermique des bâtiments ne semble pas être la subvention ou la bonification des taux d'intérêts mais l'aménagement de prêts permettant de différer une partie des premiers remboursements (6).

1. Le repère réglementaire du bâtiment standard va évoluer de 10 à 15 % tous les cinq ans dans le but de limiter les émissions de gaz à effets de serre et d'adapter l'habitat au coût croissant de l'énergie. De fait, on estime par exemple qu'un bâtiment construit actuellement et ne répondant qu'aux seules exigences de la réglementation en vigueur nécessitera, d'ici trente ans, de gros travaux d'amélioration énergétique.

2. Le concept du « temps de retour sur investissement » issu de l'industrie et de son système de rémunération du capital, est inadapté au monde du bâtiment et particulièrement à l'habitat :
– il ne considère que le rendement financier des investissements et, en outre, il est basé sur le court terme ;
– dans ses versions simplifiées pour l'habitat il ignore l'augmentation du coût de l'énergie et de fait donne des résultats faux ;
– il réduit à une simple équation financière la part de choix comprise dans tout projet : calcule-t-on le « temps de retour » d'une salle de bain confortable et lumineuse, d'un carrelage choisi pour sa facilité d'entretien ?

3. Si une approche strictement économique sur le court terme peut faire préférer un investissement dans une production de chauffage peu onéreuse plutôt que dans une amélioration thermique du bâtiment, il faut réaliser que, même si c'est à des degrés divers, excepté l'énergie solaire, toutes les productions de chaleur polluent et produisent des gaz à effet de serre.

4. Pour connaître les prix de l'énergie et suivre leur fluctuation :
– www.industrie.gouv.fr/energie/statisti/pegase.htm. Base de données du ministère de l'Industrie sur les statistiques énergétiques ;
– www.atee.fr. Site de l'association technique énergie et environnement où l'on peut suivre l'évolution du prix de l'énergie ;
– http://sidler.club.fr. Site d'Enertech où l'on peut télécharger un argus de l'énergie.
– www.ajena.org. Prix de l'énergie donné dans des conditions habituelles d'utilisation du chauffage domestique.

5. Conditions des calculs : rendement des installations (en gras), coûts de l'énergie livrées, en euros TTC (en clair).
– Bois déchiqueté (appelé également plaquettes) : **80 %**, 52 euros/tonne
– Granulés de bois en vrac : **80 %**, 153 euros/tonne
– Bois en bûches : **65 %**, 42 euros le stère (quartiers de hêtre sciés à 33 cm).
– Pompe à chaleur géothermale : **300 %**, abonnement 12 kVA double tarif (249,03 euros), 40 % de la consommation annuelle en heures creuses (0,0645 euros TTC/kWh), 60 % en heures pleines (0,1058 euros TTC/kWh).
– Gaz naturel : **80 %**, tarif B1 niveau 4 (125,21 euros), 0,043 euros/kg.
– Granulé de bois en sac de 20 kg : **80 %**, 260 euros/tonne.
– Charbon : **75 %**, boulets 9 % de cendres : 0,47 euro le kg.
– Fioul domestique : **80 %**, 0,65 euros/litre.
– Électricité : **98 %**, abonnement de 9 kVA, double tarif (165,23 euros), 40 % de la consommation annuelle en heures creuses (0,0645 euros TTC/kWh), 60 % en heures pleines (0,1058 euros TTC/kWh).
– GPL (propane) : **80 %**, cuve louée (215 euros), 1 euro/kg.
– Kerdane (pétrole lampant) : **75 %**, 1,14 euro le litre.

6. Ce type d'outil, connu sous te terme de tiers investisseurs est actuellement l'objet de pistes de réflexion pour Effinergie (voir annexe p. 228). Il est par ailleurs d'ores et déjà proposé sous forme de propositions commerciales à certains types de maîtres d'ouvrages. C'est le cas par exemple avec le « contrat de performance » de Siemens où les travaux d'amélioration thermiques sont entièrement payés par les économies d'énergie réalisées. Dans ce type de programme, le maître d'ouvrage ne débourse rien. Il s'engage simplement à payer sur un nombre d'année donnée les mêmes notes d'énergie qu'avant les travaux, et ce, non plus à son fournisseur d'énergie mais à son prestataire de services.

Bibliographie et sites internet

Nous décrivons dans cet ouvrage les notions de base permettant de comprendre la logique des solutions bioclimatiques. Ceux qui désirent approfondir ces notions et aller plus loin dans la recherche théorique ou pratique pourront consulter les livres, brochures ou revues répertoriés ci-dessous par thème.

Les ouvrages essentiels ou donnant une vision d'ensemble du thème, et par ailleurs facilement accessibles, sont repérés par un signe particulier (▶).

Un certain nombre de ces ouvrages sont épuisés. La plupart sont cependant consultables dans les bibliothèques des associations militant pour la maîtrise de l'énergie, les énergies renouvelables et la qualité environnementale du bâtiment.

(Attention : à consulter cette masse d'ouvrages passionnés et souvent passionnants datant, pour beaucoup, d'une trentaine d'années, une certaine tristesse risque d'envahir les lecteurs. Que de constructions bâclées depuis, et que de temps perdu !)

Les auteurs adressent un remerciement tout particulier au CEDER (Centre d'étude et de développement des énergies renouvelables) à Nyons (Drôme), à l'AJENA (Énergie et environnement en Franche-Comté) à Lons-le-Saunier (Jura) et à Arcanne (Bâtiment et environnement) à Pagnoz (Jura).

Sur l'histoire de la thermique dans l'habitat
La Psychanalyse du feu, G. Bachelard, Gallimard, coll. « Idées », 1965.
Architecture insolite, B. Rudofsky, Éd. Tallandier, 1979.
> Mauvais titre pour un excellent livre (traduit de l'américain *The Prodigious Builders*). La richesse et l'inventivité des solutions vernaculaires…

Architectures et climats, soleil et énergies naturelles dans l'habitat, G. et J.-M. Alexandroff, Berger-Levrault, 1982.
> Une analyse historique de la conception thermique dans plusieurs civilisations, et les perspectives des années 1980 par deux architectes engagés.

▶ *Le M'zab, une leçon d'architecture*, A. Ravéreau, Sindbad, 1981, rééd. 2003.
> Une leçon magistrale d'adaptation aux multiples contraintes d'un milieu et de gestion intégrée de la problématique thermique.

Habitats, constructions traditionnelles et marginales, collectif, coéd. Alternatives et Parallèles, 1977 (traduit de l'américain *Shelter*).
> La source de beaucoup de vocations, aujourd'hui réédité en anglais : voir www.archilibre.org.

Hors catégories, et pourtant centraux
Architecture animale, K. von Frisch, Albin Michel, 1975.
> Une source d'émerveillements, et pourquoi pas d'inspirations…

Le Chaos sensible, T. Schwenk, Triades, 1963.
> Comment les formes fixes naissent toutes du mouvement.

Les Formes dans la nature, P.S. Stevens, Le Seuil, 1978.
> Par un architecte, poète, photographe, ouvrage indispensable pour approcher les formes mathématiques qui régissent la matière.

Nature and Architecture, P. Portoghesi, Skira (Milan), 2000.
> Un très beau livre d'art comparé par un architecte et historien du mouvement moderne. Toujours pas traduit en français.

Sur le vécu bioclimatique
▶ *Architecture et volupté thermique*, L. Heschong, Parenthèses, 1981.
> Un livre essentiel, et délicieux, pour sortir de l'approche purement mécaniste du confort thermique.

Énergétique des bâtiments, R. Dehausse (coord.), PYC Éditions, vol. I, 1988, et plus particulièrement : « Motivations et comportements des habitants », E. Monnier.

Pour une anthropologie de la maison, A. Rapoport, Dunod, 1973.
> Pour faire la part du déterminisme thermique et des déterminismes culturels dans la construction traditionnelle.

Le vécu de l'habitat bioclimatique chauffé par un foyer fermé au bois, rapport du CEDER, 1993.
> Enquête sur le vécu dans 30 maisons de conceptions et dans des climats différents, dans le sud-est de la France.

Un village du Vaucluse, L. Wylie, trad. française de C. Zins, Gallimard, 1968.
> Récit de l'acclimatation thermique d'une famille américaine dans une maison traditionnelle du Lubéron.

Ouvrages généraux sur les techniques bioclimatiques et écologiques
Énergétique des bâtiments, R. Dehausse (coord.), PYC Éditions, vol. I, 1988, et plus particulièrement : « Conception architecturale et énergie », J. Robert, C. Parent.

Architecture climatique, une contribution au développement durable, t. I : *Bases physiques*, t. II : *Les Dispositifs*, P. Lavigne, Édisud, 1994.
> Ouvrage récent. Le tome I contient tous les éléments de physique nécessaires aux calculs des concepteurs.

L'Habitat bioclimatique, catalogue des techniques : de la conception à la réalisation, R. Camous, D. Watson, L'Étincelle (Montréal), 1983.

▶ *Le Guide de l'énergie solaire passive*, E. Mazria, Parenthèses, 1981.
> Réédité chez le même éditeur en 2005 sous le titre *Le Guide de la maison solaire*.
> Malgré son ancienneté, ouvrage très attrayant et pédagogique qui reste un outil très utile pour le choix et le dimensionnement des dispositifs de captage et de stockage solaires passifs. Il faudra cependant adapter les performances indiquées aux matériaux dont nous disposons aujourd'hui, principalement les vitrages à hautes performances.

Chauffage de l'habitat et énergie solaire, T. Cabirol, D. Faure, D. Roux, Édisud, t. I (1982), t. II (1984).

Soleil, nature, architecture, D. Wright, Parenthèses, 1979. Réédité sous le titre *Manuel d'architecture naturelle*, Parenthèses, 2004.

Archi de soleil, P. Bardou, V. Arzoumanian, Parenthèses, 1978.

Archibio, J.-L. Izard, Parenthèses, 1979.

Guide de l'architecture bioclimatique, cours fondamental, t. I, II, III, A. Liebard, 1996, 1996, 1999 ; t. IV, V, VI, A. Liebard, A. De Herde, 2002, 2003, 2004, LEARNET/Observ'ER, Éd. Systèmes solaires.

Écoconception des bâtiments, bâtir en préservant l'environnement, B. Peuportier, École des mines de Paris, 2003.
> Ouvrage de base pour les professionnels de la conception désirant s'approprier le sujet de la qualité environnementale du bâtiment.

▶ *Éco-logis, la maison à vivre*, T. Schmitz-Günther (dir.), Könnemann, 1998 (1999, pour l'édition française), rééd. 2003.

Qualité environnementale des bâtiments, manuel à l'usage de la maîtrise d'ouvrage et des acteurs du bâtiment, collectif, ADEME, 2002.
> Ouvrage de référence pour les professionnels et les maîtres d'ouvrage souhaitant accompagner leurs projets d'exigences environnementales.

Construire avec le climat, collectif, ministère de l'Environnement, 1979.

Sur la problématique du confort d'été

Fraîcheur sans clim, T. Salomon, C. Aubert, Terre vivante, 2004.

Architectures d'été, construire pour le confort d'été, J.-L. Izard, Édisud, 1993.

L'Homme, l'architecture et le climat, B. Givoni, Le Moniteur, 1978.
> Ouvrage de référence, par le directeur du département de climatologie des constructions au Centre de recherches du bâtiment à Haïfa (Israël), développant particulièrement la conception dans les climats chauds.

L'Inertie thermique en climat méditerranéen, actes du colloque organisé par le pôle construction du Languedoc-Roussillon, 15 mai 2003.

Guide de la protection solaire, t. II, *Bases techniques et scientifiques*, SNFPSA, Éd. Métal service/SEBTP, 2001.

Des arbres et des hommes, architecture et marqueurs végétaux en Provence et Languedoc, J. Ubaud, Édisud, 1997.

André Ravéreau, l'atelier du désert, R. Baudouï et P. Potié (dir.), Parenthèses, 2003.

Permaculture, a Designer's Manual, Bill Mollisson, Tagari (Australie), 1988.

Sur les données climatiques

Atlas climatique de la construction, L. Chémery, P. Duchêne-Marullaz, CSTB, 1987.
> Ouvrage de base pour connaître les principaux paramètres climatiques utiles dans la construction en fonction de la zone géographique : températures, insolation, rayonnement et nébulosité, humidité de l'air, précipitations, vent, etc. Dans la plupart des cas, cet atlas peut éviter le recours aux données statistiques des stations météorologiques régionales dont il est issu.

Atlas énergétique du rayonnement solaire pour la France, J.-F. Tricaud, PYC Éditions, 1976.

Sites
- www.meteofrance.com : Site de Météo France d'où l'on peut soit télécharger, soit commander les principales données climatiques nécessaires supour un projet (vents, pluviométrie, températures journalières, mensuelles, annuelles...
- http://iamest.jrc.it/pvgis/solradframe.php.?europe : page internet pour calculer facilement la solarisation pour toute surface et en tout point, où que l'on soit en Europe.

Sur le changement climatique et ses conséquences économiques

Atlas de la menace climatique, F. Denhez, Autrement, 2005.

Réchauffement climatique, enjeu du siècle, Le Monde, Dossiers et documents, collectif, n° 8, décembre 2005.

Les Grandes Batailles de l'énergie, J.-M. Chevalier, Gallimard, coll. « Folio actuel », 2004.

Stratégie et moyens de développement de l'efficacité énergétique et des sources d'énergie renouvelables, Y. Cochet, La Documentation française, 2000.

L'Avenir climatique, J.-M. Jancovici, Le Seuil, 2002.

L'Effet de serre, H. Le Treut, J.-M. Jancovici, Flammarion, 2004.

Sites
- www.manicore.com : site de référence dédié aux changements climatiques.
- www.ipcc.ch : site du GIEC (Groupe d'experts intergouvernemental sur l'évolution du climat).
- www.iea.org : site de l'Agence internationale de l'énergie (IEA).
- www.wri.org : site du World Resources Institute avec des données téléchargeables en français.
- www.alternatives-economiques.fr : site du mensuel référent, très accessible et complet.
- http://sidler.club.fr : site d'Enertech, d'où l'on peut télécharger un argus de l'énergie.
- www.atee.fr : site de l'association Technique énergie et environnement où l'on peut suivre le prix de l'énergie.
- www.industrie.gouv.fr/energie/statisti/pegase.htm : base de données du ministère de l'Industrie sur les statistiques énergétiques.
- www.ajena.org : prix de l'énergie donné dans des conditions habituelles d'utilisation du chauffage domestique.

Sur l'isolation thermique et la maîtrise de l'énergie

Le Recknagel, Manuel pratique de génie climatique, J.-L. Cauchepin, PYC éditions, 1986.
> Ouvrage de référence sur la thermique, incontournable pour les professionnels.

▶ *L'Isolation écologique, conception, matériaux, mise en œuvre*, J.-P. Oliva, Terre vivante, 2001.
> Ouvrage de référence pour la construction en neuf comme pour la réhabilitation.

RT 2000, Généralités, collectif, FFB, ADEME, METL, éd. SEBTP, 2003.

RT 2000, Exigences minimales, collectif, FFB, ADEME, METL, éd. SEBTP, 2003.

RT 2000, Ponts thermiques, collectif, FFB, ADEME, METL, éd. SEBTP, 2003.

RT 2000, Perméabilité à l'air des bâtiments, collectif, FFB, ADEME, METL, éd. SEBTP, 2003.

Isolation thermique, performance énergétique des éléments opaques et transparents, collectif, ADEME, CSTB Éditions, 2001.

Réglementation thermique 2000, guide CATED, éd. CATED, 2001.

Réglementation thermique 2000, guide CSTB, CSTB Éditions, 2001.

Chauffage : déperditions de base, AICVF (www.aicvf.org), 2003.

Mémento Saint-Gobain Glass, Saint-Gobain Glass France Éditions, 2000.

Climatique et architecture, S. Brindel-Beth, Eliope Éditions.

Guides sectoriels « Bâtiments à haute performance énergétique », collectifs, ADEME, AICVF, PYC Éditions.
> Série d'ouvrages complets concernant chacun un type d'établissement tertiaire particulier.

▶ *La Maison des négawatts*, T. Salomon, S. Bedel, Terre vivante, 2001.
> Petit livre très accessible. Une référence pour savoir comment vivre sans gaspiller l'énergie.

La Maison d'habitation MINERGIE®, Aide à la planification destinée aux professionnels du bâtiment, R. Fraefel, éd. Verein MINERGIE®/association MINERGIE, 3e édition, 2004.

La basse et la très basse énergie dans l'habitat neuf et rénové, P. Lecuelle, Énergivie, 2005.

Bâtiments de logements HQE® économes en énergie et en eau, ALE Lyon/ADEME/Enertech, 2004.

Guilde for a building energy label, E. Poussard et B. Peuportier, CLER, 2004.

Das Niedrig-Energie-Haus, W. Feist, CF Müller Verlag, 1996.
Ouvrage, en allemand, sur l'habitat basse énergie.

Das Passivhaus, Wohnen ohne Heizung, A. Graf, Callwey Verlag (Munich), 2000.
Ouvrage, en allemand, sur l'habitat passif (ou très basse énergie).

Sites
• www.ademe.fr : site de l'Agence de l'environnement et de la maîtrise de l'énergie.
• www.cler.org : site de la fédération des associations de promotion des énergies renouvelables et de la maîtrise de l'énergie.
• www.costic.fr : site du Comité scientifique et technique des industries climatiques.
• www.négawatt.org : site de l'association Négawatt, riche de très nombreuses présentations de scénarios permettant d'entrevoir un futur possible.
• http://sidler.club.fr : site du bureau d'études Enertech comportant de très nombreuses études et références sur la maîtrise de l'énergie.
• www.izuba.fr : site d'IZUBA, société développant des outils d'analyse énergétique, de simulation thermique, de conception bioclimatique…
• www.ajena.org : site de l'association AJENA, Énergie et environnement en Franche-Comté.
• www.minergie.ch : site très complet de l'agence MINERGIE® (label « basse énergie » suisse).
• www.cepheus.de : site portail sur l'habitat passif, bilingue allemand/anglais.
• www.passiv.de : site allemand dédié à l'habitat passif (ou très basse énergie).
• www.passivehouse.at : site autrichien dédié à l'habitat passif (ou très basse énergie).

Sur les projets et/ou réalisations bioclimatiques

5 000 maisons solaires, ministère de l'Urbanisme et du Logement, Agence française pour la maîtrise de l'énergie, Éd. du Moniteur, 1983.
Ensemble des projets primés au concours proposé aux équipes concepteurs-thermiciens-entreprises en 1981.

Maisons solaires, maisons d'aujourd'hui, guide régional des réalisations, Comité d'action pour le solaire, 1990.
Présentation de 74 maisons solaires en France, avec descriptifs sommaires et bilans.

Maisons solaires, premiers bilans, J.-P. Ménard, Le Moniteur, 1980.
Présentation de 31 maisons individuelles « pionnières » en France, fonctionnant en solaire passif avec descriptions et bilans.

Habiter autrement, Les Cahiers de Cantercel, collectif, Édisud, 2001.

Enveloppes et murs, Les Cahiers de Cantercel, collectif, Édisud, 2002.

Architectures solaires en Europe. Conceptions, performances, usages, Commission des Communautés européennes, Édisud, 1991.
30 réalisations de bâtiments européens de taille et de programmes très divers, en solaire passif, très bien documentées.

Architectures durables. 50 réalisations en France et en Europe, P. Lefèvre, Édisud, 2002.
Descriptions détaillées de bâtiments tertiaires, avec présentation pertinente de ventilations naturelles assistées.

▶ *L'Architecture écologique. 29 exemples européens*, D. Gauzin-Müller, Éd. du Moniteur, 2001.
Bonne exposition de l'ensemble de la problématique, et exemples de réalisations variées très bien documentées.

Habitat solaire, habitat d'aujourd'hui, numéros spéciaux de la revue *Systèmes solaires* consacrés aux lauréats des concours organisés tous les deux ans par la revue pour les réalisations en architecture bioclimatique. Le point sur l'actualité française et dans les DOM-TOM.

Maisons écologiques d'aujourd'hui, J.-P. Oliva, A. Bosse-Platière, C. Aubert, Terre vivante, 2002.
32 habitats écologiques en France choisis pour leur diversité d'approche, de budgets, de formes, de matériaux…

25 maisons écologiques, D. Gauzin-Müller, Éd. du Moniteur, 2005.

Architecture et nature, 18 exemples internationaux, M. Schofield (dir.), Éd. du Moniteur, 1980.

Énergie pour la vie, C. Milligan, R. Alves, R. Nader, Le Chêne, 1977.

Architecture naturelle, en quête du bien-être, D. Pearson, Terre vivante, 2003.

L'Architecture verte, J. Wines, Taschen éditions, 2000.

Ökologish bauen - gesund wohnen (Construire écologique - Habiter sainement), C. Brand, Callwey Verlag (Munich), 1994.

Ökologische Architektur (Architecture écologique), H. Kleiner, Callwey Verlag (Munich), 1995.

Die Neuen Energiesparhäuser (Les Nouvelles Maisons économes en énergie), C. Brand, Callwey Verlag (Munich), 1997.

Das Passivhaus. Wohnen ohne Heizung (La Maison passive. Habiter sans chauffage), A. Graf, Callwey Verlag (Munich), 2000.
Ces quatre derniers livres, non traduits de l'allemand, montrent de nombreux exemples récents de maisons individuelles très bien illustrés (plans, coupes, photos).

Sur les serres bioclimatiques en particulier

« Comment économiser l'énergie avec une véranda », dossier des *Cahiers techniques du bâtiment*, n° 92, septembre 1987.

Le Livre des serres, P. Clegg, D. Watkins, Alternatives, 1980.
Un classique, traduit de l'américain.

Effets de serres : conception et construction des serres bioclimatiques, I. Hurpy, F. Nicolas, Édisud/PYC Éditions, 1981.
L'ouvrage de base pour la conception d'une serre, avec un historique et des exemples de réalisations en France.

Une serre solaire pour chauffer votre maison et pour jardiner toute l'année, B. Yanda, R. Fisher, traduit et adapté de l'américain par R. Célaire, Eyrolles, 1982.
De nombreux conseils pratiques pour la conception et la construction.

Wintergärten, ein praxis-Handbuch (Les Serres, manuel pratique), E. Haupt, A. Wiktorin, Ökobuch (Staufen bei Freiburg, Allemagne), 2001.
Un classique, plus récent que les précédents mais non traduit en français, qui fourmille de conseils pratiques.

Sur la construction bioclimatique régionale

Construire et réhabiliter avec le climat en Normandie, ADEME, CAUE et conseil régional de Haute-Normandie, 1994.

Conception thermique de l'habitat pour la région PACA, SOL.A.I.R., architectes ingénieurs, Édisud, 1988.

Guide de recommandations pour la conception de logements à hautes performances énergétiques en Île-de-France, H. Hamadou, O. Sidler, éd. ADEME, ARENE, GDF, 1999.

Architecture et climat, guide d'aide à la conception bioclimatique, collectif, programme national RD Énergie, Université catholique de Louvain (Bruxelles), 1986.

Logements à faibles besoins en énergie, guide de recommandations et d'aide à la conception, O. Sidler, région Rhône-Alpes, ODH26, ADEME, conseil général de Savoie (document téléchargeable sur le site de O. Sidler : sidler.club.fr).

Vivre et construire avec le climat en Languedoc-Roussillon, brochure sur l'exposition organisée par les CAUE de l'Aude, du Gard, de l'Hérault, des Pyrénées-Orientales, et le conseil régional du Languedoc-Roussillon, 1981.

Habiter la montagne, A. Surot, M. Ruchon, Éd. CPIE de Franche-Comté, 1996.

Vivre et habiter la montagne jurassienne, collectif, Néo Éditions, 2004.

Qualité environnementale des bâtiments en Languedoc-Roussillon, collectif, Agence méditerranéenne de l'environnement, Ordre des architectes du Languedoc-Roussillon, 2002.

Sur la réhabilitation en particulier

Voir aussi « Sur les matériaux et les techniques constructives »

Amélioration énergétique des bâtiments existants : les bonnes solutions, FFB-ADEME, SEBTP, coll. « Connaître pour agir », 2004.
Un ensemble de fiches pratiques surtout destinées aux professionnels.

Rénovation de bâtiments selon le standard MINERGIE®, H. Bürgi, P. Raafbaub, éd. Verein MINERGIE®/association MINERGIE®, 2000.

Étude sur la basse énergie appliquée aux bâtiments anciens, Enertech, document Énergivie, www.energivie.fr, 2005.

Le Bâti ancien, collectif, Éd. Pisé terre d'avenir (63260 Thuret), 1996.

Altbausanierung mit Naturbaustoffen, K. Schillberg, AT Verlag (Aarau-Stuttgart, Allemagne), 1996.
De très nombreuses techniques de réhabilitation avec des matériaux « premiers », malheureusement en allemand.

Réhabilitation, arts de bâtir traditionnels, connaissance et techniques, J. Coignet, Édisud, 1989.
Ni « écolo », ni « basse énergie », mais fondamental pour comprendre le bâti ancien avant toute intervention.

▶ *La Maison ancienne. Construction, diagnostic, interventions*, J. Coignet, L. Coignet, Eyrolles, 2002.
Suite, actualisation et compléments du précédent.

Revues

Maisons paysannes de France, revue trimestrielle, 8, passage des Deux-Sœurs, 75009 Paris. Revue de l'association nationale du même nom sur la réhabilitation du bâti ancien et la redécouverte des techniques traditionnelles. Organisation de formations. www.maisons-paysannes.org.

Tiez-Breiz, Maisons et paysages de Bretagne, 10 rue du Général-Nicolet, 35200 Rennes. www.tiez-breiz.org. Organisation de formations.

Sur les matériaux et les techniques constructives

Les règles de la construction- Mieux les connaître pour mieux les appliquer, collectif, CSTB éditions, 2000.
Petit guide accessible pour se retrouver dans les textes et règlements.

Mémento de la construction. Bâtir, aménager, rénover, collectif, Confédération nationale des Castors, régulièrement réédité.
Manuel très utile pour l'autoconstruction, qui ne perdrait rien à s'intéresser aussi à l'écoconstruction

Matériaux et techniques alternatives diverses

Matériaux de construction appropriés, un catalogue des solutions potentielles, R. Stulz, K. Mukerji, M. Klein, coéd. SKAT/IT/Gate/CRATerre, Saint-Gallen (Suisse), 1996.
Une mine de techniques et d'idées alternatives.

Alternative Construction, Contemporary Natural Building Method, L. Elisabeth, C. Adams, éd. John Wiley & sons (États-Unis), 2000.
Un passionnant répertoire des possibles, avec des matériaux premiers ou recyclés.

Sites

En plus des sites de négoces spécialisés et des annuaires, quelques références de structures travaillant sur le sujet des matériaux et systèmes constructifs écologiques :

• www.envirobat-med.nt : site des acteurs de la construction environnementale de la région méditerranéenne.

• www.oikos.asso.fr : site de l'association Oïkos : la maison, son environnement (Rhône-Alpes).

• www.cr3e.com : site cherchant à centraliser les informations françaises sur l'écoconstruction.

• www.cd2e.com : site gérant une base de données sur les matériaux « écologiques ».

• www.inies.fr : embryon d'une base de données environnementales et sanitaires sur quelques matériaux industriels français.

• www.ecoinvent.ch : site de référence sur la qualité environnementale des matériaux de construction.

• www.reseau-ecobatir.asso.fr : site de l'interprofessionnelle de l'écoconstruction.

• www.ideesmaison.com : site très renseigné d'un passionné du sujet.

• www.archilibre.org : site de l'autoconstruction buissonnière.

• www.inti.be/ecotopie : site présentant de multiples techniques et de l'urbanisme durable.

• www.naturplus.org : site avec expertises de matériaux (en allemand).

• www.greenbuilder.com : site de référence, en anglais.

Terre crue

▶ *Traité de construction en terre, encyclopédie de la construction en terre*, vol. I, H. Houben et H. Guillaud (dir.), CRATerre, Parenthèses, 1989.
La référence technique en langue française.

Terre crue, techniques de construction et de restauration, B. Pignal, Eyrolles, 2005.
Pour connaître et restaurer le patrimoine français.

Architectures de terre, atouts et enjeux d'un matériau de construction méconnu : Europe - Tiers Monde - États-Unis, J. Dethier (dir.), Centre Pompidou, 1986.
Un tour du monde de la terre crue. Magnifique.

Construire avec le peuple, H. Fathy, Sindbad, 1985.
    Autobiographie passionnante du grand architecte égyptien, toujours aussi actuelle, et transposable sans peine à la réalité française du XXIᵉ siècle.
Le Pisé, patrimoine, restauration, technique d'avenir, collectif Pisé terre d'avenir, Éd. CREER (63340 Nonette), 1997.
Bâtir en pisé, collectif, Éd. Pisé terre d'avenir (63260 Thuret), 1998.
Blocs de terre crue, collectif, Éd. Pisé terre d'avenir (63260 Thuret), 2001.
Rammed Earth, Lehm und Architektur, M. Rauch, O. Kapfinger, éd. Birkhäuser (Bâle, Suisse), 2001.
    Quand le pisé devient œuvre d'art… en allemand.
Naturbaustoff LEHM, K. Schillberg, H. Knieriemen, AT Verlag (Aarau-Stuttgart, Allemagne), 1993.
Lehmbau-Handbuch (Manuel de construction en terre), G. Minke, Ökobuch (Staufen bei Freiburg, Allemagne), 1994.
    Présentation de techniques alternatives contemporaines, en allemand.

Sites
• www.craterre.archi.fr : site de CRATerre-EAG, laboratoire de recherche de l'école d'architecture de Grenoble, spécialisé sur le matériau terre.
• www.adobebuilder.com : sur l'autoconstruction en adobe.
• www.eartharchitecture.org : site de référence sur la construction en terre.

Habitats troglodytiques
Habitat creusé : le patrimoine troglodytique et sa restauration, P. Bertholon, O. Huet, Eyrolles, 2005.
    Ouvrage désormais incontournable pour la connaissance et la réhabilitation de ce patrimoine.
Maisons creusées, maisons enterrées, N. Charneau, J.-C. Trebbi, Alternatives, 1981.
Archi troglo, J.-P. Loubes, Parenthèses, 1984.

Bois et ossature bois
Les ouvrages et revues sur ce sujet sont très nombreux, nous ne mentionnons donc que les plus pertinents à notre sens.
Construire en bois, t. I et II, J. Natterer, T. Herzog, M. Volz, Presses polytechniques et universitaires romandes, 1994, 1998.
    L'ouvrage technique de référence pour les professionnels.
▸ *Construire avec le bois*, D. Gauzin-Müller, Le Moniteur, 1999.
25 maisons en bois, D. Gauzin-Müller, AMC/Le Moniteur, 2003.
Maisons d'architectes en bois, J. Cariou, Alternatives, 2003.
La Nouvelle Architecture du bois, N. Stungo, Le Seuil, 1999.
Bois et Minergie-Lignatec, M. Ragonesi, J. Fischer, F. Beyeler, Éd. Lignum, Économie suisse du bois (Zurich), 2003.
L'Art de la fuste (cahiers n° 1 à 4), M.-F. et T. Houdart, Éd. Maïade, 1999 à 2005.

Revues
Séquences bois, publication bimestrielle du CNDB (Conseil national pour le développement du bois), 6 avenue de Saint-Mandé, 75012 Paris.
Maisons et bois international, bimestriel, 157 cours Berriat, 38000 Grenoble.
Le Guide pratique de la maison en bois, trimestriel, 157 cours Berriat, 38000 Grenoble.

Sites
• www.bois-construction.org : site du CNDB.
• www.bois-foret.info.com : site de la filière bois français.
• www.bois-habitat.com : site belge dédié au bois et à l'habitat.
• www.infoholz.de : site allemand de la construction en bois.
• www.dataholz.com : site du centre autrichien pour le développement du bois.
• www.v-a-i.at : site de l'institut d'architecture du Vorarlberg.

Fibres végétales (paille, chanvre…)
The Straw Bale House, collectif, éd. Chelsea Green, 1994.
    Ouvrage de référence des constructions en paille (en anglais).
▸ *La Botte de paille, matériau de construction*, J. Coudel, S. Courgey, Arcanne/Oïkos, 2006 (www.oikos.asso.fr).
    Document technique faisant le tour du sujet et permettant, grâce à de nombreuses coupes, schémas et photos, de comprendre comment adapter ce matériau à divers types d'ossatures bois.
Bâtir en paille, guide pratique de la construction en bottes de paille, A. de Bouter, La Maison en paille (Champmillon, France), 2004.
Construire en paille aujourd'hui, A. et H. Gruber, Terre vivante, 2003.
Montholier, étude de deux procédés constructifs à ossature bois et fibres végétales, rapport final, S. Courgey, Arcanne/PUCA, 2006 (arcanne.asds@wanadoo.fr).
    Description de la première commande publique de maisons « bois-chanvre » et « bois-paille », y compris bilan documenté du programme de recherches qui a accompagné ces constructions.
Bétons de chanvre, synthèse des propriétés physiques, ouvrage collectif rédigé par A. Evrad, éd. Construire en chanvre (www.construction-chanvre.asso.fr), 2002.

Sites
• www.strawhomes.com : site du trimestriel *The Last Straw Journal*.
• www.la-maison-en-paille.com : site français le plus documenté sur la construction en bottes de paille.
• www.baubiologie.at : pour savoir où en sont les Autrichiens, ouvertement les plus ambitieux sur le sujet en Europe.
• www.strawbalefutures.org.uk : site anglais sur la construction en paille.
• www.fasba.de : site de l'interprofessionnelle allemande de la construction paille.
• www.construction-chanvre.asso.fr : site de l'interprofessionnelle française du chanvre construction.

Sur les toitures végétalisées
Végétalisation des toitures, B. Kleinod, Éd. Ulmer, 2001.
Toitures prairies, techniques de végétalisation des toitures en pente, T. et M.-F. Houdart, Éd. Maïade, 2004. Site : www.boisbrut.org.
Toits et murs végétaux, N. Dunnet, N. Kingsbury, Éd. du Rouergue, 2005.
    Traduit de l'américain.

Sites
• www.zinco.ch : site bien documenté mais en allemand.
• www.vegetalid.com : information sur les toitures et les murs végétalisés.

Sur les puits canadiens
« Contrat puits provençal ADEME/FRME », expérimentation INSA, A. Trombe, B. Bourret, INSA Toulouse, 1993.

Rafraîchissement d'air par puits provençal, expérimentation de l'Ariège, collectif, INSA Toulouse, 1994.

Rafraîchissement par geocooling : bases pour un manuel de dimensionnement, P. Hollmuller, B. Lachal, D. Pahud, université de Genève, 2005.

Sites

• www.nesal.universingen.de : site présentant le logiciel GAEA permettant de dimensionner un puits canadien.

• www.izuba.fr : site d'une société en charge de l'intégration au logiciel COMFIE/PLEIADE d'un moteur de dimensionnement de puits canadiens.

• www.herzog.nom.fr : site d'un passionné des puits canadiens.

Sur la ventilation

Solutions de ventilation dans l'habitat individuel, COSTIC, FFB, EDF, éd. SEBTP, 2002.

Ventilation et bâtiments, collectif, CSTB Éditions, 2003.
L'ouvrage de référence permettant de dimensionner les installations. Pour professionnels.

Qualité de l'air dans les installations aérauliques, CETIAT, ADEME, EDF, GDF, document CETIAT (www.cetiat.fr), 2004.

Guide pratique des modulations des débits d'air, CETIAT, ADEME, document CETIAT (www.cetiat.fr), 2000.

L'Aération des bâtiments MINERGIE®, collectif, éd. Verein MINERGIE®/association MINERGIE®, 2001.

Les Cahiers de la qualité de l'air intérieur n° 1 (2003) et n° 2 (2004), collectifs, éd. Europe & Environnement.

Sites

• www.ademe.fr : site de l'Agence de l'environnement et de la maîtrise de l'énergie.

• www.cetiat.fr : site du Centre technique des industries aérauliques et thermiques.

• www.costic.fr : site du Comité scientifique et technique des industries climatiques.

Sur la santé dans l'habitat

▶ *Le Guide de l'habitat sain,* S. et P. Déoux, Médiéco Éditions, 2e éd., 2004.
Pratique, complet, le livre de référence sur le sujet.
Site : www.medieco.info.

Nos maisons nous empoisonnent, G. Méar, Terre vivante, 2003.

La Pollution intérieure des bâtiments, collectif, Éd. Weka, 2002.
Petit livre documenté permettant de faire rapidement le tour du sujet.

La France toxique, A. Aschieri, La Découverte, 1999.

Amiante, le dossier de l'air contaminé, F. Malye, Éd. Le Pré-aux-clercs, 1996.
Enquête édifiante par un journaliste de la revue *Science et Avenir* démontrant comment les lobbies industriels peuvent, en étant à la fois juges et parties auprès des pouvoirs publics, occulter pendant des décennies une catastrophe sanitaire programmée.

Sites

• www.afsse.fr : site de l'Agence française de sécurité sanitaire environnementale.

• www.air-interieur.org : site de l'Observatoire de la qualité de l'air intérieur.

• www.quechoisir.fr : site de l'Union française des consommateurs.

• www.sante.gouv.fr : site du ministère de la Santé.

Revues et périodiques

▶ *La Maison écologique,* bimestriel, 35630 Bazouges-sous-Hédé, www.la-maison-ecologique.com.
La première revue française sur le sujet. D'excellents dossiers très documentés.

Systèmes solaires, bimestriel, 146 rue de l'Université, 75007 Paris, www.energies-renouvelables.org. Publie tous les deux ans un numéro spécial architecture *Concours habitat solaire, habitat d'aujourd'hui.*

Architecture à vivre, bimestriel, 11 rue Sarrette 75014 Paris, e-mail : avivre@minitelorama.com.

Technique et architecture, bimestriel, 6 rue Lhomond 75005 Paris, email : place@implace.com.

La Revue durable, bimestriel, CERIN SARL, rue de Lausanne 91, 1700 Fribourg, Suisse, www.cerin.ch.
Excellente revue sur l'environnement. Voir particulièrement le dossier du n° 9, février-mars 2004 : « Adapter les bâtiments au froid et aux canicules ».

Les Quatre Saisons du jardinage, bimensuel, www.terrevivante.org.
Consacré à l'écologie pratique, chaque numéro comporte plus de 10 pages documentées sur le bâtiment dont un dossier technique.

Chaud, froid, plomberie, mensuel, www.e-delta-T.com.
Ouvrage de référence pour tous les professionnels intervenant sur chantier ou en bureau d'études.

Les Cahiers techniques du bâtiment, mensuel, www.batiproduits.com.

Économie et construction, mensuel, www.untec.com.

Constructif, trimestriel, www.constructif.fr.
Dossiers de haut niveau présentant la contribution des professionnels de la FFB aux grands débats de notre temps.

Que Choisir ?, mensuel de l'Union française des consommateurs, www.quechoisir.fr.

Cler infos, bimensuel du Comité de liaison des énergies renouvelables, www.cler.org.
Pour suivre les actions des structures adhérant à la fédération nationale des associations travaillant sur la maîtrise de l'énergie et sur les énergies renouvelables.

Habitat naturel, bimestriel, 92293 Châtenay-Malabry, www.habitatnaturel.fr.

Futur(e) maison, trimestriel, 2 rue du Roule, 75001 Paris, www.editions-des-halles.fr.

AJENA Contact, trimestriel de l'association AJENA, énergie et environnement en Franche-Comté, www.ajena.org.
Chaque numéro comporte un dossier et une série de brèves sur la maîtrise de l'énergie ou les énergies renouvelables.

Annuaires sur l'écoconstruction

Il existe plusieurs annuaires dont les informations et adresses sont plus ou moins contrôlées, et actualisées. Il appartient à chacun de ne pas prendre les adresses indiquées comme des garanties de qualité et de se faire sa propre opinion.

Annuaire national de l'habitat écologique, coédition Terre vivante-La Maison écologique-cr3e, 2003, épuisé. Voir www.cr3e.com

J'attend une maison, éd. La pierre verte, 2006.
L'annuaire incontestablement le plus fourni, mais dont les conseils et informations sont parfois sujet à caution. www.pierreverte.com

Guide raisonné de la construction écologique, association Bâtir Sain, régulièrement réactualisé. www.batirsain.org

GLOSSAIRE

Albédo Fraction réfléchie par un corps du rayonnement, ou coefficient de réflexion.

Allège Surface opaque ou vitrée sous une fenêtre

Apports internes Émission de calories dans l'habitat par les habitants ou leurs activités (machines, éclairage...).

Basse énergie Classe de bâtiments thermiquement performants. (voir p. 38, chapitre 6 et annexe p. 227).
La classification se réfère à l'énergie primaire nécessaire aux besoins de chauffage et de rafraîchissement. Dans certains cas elle peut également prendre en référence un ensemble plus complet de besoins énergétiques (chauffage, rafraîchissement, ventilation et production d'eau chaude solaire et quelquefois également éclairage et besoins d'électricité spécifique...).

Bâtiment « zéro énergie » Appellation pour des bâtiments produisant sur l'année autant d'énergie qu'ils en ont besoin pour leur fonctionnement.

Bâtiment passif Voir maison passive.

Bilan carbone Bilan global d'un matériau, d'un bâtiment... sur sa durée de vie entière concernant sa contribution à la production de gaz à effet de serre (exprimé en équivalent CO_2).

Changement de phase (matériaux à) Matériaux produisant ou consommant des calories lors de leur passage d'un état à l'autre (gazeux/liquide/solide) dans des plages de température permettant de les utiliser pour le chauffage ou le rafraîchissement (voir p. 111).

Chauffage à air (air pulsé) Distribution de la chaleur par l'air.

Coefficient de bois Proportion d'occultation du rayonnement solaire par les branches d'un arbre à feuilles caduques en hiver

Coefficient de clair Rapport entre la surface vitrée d'une fenêtre et la surface (voir p. 114).

Coefficient de jour (ou coefficient de clair) Rapport entre la surface totale d'une baie et sa partie transparente ou translucide.

Composés organiques volatils (COV) Famille très nombreuse de substances organiques gazeuses composées de carbone et d'hydrogène (hydrocarbures) émises par les matériaux de synthèse, les colles, les produits de nettoyage, etc. La toxicité des COV, liée à leur concentration et à leur synergie entre eux va de « simples malaises » à des « effets cancérogènes » ou « mutagènes ».

Effusivité Voir p. 71.

Énergie fatale Énergie récupérée d'un système ou d'une installation ayant une vocation autre que celle de produire de l'énergie (exemple : calories récupérées par une ventilation double flux, dans une centrale d'incinération…).

Énergie géosolaire Énergie contenue dans la couche superficielle de l'écorce terrestre et provenant majoritairement du rayonnement solaire.

Énergie grise Total de l'énergie fossile nécessaire à la production (extraction, transformation, conditionnement, transport) et à la mise en oeuvre d'une quantité donnée d'un matériau.

Énergie primaire Énergie directement puisée dans la nature : pétrole brut, gaz naturel, charbon, rayonnement solaire, biomasse, énergie du vent, énergie hydraulique, fusion de l'uranium…

Esquisse Phase initiale d'un projet de construction ou de rénovation proposant les principales options d'adaptation au terrain, de volumétrie, de surfaces, de distributions, etc. en fonction des souhaits des maîtres d'ouvrage et des contraintes budgétaires et administratives.

Facteur d'ombrage Proportion d'occultation du rayonnement solaire procuré par un dispositif de protection (persienne, store...).

Faible émissivité (vitrages à) Ce sont des doubles vitrages dont l'une des glaces est recouverte d'une fine couche d'oxyde métallique. Cette couche limite le passage du rayonnement provenant de l'intérieur du logement, ce qui diminue de plus d'un tiers les déperditions. Il n'existe que peu de différence visible entre les vitrages clairs et les vitrages à FE (voir p. 74).

Frigorie Expression de l'unité de mesure thermique (la calorie) utilisée par les techniciens de production du froid. Une frigorie est une calorie négative.

Fuste Technique de construction de murs à base d'empilage de billes de bois massif, généralement non équarries.

Gaz à effet de serre Gaz responsables de l'effet de serre atmosphérique et par conséquent du réchauffement climatique : (ex : CO_2, méthane...)

Géothermie Exploitation de la chaleur naturelle contenue dans l'écorce terrestre et ne provenant pas du rayonnement solaire.

Hérisson, Hérissonnage Lit de pierres non maçonnées comportant des vides entre elles sous une dalle de sol. Le hérisson sert de support drainant et empêche les remontées d'eau par capillarité.

Hors sol Mode d'agriculture et d'élevage industriels où le sol n'est pas un milieu vivant mais le simple support des apports extérieurs.

Humidité relative L'humidité relative est le rapport exprimé en pourcentage entre la quantité d'eau contenue dans l'air sous forme de vapeur à la température ambiante et la quantité maximale qu'il peut contenir à cette même température (voir p. 30).

Inertie séquentielle Voir p. 84.

Intrants En économie agricole, apports nutritifs venant de l'extérieur. Par extension au bâtiment, apports énergétiques extérieurs.

Irradiation solaire : Émission de rayonnement solaire sur une paroi.

Label HPE (Haute Performance Energétique) Niveau de performances défini par le ministère du Logement et équivalant à un seuil supérieur de 8 % au niveau réglementaire en vigueur (10 % à partir de la RT 2006). Voir également p. 227.

Label THPE (Très Haute Performance Energétique) Niveau de performances défini par le ministère du Logement et équivalant à un seuil supérieur de 15 % au niveau réglementaire en vigueur (20 % à partir de la RT 2006). Voir également p. 227.

Maître d'œuvre Professionnel de la construction, généralement architecte, responsable de la réalisation du projet.

Maître d'ouvrage Commanditaire ou client dans un projet de construction.

Maison à énergie positive Appellation pour des bâtiments produisant sur l'année plus d'énergie qu'ils en ont besoin pour leur fonctionnement.

Maison passive Appellation pour des bâtiments « très basse énergie » (en référence à l'initiative allemande « Passiv-Haus »).

Murs gouttereaux Murs extérieurs supportant le bas de pente du toit, et donc la gouttière, par opposition aux murs pignons.

Papier ingrain Papier mural à coller et éventuellement à peindre composé de pâte à papier pure et de balle de céréales.

Permaculture Pratique agricole basée sur une intégration de tous les acteurs d'un écosystème et sur une intervention minimum de l'homme dans les rythmes biologiques.

Perspiration, parois perspirantes Propriété d'une paroi à laisser transiter l'humidité à travers son épaisseur et à la laisser s'évaporer lorsqu'elle arrive à sa surface.

Pertes de charges En mécanique des fluides, réduction de la vitesse de liquides ou de gaz due aux frottements et mouvements parasites provoqués par les parois internes des conduits.

Planelle Pièce de maçonnerie étroite en avant de dalle.

Plenum Espace intermédiaire (par exemple entre un double plafond et un plancher) pouvant servir à la ventilation d'un bâtiment.

Pont thermique Voir p. 77.

Programme, Programmation Travail préalable à tout projet consistant à définir les objectifs de celui-ci : fonctions, surfaces, budget, calendrier...

Puits de carbone Qualificatif de matériaux pouvant stocker durablement le carbone et libérer de l'oxygène, et donc contribuer à la réduction de CO_2 dans l'atmosphère.

Redents (ou redans) ressauts successifs en forme d'escalier pour adapter un mur à un terrain en pente, ou saillies verticales sur une façade.

Refend, mur de refend Mur porteur intérieur, à la différence d'une cloison qui n'a qu'une fonction de séparation.

Réhabilitation Mise à niveau des exigences d'usage et de confort d'un bâtiment existant, parfois avec changement de destination (réhabilitation d'une bergerie).

Rénovation Remise à neuf d'un bâtiment existant en tout ou partie sans en changer les caractéristiques (rénovation d'une toiture, d'une peinture).

Réseau de chaleur Système de distribution de chaleur pour plusieurs bâtiments.

Rupteurs thermiques Dispositif intégré à la structure du bâti limitant les ponts thermiques.

Sonde géothermale Échangeur thermique vertical récupérant la chaleur de l'écorce terrestre.

Tableau, surface en tableau Le tableau est la paroi latérale du mur encadrant une baie ou une fenêtre. La surface en tableau est la surface de mur à mur, sans tenir compte de l'huisserie.

Tirage thermique Mouvement ascensionnel de l'air provoqué par son réchauffement.

Très basse énergie Classe de bâtiments thermiquement très performants. (voir p. 38 et chapitre 6).

Trumeau Partie de mur comprise entre deux ouvertures verticales.

Volant thermique Capacité d'un ouvrage à stocker, amortir et déphaser la restitution des calories. (voir inertie p. 80).

Vêture Revêtement pour la protection ou la décoration d'une façade constitué d'éléments préfabriqués.

Source des dessins

23 : d'après un dessin d'Agrippa de Nettesheim (XVIᵉ siècle)

28, 81 : d'après *Guide de l'architecture bioclimatique*

33 : d'après *Architecture et climat, guide d'aide à la conception bioclimatique*

35 : d'après *Soleil, nature, architecture*

40, 58 : d'après *Maisons rurales et vie paysanne en Provence*

41, 57, 66, 109, 199, 200 : d'après *L'Habitat bioclimatique, catalogue des techniques : de la conception à la réalisation*

43 : d'après *Habitat creusé : le patrimoine troglodytique et sa restauration*

44 : d'après *Guide de recommandations pour la conception de logements à hautes performances énergétiques en Île-de-France*

45 : d'après *Habiter la montagne*

46 : d'après *5 000 maisons solaires*

47, 48 : d'après *Vivre et construire avec le climat en Languedoc-Roussillon*

49 : d'après *Ökologische Baukompetenz*, cité dans *L'Architecture écologique, 29 exemples européens*

49 : d'après *5 000 maisons solaires*

51, 78 : d'après ADEME

54, 55, 56, 65 : d'après *Atlas climatique de la construction*

55, 137, 159, 160, 165 : d'après *Archi de soleil*

59, 123 : d'après *Conception thermique de l'habitat pour la région PACA*

61 : d'après *Energy Conscious Design, a Primer for Architects*

61, 72, 82, 83 : d'après *Archibio*

73, 121 : d'après *Mémento Saint-Gobain*

74 : d'après Interpane

88 : d'après Homatherm

91 : d'après Dämmstatt WERF

95 : d'après Unger-Diffutherm®

95 : d'après *Chauffage de l'habitat et énergie solaire*

105 : d'après Proclima

111 : d'après *Architectures durables. 50 réalisations en France et en Europe*

119 : d'après *Le Guide de l'énergie solaire passive*

119 : d'après sources diverses dont MINERGIE®

127, 133 : d'après *Guide de l'architecture bioclimatique, t. III*

130 : d'après *La Maison des négawatts*

138 : d'après *Maisons solaires, premiers bilans*

142 : d'après *Le Guide de l'énergie solaire passive*

153 : d'après STABA Wuppermann GmbH.

145, 155, 157, 159 : d'après *Effets de serre : conception et construction des serres bioclimatiques*

167 : d'après *Architectures solaires en Europe. Conceptions, performances, usages*

170 : d'après Y. Jautard-Solarte

203 : d'après *Qualité environnementale des bâtiments, manuel à l'usage de la maîtrise d'ouvrage et des acteurs du bâtiment*

86, 88 : Homatherm

116 : Fiche OPATB/ADEME « Fenêtres et performances thermiques »

122 : Sources diverses dont Arene-PACA

132 : *Le Guide de l'énergie solaire passive*

145 : Étude « Bâtiments de logements HQE® économes en énergie et en eau », ALE Lyon/ADEME/Enertech, avril 2004

161, 162 : Enertech

171, 174, 175 : « Contrat puits provençal ADEME/FRME », expérimentation INSA Toulouse

171 : Architecture d'été, construire pour le confort d'été

197 : *Qualité environnementale des bâtiments, manuel à l'usage de la maîtrise d'ouvrage et des acteurs du bâtiment*

198 : Étude sur la basse énergie appliquée aux bâtiments anciens, Enertech

Source des schémas

21 : ADEME

28 : Givoni

36 : Archibio

42 : *Habitat creusé : le patrimoine troglodytique et sa restauration*

59 : *Guide de l'architecture bioclimatique, t I ; t II : 82 ; t. III : 68, 133*

Crédits photographiques

Les auteurs et l'éditeur remercient les photographes et les entreprises dont les noms figurent ci-dessous et qui ont bien voulu leur accorder l'autorisation de reproduire leurs photographies. Une reconnaissance particulière à Yvon Saint-Jours de la revue *La Maison écologique*.

Ils remercient également les architectes cités dans les légendes des illustrations ; malgré tous nos efforts, certains n'ont pu être contactés. Qu'ils veuillent bien nous en excuser.

h : en haut
m : au milieu
b : en bas
d : à droite
g : à gauche

A. Bosse-Platière : 102bm, 161, 162
A. Pouget : 211
ADEME : 21, 140b
Airvent : 189b
AJENA : 163, 165m, 168
Ak-terre : 111hd
Aldes : 187, 197b, 205m
Arcanne : 186
Architecture animale : 10
Architecture et nature, 18 exemples internationaux : 42
Architecture insolite : 112bd
Architecture naturelle, en quête de bien-être : 12b, 19b
Architectures durables. 50 réalisations en France et en Europe : 17
Architectures et climats. Soleil et énergies naturelles dans l'habitat : 13b
Architectures solaires en Europe, Conceptions, performances, usages : 131h, 137bd, 147h, 156b, 160bm, 160bd, 164, 167hd

ASBN, Bauatelier Schmeltz : 13, 47
Astato : 203hm
B. Laignelot : 133h
B. Peuportier : 158, 165g
B. Thouvenin : 29, 100, 111hm
Bélimo : 184
Biologish natürlich Bauen : 103m, 135h
C. Cuendet : 118hm, 126m, 126d
C. Hauvette : 127hd
C. Keller : 125bm, 213b
C. Renaudin : 97h, 106dh, 106dm, 106db, 110h, 132h, 134bm
Cabinet K. Viriden : 215
Campagne Display, www.enregie-cites.org) : 208.
Casa-Vita : 116
Cogebloc : 88d
Colzani : 91b
Comfosystems : 165d
Consolair : 167bg
D. Alasseur : 152b, 160hg
Dämmstatt WERF : 80hg, 80hd, 103h, 105m
Des arbres et des hommes, architecture et marqueurs végétaux en Provence et Languedoc : 127hg
Domebook 2 : 24
E. Boissel : 125h.
Éco Énergie France : 176h
École supérieure du bois Nantes : 87
Elco : 177, 189h
Énergie pour la vie : 19d, 137hg
Energisch leben : 11.
Energy Conscious Design, a Primer for Architects : 140h
ESV : 200
F. Bouveret-Adera : 139g
F. Chabert (photo et coupe) : 43b
Fenêtres franc-comtoises : 117h
Foamglas : 102hg ; 102bg
Gap-Solar : 135m
Habitat creusé : le patrimoine troglodytique et sa restauration : 43g
Habitats, constructions traditionnelles et marginales : 12h
Hagapor : 108h
Hassan Fathi : 15
Hélios : 175, 176m, 176b

Homatherm : 71h, 96d, 105b, 108b
J.-L. Chanéac : 45b
J.-M. Biancamaria, La Vie naturellement : 103b
J.-M. Haquette : 50hg, 50bg, 69, 117b, 122h, 134h, 134m, 139bd
J.-P. Moya : 133m
J.-P. Oliva : 10b, 15m, 15b, 20, 40, 41, 42h, 97bg, 99hd, 99bd, 104bg, 106, 111hg, 120h, 120g, 125mg, 126g, 127, hm, 127bd, 128, 130b, 138bg, 138bd, 139hm, 141hg, 141hd, 146hg, 146mg, 146bd, 155
Kallisté-éco-forêt® : 98b
KLH® : 99hg, 99hm (architecte : G.W. Reinberg, ingénieur : J. Richenbauer)
L. Brandajs : 210h
L. Floissac (association ARESO) : 97bd, 104bd, 153
La Maison écologique, n° 12 (photo MER 17) : 137hd
La Maison écologique, n° 19 : 70h
La Maison écologique, n° 18 : 70b
La Revue durable, n° 9 : 16
Leca : 109d
Lignotrend® : 98h
Lucido : 141md, 141bd, 142h
M. Bahadori, *Scientific American*, « Les systèmes de refroidissement passifs dans l'architecture iranienne », avril 1978 : 172h
M. Wiedemann (*25 maisons écologiques*) : p. 131b
D. Petry-Amiel : 132b
Maisons creusées, maisons enterrées : 43hm
Maisons solaires, premiers bilans : 137bg, 138h, 160hm, 166g, 166d, 169bm
Menuiserie Bieber : 118hg
Mermet (États-unis : Nomades Production) : 125mm
Miami bois® : 119.
Micronal : 111b.
Minergie® : 95h, 205b
Monodraught : 201h
N. Duffourg : 125md
Noak : 91h, 133b

O. Duport : 97bm, 105h
O. Sébart/ADEME 2000 : 73g
Ossabois : 96hd, 96hg, 122b
P. Charmeau : 167hg
P. Mc Intyre : 120bm, 120bd
Pavatex® : 95b
Permaculture, a Designer's Manual : 172b
Photo : Akterre.
Pour une anthropologie de la maison : 11b
Proclima : 77, 79
R. Marlin : 114, 123d, 130h
Renson : 118hd, , 197h, 200hd, 201m
Robin Sun France : 73d
Röhm GmbH : 152h
S. Courgey : 31, 71b, 80b, 85, 88g, 89h, 89b, 95m, 101h, 104h, 104m, 109g, 110b, 112h, 112b, 123m, 134bd, 139hd, 154, 156h, 159, 169bg, 178, 193, 200g, 200b, 204, 205h, 213h
Silverwood : 101
Siporex : 94b
Solarte : 170h
STO : 135b
Stromaufwärts : 125bg.
Sunset Homeowner's Guide to Solar Heating : 169hd
P. Mignot : 146bm
T. et M.-F. Houdart (*Toitures prairies*) : 102bd
Vivre et construire avec le climat en Languedoc-Roussillon : 140m
VTI : 203hg, 203hd, 203b
Wienerberger : 93, 94h
Wodthe : 45h
Y. Jautard-Solarte : 170b
Y. Saint-Jours : 50d, 123g, 125bd, 127bg, 147b, 201b
Zomeworks : 157

Ce livre est imprimé sur un papier 100 % recyclé.
Photogravure : C'Limage, Grenoble.
Impression : Eurografica, Italie.